abc

B2

DELF

Marie-Louise PARIZET

CLE
INTERNATIONAL

Crédits photographiques

p. 58 : © Electro • p. 69, 109 : © Franck Delormeau • p. 73 : Ramona Heim © Shutterstock • p. 75, 81, 91, 93, 123, 127, 138, 153, 154, 157, 161 : © Fotolia • p. 85 : M. Launette © La Provence • p. 121 : © Les Mousquetaires • p. 143 : © Corinne Kober-Kleinert

Directrice de la production éditoriale : Béatrice Rego
Marketing : Thierry Lucas
Édition : Christine Delormeau
Conception couverture : Mizenpages
Réalisation couverture : Dagmar Stahringer / Griselda Agnes
Conception graphique : Mizenpages
Mise en pages : Christine Paquereau
Enregistrements : Jean-Paul Palmyre, studio Quali'sons

© CLE International / SEJER, 2013   ISBN : 978-209-038174-0

Le DELF (Diplôme d'études en langue française), sous sa forme actuelle, a été mis en place en septembre 2005. Les anciennes unités capitalisables ayant à cette date disparu, le terme de DELF ou de DALF désigne désormais un diplôme. On distingue ainsi, dans l'ordre, les diplômes tous publics suivants : DELF A1, DELF A2, DELF B1, DELF B2, DALF C1, DALF C2.

Ces diplômes, ainsi que leurs noms en font état, correspondent aux échelles de niveaux du Cadre européen commun de référence (CECR). Ils sont constitués d'épreuves orales et écrites, organisées sous forme de tâches, semblables à celles que tout un chacun peut avoir à réaliser au quotidien. Leur obtention atteste officiellement d'un niveau de connaissance en langue française.

Le niveau B2 du Cadre européen commun de référence correspond au niveau seuil. Il évalue une compétence d' « utilisateur indépendant » qui « peut comprendre le contenu essentiel de sujets concrets ou abstraits, dans un contexte complexe, y compris une discussion technique dans sa spécialité. Le locuteur peut communiquer avec un degré de spontanéité et d'aisance tel qu'une conversation avec un locuteur natif ne comportant de tension ni pour l'un ni pour l'autre. Il peut s'exprimer de façon claire et détaillée sur une grande gamme de sujets, émettre un avis sur un sujet d'actualité et exposer les avantages et les inconvénients de différentes possibilités ». (*CECR* page 25)

ABC DELF B2 correspond à un enseignement de 350 à 550 heures d'enseignement selon le contexte et le rythme d'enseignement. Son objectif est de préparer aux épreuves du DELF B2 décrites dans le tableau de la page 4, grâce à **50** activités d'entraînement par compétence, soit **200** activités pour l'ensemble de l'ouvrage, sans compter les épreuves types proposées à la fin du manuel.

L'entraînement aux quatre compétences est organisé de la même façon, en quatre temps :
- **A comme...** *aborder*, permet au futur candidat de découvrir en quoi consiste l'épreuve, et de recevoir des conseils pour la réaliser du mieux possible ;
- **B comme...** *brancher*, lui propose de réaliser une première activité, semblable à celle de l'épreuve ;
- **C comme...** *contrôler*, l'invite à s'autoévaluer à l'aide des corrigés et propositions de production mais aussi à l'aide des grilles d'évaluation propres à la production orale ou écrite avec lesquelles il sera évalué lors de l'examen ;
- **D comme...** *DELF*, l'invite enfin à s'entraîner avec les autres activités que propose chaque compétence.

À la suite, des **épreuves types** pour chacune des compétences, offrant au futur candidat la possibilité de se placer dans une situation de passation du DELF B2.

Des « **Petits plus** » de grammaire et de lexique permettent enfin de préciser à l'utilisateur quels éléments il lui faut acquérir pour comprendre et s'exprimer sans trop de difficultés, mais aussi pour l'aider à corriger ses erreurs.

La réflexion menée, jointe aux conseils et à l'entraînement proposés, devraient permettre au futur candidat d'aborder les épreuves du DELF B2 dans de bonnes conditions et d'atteindre le résultat souhaité, l'obtention de ce diplôme.

L'auteure

DELF B2

(NIVEAU B2 DU CADRE EUROPÉEN COMMUN DE RÉFÉRENCE POUR LES LANGUES)

NATURE DES ÉPREUVES	DURÉE	NOTE SUR
Compréhension de l'oral Réponse à des questionnaires de compréhension portant sur deux documents enregistrés : – interview, bulletin d'informations, etc. (une seule écoute) ; – exposé, conférence, discours, documentaire, émission de radio ou télévisée (deux écoutes). *Durée maximale des documents : 8 minutes.*	0 h 30 environ	25
Compréhension des écrits Réponse à des questionnaires de compréhension portant sur deux documents écrits : – texte à caractère informatif concernant la France ou l'espace francophone ; – texte argumentatif.	1 h 00	25
Production écrite Prise de position personnelle argumentée (contribution à un débat, lettre formelle, article critique, etc.).	1 h 00	25
Production orale Présentation et défense d'un point de vue à partir d'un court document déclencheur.	0 h 20 maximum *Préparation : 30 min*	25

Durée totale des épreuves collectives : 2 h 30.

Note totale sur 100
Seuil de réussite pour obtenir le diplôme : 50 / 100
Note minimale requise par épreuve : 5 / 25

Sommaire

Compréhension de l'ORAL

Compréhension des ÉCRITS

Production ORALE

Production ÉCRITE

Épreuves TYPES

Les « Petits PLUS »

Compréhension de l'ORAL

Description de l'épreuve

L'épreuve de compréhension de l'oral, d'une durée de 30 minutes environ, consiste à répondre à des questionnaires de compréhension portant sur deux documents sonores, faisant chacun l'objet d'un exercice.

D'une durée totale maximale de **8 minutes**, les deux enregistrements correspondent :

- **pour le premier document**, à l'audition de :
  - une interview,
  - un bulletin d'informations, etc.
faisant l'objet d'une seule écoute.
- pour le deuxième document, à l'audition de :
  - un exposé,
  - une conférence,
  - un discours,
  - un documentaire,
  - une émission de radio ou télévisée,
faisant l'objet de deux écoutes.

Le travail, pour le premier document comporte trois étapes :
- la lecture des questions (1 minute) ;
- l'écoute du document (de longueur variable) ;
- la réponse aux questions (3 minutes).

Le travail pour le deuxième document comporte cinq étapes :
- la lecture des questions (1 minute) ;
- une première écoute du document (de longueur variable) ;
- 3 minutes pour commencer à répondre aux questions ;
- une deuxième écoute du document ;
- 5 minutes pour compléter les réponses.

Ces étapes et leur durée sont indiquées au début de l'épreuve, sur la feuille de réponse et sur l'enregistrement. Il est également indiqué ce qu'il convient de faire pour chacun des deux documents, sur la feuille et / ou sur l'enregistrement.

> ### Conseils
>
> • Veillez à ce que tout soit écrit à l'encre, une réponse au crayon étant nulle.
>
> • Vérifiez qu'il n'y a aucun doute sur la réponse donnée.
>
> • Écrivez lisiblement les mots ou phrases à noter. Portez une attention particulière à l'orthographe.
>
> • Relisez si possible.

Pour vous aider...

Dans les deux cas :
- Au moment de remise de la feuille avec les questionnaires, regardez rapidement en quoi ils consistent : choix multiples, et/ou vrai/faux ou encore phrases à compléter ou à rédiger. Cela permet de mieux se préparer à l'écoute des documents en fonction de la tâche demandée : si l'attention lors de l'écoute est la même, il est plus simple de cocher un item que d'écrire un mot, une expression ou une phrase.
- Lisez attentivement les questions : elles donnent des indications, des pistes sur le document.

Pour le deuxième document :
- Il vous est généralement recommandé de ne pas prendre de notes et de vous concentrer sur le document lui-même. Toutefois, celui-ci étant relativement long, certains d'entre vous préféreront prendre quelques notes. Dans ce cas :
  - ne prenez de notes que si vous êtes habitué à le faire ;
  - faites-le de façon brève : ne cherchez pas à transcrire le document ;
  - ne prenez en note que les points, les éléments qui vous semblent essentiels.
- Quoi qu'il en soit : lors de la première pause, écrivez nettement à l'encre les réponses sûres.
- Pendant la deuxième écoute, centrez votre attention sur les questions sans réponse, essayez de confirmer vos réponses ou complétez-les.
- Après la deuxième écoute, vérifiez et complétez vos réponses (à l'aide éventuellement de vos notes) et notez-les clairement, à l'encre.

Pour vous entraîner, réalisez les activités suivantes.

//////////// **I** **Premier exercice** ///

ACTIVITÉ 1

Répondez aux questions en cochant la bonne réponse. //

1 • Les Francos gourmandes est un festival de musique et gastronomie.
   ❑ Vrai   ❑ Faux   ❑ On ne sait pas

2 • Ce festival aura lieu tous les ans, les 2 et 3 juin.
   ❑ Vrai   ❑ Faux   ❑ On ne sait pas

3 • Les Francos gourmandes se tiendront à Tournus, sur les bords de Seine.
   ❑ Vrai   ❑ Faux   ❑ On ne sait pas

4 • Environ 6 000 visiteurs sont attendus pour cette première édition.
   ❑ Vrai   ❑ Faux   ❑ On ne sait pas

5 • Jean-François Piège est le Chef parrain de ce festival.
   ❑ Vrai   ❑ Faux   ❑ On ne sait pas

6 • Ce grand Chef préparera lui-même des sandwichs à l'andouillette.
   ❑ Vrai   ❑ Faux   ❑ On ne sait pas

7 • Des menus à moins de 25 € seront servis pour ceux qui aiment prendre leur temps.
   ❑ Vrai   ❑ Faux   ❑ On ne sait pas

8 • Il existe un « pass » pour deux repas.
   ❑ Vrai   ❑ Faux   ❑ On ne sait pas

9 • Le « pass » pour les concerts des deux jours est de 45 €.
   ❑ Vrai   ❑ Faux   ❑ On ne sait pas

10• Les concerts et les repas sont gratuits pour les moins de 12 ans.
   ❑ Vrai   ❑ Faux   ❑ On ne sait pas

ACTIVITÉ 1

Répondez aux questions.

1 ● Que propose le Centre de réalité virtuelle de Clermont-Ferrand ?

....

2 ● Quel avantage et quel inconvénient présente cette méthode ?

....

3 ● Comment se déroule l'entretien ? Cochez (x) les bonnes réponses.
   a. Il a lieu : ☐ dans un cube de quatre mètres de côté muni d'écrans
                    ☐ dans une sphère de six mètres de diamètre munie d'écrans
                    ☐ dans un cube de trois mètres de côté muni d'écrans
   b. Les questions sont posées par : ☐ quatre avatars pilotés à distance
                                          ☐ trois avatars pilotés à distance
                                          ☐ deux avatars pilotés à distance
   c. Il dure : ☐ quarante minutes   ☐ trente minutes   ☐ vingt minutes

4 ● Quelles questions sont posées ? Cochez (x) les bonnes réponses.
   a. ☐ Elles portent sur le salaire que le candidat souhaite.
   b. ☐ Elles portent sur ce que le candidat a le mieux réussi dans sa carrière.
   c. ☐ Elles portent sur la conception que le candidat a de l'entreprise.

5 ● Actuellement, cet entretien est utilisé comme moyen de recrutement.
   ☐ Vrai   ☐ Faux   ☐ On ne sait pas

6 ● Michel Debout, psychologue spécialisé dans le monde du travail, donne son opinion
   sur ce type d'entretien. Complétez la phrase suivante.

   « Ce qui .... aujourd'hui, c'est l'authenticité de .... S'il ...., où va-t-on ? »

7 ● Cochez (x) la bonne réponse.
   Pour Julien Guegan, ingénieur en sciences cognitives au CNRS,
   a. ☐ il est judicieux de traiter une chose aussi sérieuse qu'un entretien d'embauche avec des avatars
   b. ☐ il est judicieux de traiter une chose aussi précieuse qu'un entretien d'embauche avec des avatars
   c. ☐ il n'est pas judicieux de traiter une chose aussi sérieuse qu'un entretien d'embauche avec des avatars

8 ● Cochez (x) les bonnes réponses.

	Vrai	Faux	On ne sait pas
a. Ce système d'entretien d'embauche est moins onéreux qu'un système classique.	☐	☐	☐
b. Ce système est commercialisé depuis deux ans.	☐	☐	☐
c. Ce système d'entretien d'embauche se développe de plus en plus depuis deux ans.	☐	☐	☐

9 ● Cochez (x) les bonnes réponses.
   a. ☐ Le centre de recherche de Clermont est financé par le département du Puy-de-Dôme.
   b. ☐ Le centre de recherche de Clermont est financé par la Région Auvergne.
   c. ☐ Le centre de recherche de Clermont est financé par l'Union européenne.

Évaluez vos réponses à la page suivante.

Grilles de correction

Les grilles de correction des activités sont les corrigés de celles-ci.

Lors de l'examen, chaque réponse est notée.

La compréhension de l'oral est notée sur **25 points**, ces points étant **répartis entre les deux épreuves**.

Corrections

/////////// **I** **Premier exercice** ///

ACTIVITÉ 1

Pour l'activité que vous venez de réaliser, avez-vous coché ces réponses ?
Si ce n'est pas le cas, observez les commentaires en rouge. ////////////////////////////

1 ● **Les Francos gourmandes est un festival de musique et gastronomie.**
   [X] Vrai   ☐ Faux   ☐ On ne sait pas
   *"... c'est l'idée de **marier** en un festival **musique et gastronomie**"...*

2 ● **Ce festival aura lieu tous les ans, les 2 et 3 juin.**
   ☐ Vrai   ☐ Faux   [X] On ne sait pas
   "... pour les éditions suivantes"... **Mais la date n'est pas précisée !**

3 ● **Les Francos gourmandes se tiendront à Tournus, sur les bords de Seine.**
   ☐ Vrai   [X] Faux   ☐ On ne sait pas
   "Tournus ... jolie petite ville du sud de la Bourgogne... sur les bords de la Saône"

4 ● **Environ 6 000 visiteurs sont attendus pour cette première édition.**
   [X] Vrai   ☐ Faux   ☐ On ne sait pas
   *"... la première édition attend de 5 à **6 000 visiteurs**..."*

5 ● **Jean-François Piège est le Chef parrain de ce festival.**
   [X] Vrai   ☐ Faux   ☐ On ne sait pas
   *"... sous la baguette du **chef** étoilé **Jean-François Piège**... **parrain** de cette édition..."*

6 ● **Ce grand Chef préparera lui-même des sandwichs à l'andouillette.**
   ☐ Vrai   [X] Faux   ☐ On ne sait pas
   *"... les festivaliers oublieront... les sandwichs **à l'andouillette**... il **confectionnera lui-même**
   les sandwichs jambon-beurre..."*

7 ● **Des menus à moins de 25 € seront servis pour ceux qui aiment prendre leur temps.**
   [X] Vrai   ☐ Faux   ☐ On ne sait pas
   *"... une allée des Chefs, sur le site, propose **des menus à moins de 25 €**..."*

8 ● **Il existe un « pass » pour deux repas.**
   ☐ Vrai   ☐ Faux   [X] On ne sait pas
   Le "pass" n'est mentionné que pour les concerts !

9 ● **Le « pass » pour les concerts des deux jours est de 45 €.**
   [X] Vrai   ☐ Faux   ☐ On ne sait pas
   *"... tarifs concerts... **45 €** le "pass" deux jours"*

10● **Les concerts et les repas sont gratuits pour les moins de 12 ans.**
   ☐ Vrai   ☐ Faux   [X] On ne sait pas
   *"... tarifs **concerts**... **gratuits pour les moins de 12 ans**" mais **les repas ne sont pas mentionnés** !*

ACTIVITÉ 1

Répondez aux questions. //

1 • Il propose de passer un entretien d'embauche mené par des avatars.

2 • Elle est bien moins chère mais elle ne comporte aucun contact humain ce qui est très important pour une embauche. ▶ "crucial" = très important

3 • **a.** Il a lieu : ☐ dans un cube de quatre mètres de côté muni d'écrans
   ☐ dans une sphère de six mètres de diamètre munie d'écrans
   ☒ dans un cube de trois mètres de côté muni d'écrans
   "... dans un cube immersif, une pièce de trois mètres de côtés..."

   b. Les questions sont posées par : ☒ quatre avatars pilotés à distance
   ☐ trois avatars pilotés à distance
   ☐ deux avatars pilotés à distance
   "... où apparaissent quatre avatars qui posent les questions."

   c. Il dure : ☐ quarante minutes   ☒ trente minutes   ☐ vingt minutes
   "... Cet entretien virtuel dure environ trente minutes."

4 • **a.** ☒ Elles portent sur le salaire que le candidat souhaite.
   b. ☒ Elles portent sur ce que le candidat a le mieux réussi dans sa carrière.
   c. ☐ Elles portent sur la conception que le candidat a de l'entreprise.
   "... Il y a des questions sur la rémunération... quel est votre plus beau succès dans votre carrière ?... "

5 • Actuellement, cet entretien est utilisé comme moyen de recrutement.
   ☐ Vrai   ☒ Faux   ☐ On ne sait pas
   "... il s'adresse pour l'heure et non pas encore à celles voulant l'utiliser comme moyen de recruter. "

6 • Michel Debout, psychologue spécialisé dans le monde du travail, donne son opinion sur ce type d'entretien. Complétez la phrase suivante.

   « Ce qui *est déjà problématique* aujourd'hui, c'est l'authenticité de *la relation humaine*. S'il *n'y a plus cela*, où va-t-on ? »

7 • **a.** ☐ il est judicieux de traiter une chose aussi sérieuse qu'un entretien d'embauche avec des avatars
   b. ☐ il est judicieux de traiter une chose aussi précieuse qu'un entretien d'embauche avec des avatars
   c. ☒ il n'est pas judicieux de traiter une chose aussi sérieuse qu'un entretien d'embauche avec des avatars

8 • Cochez (x) les bonnes réponses.

	Vrai	Faux	On ne sait pas
a. Ce système d'entretien d'embauche est moins onéreux qu'un système classique.	☒	☐	☐
b. Ce système est commercialisé depuis deux ans.	☐	☒	☐
c. Ce système d'entretien d'embauche se développe de plus en plus depuis deux ans.	☐	☐	☒

   a. Vrai - ▶ "... une somme modique... comparée à une structure classique... "
   b. Faux - ▶ "... ce système va être commercialisé "

9 • Cochez (x) les bonnes réponses.
   a. ☐ Le centre de recherche de Clermont est financé par le département du Puy-de-Dôme.
   b. ☒ Le centre de recherche de Clermont est financé par la Région Auvergne.
   c. ☒ Le centre de recherche de Clermont est financé par l'Union européenne.
   "... le centre de recherches... est financé par la communauté urbaine de Clermont-Ferrand, la Région Auvergne et l'Union européenne. "

D comme... DELF

I Premier exercice

ACTIVITÉ 2

Répondez aux questions en cochant (X) la (ou les) bonnes réponses.

1 ● **La narratrice :**
   a. ☐ a toujours vécu à la campagne
   b. ☐ a vécu à la campagne pendant dix ans
   c. ☐ a toujours vécu à la campagne, sauf pendant dix ans

2 ● **Pendant son enfance, la narratrice :**
   a. ☐ n'aimait pas tous les travaux de la ferme
   b. ☐ conduisait le tracteur
   c. ☐ s'occupait des poules

3 ● **La narratrice a décidé de vivre à la campagne :**
   a. ☐ parce qu'elle voulait y élever ses enfants
   b. ☐ à cause de la maladie de son père
   c. ☐ parce qu'elle n'aimait pas son travail en ville

4 ● **Pour exercer son métier d'agricultrice, la jeune femme :**
   a. ☐ a suivi une formation pour savoir utiliser la moissonneuse-batteuse
   b. ☐ a repris des études au lycée agricole
   c. ☐ a adhéré à un groupement d'agriculteurs

5 ● **Pour la gestion de la ferme, elle a décidé de :**
   a. ☐ respecter l'environnement
   b. ☐ changer le matériel pour un autre plus efficace
   c. ☐ ne pas conserver les mêmes cultures

6 ● **La narratrice :**
   a. ☐ s'est installée chez ses parents
   b. ☐ habite près de ses parents
   c. ☐ déjeune tous les jours avec ses parents

7 ● **Son père et elle :**
   a. ☐ aiment la nature et ont le sens du travail
   b. ☐ n'ont pas la même conception pour les investissements
   c. ☐ ont toujours eu d'excellentes relations

8 ● **La jeune femme pense :**
   a. ☐ qu'elle retournera peut-être travailler en ville
   b. ☐ que son fils lui succèdera à la ferme
   c. ☐ qu'elle encouragera peut-être sa fille à lui succéder

---

ACTIVITÉ 3

Répondez aux questions en cochant (X) la (ou les) bonne(s) réponse(s).

1 ● **Dans quel ordre s'évaporent les différentes « notes » ?**
   a. ☐ 1. Notes de départ – 2. Notes de fond – 3. Notes de cœur
   b. ☐ 1. Notes de départ – 2. Notes de cœur – 3. Notes de fond
   c. ☐ 1. Notes de fond – 2. Notes de cœur – 3. Notes de départ

2 • L'eau de Cologne :
   a. ❏ est très volatile et légère
   b. ❏ n'est pas basée sur des notes d'agrumes
   c. ❏ n'est pas basée sur des notes agrestes

3 • **a.** ❏ Les eaux de toilette sont plus concentrées que l'eau de Cologne.
   b. ❏ Les eaux de parfum ou les extraits sont les plus concentrés.
   c. ❏ Les eaux de toilette sont moins concentrées que les eaux de parfum.

4 • L'eau de toilette s'appelle ainsi car elle était utilisée avec des gants de toilette.
   ❏ Vrai   ❏ Faux   ❏ On ne sait pas

5 • Il existe de nombreuses sortes de matières de synthèse.
   ❏ Vrai   ❏ Faux   ❏ On ne sait pas

6 • Le parfum incite à être embrassé.
   ❏ Vrai   ❏ Faux   ❏ On ne sait pas

7 • Les parfums sont peu sensibles aux changements de température.
   ❏ Vrai   ❏ Faux   ❏ On ne sait pas

8 • Maintenant, les parfums tachent rarement les vêtements clairs.
   ❏ Vrai   ❏ Faux   ❏ On ne sait pas

ACTIVITÉ 4

Répondez aux questions en cochant (X) la bonne réponse.

1 • Les premières entreprises à proposer le télétravail l'ont fait en :
   a. ❏ 2010
   b. ❏ 2006
   c. ❏ 2008

2 • Les accords signés l'ont été dans les entreprises de :
   a. ❏ plus de 100 employés
   b. ❏ plus de 50 employés
   c. ❏ plus de 150 employés

3 • Dans les pays du nord de l'Europe et anglo-saxons, le télétravail concerne :
   a. ❏ environ 20 % des salariés
   b. ❏ entre 20 % et 30 % des salariés
   c. ❏ environ 30 % des salariés

4 • Les travailleurs concernés par le télétravail en France ne sont environ que :
   a. ❏ 12 %
   b. ❏ 14 %
   c. ❏ 10 %

5 • Le télétravail permet aux employés de :
   a. ❏ se consacrer à leur vie professionnelle
   b. ❏ disposer de plus de temps pour les loisirs
   c. ❏ d'utiliser les transports en commun

6 ● Dans les entreprises, le travail à distance :
- **a.** ❑ permet une nette amélioration de la productivité
- **b.** ❑ est accueilli favorablement par les managers
- **c.** ❑ ne remet pas en question la gestion des équipes

7 ● Avec le télétravail, les salariés doivent veiller à :
- **a.** ❑ rester en contact permanent avec leur employeur
- **b.** ❑ respecter certains horaires
- **c.** ❑ bien délimiter le temps entre le travail et la vie privée

8 ● Les entrepreneurs concernés par le télétravail doivent veiller :
- **a.** ❑ au maintien de l'engagement de leurs employés
- **b.** ❑ à bien présenter leur projet
- **c.** ❑ à mettre en avant la productivité

ACTIVITÉ 5

Répondez aux questions en cochant (X) la bonne réponse.

1 ● Les premiers essais de sondages sont apparus au XIXᵉ siècle aux États-Unis.
❑ Vrai   ❑ Faux   ❑ On ne sait pas

2 ● Les journaux interrogeaient toujours leurs lecteurs de la même façon.
❑ Vrai   ❑ Faux   ❑ On ne sait pas

3 ● L'*American Institut of Public Opinion* a été créé en 1930.
❑ Vrai   ❑ Faux   ❑ On ne sait pas

4 ● La méthode développée par Georges Gallup l'a été à la demande du gouvernement.
❑ Vrai   ❑ Faux   ❑ On ne sait pas

5 ● La méthode consiste à interroger directement un nombre restreint de personnes.
❑ Vrai   ❑ Faux   ❑ On ne sait pas

6 ● En 1936, elle a permis de prédire assez précisément la réélection de Roosevelt.
❑ Vrai   ❑ Faux   ❑ On ne sait pas

7 ● La méthode du Literary Digest reposait sur un nombre restreint de coupons.
❑ Vrai   ❑ Faux   ❑ On ne sait pas

8 ● On doit le mot « sondage » à Jean Stroetzel qui a introduit la méthode en France.
❑ Vrai   ❑ Faux   ❑ On ne sait pas

ACTIVITÉ 6

Répondez aux questions en cochant (X) la bonne réponse.

1 ● Selon l'Ifop, les conseils du pharmacien encouragent l'automédication.
❑ Vrai   ❑ Faux   ❑ On ne sait pas

2 ● 9 % des sondés par l'Ifop ne pensent pas consommer trop de médicaments.
❑ Vrai   ❑ Faux   ❑ On ne sait pas

3 ● D'après l'enquête, les Français font plus confiance à leur médecin qu'à leur pharmacien.
❑ Vrai   ❑ Faux   ❑ On ne sait pas

4 • Près de 30 % des Français demandent conseil au médecin sur les effets des médicaments.
❑ Vrai   ❑ Faux   ❑ On ne sait pas

5 • 63 % des personnes interrogées hésitent avant de choisir le générique proposé par le pharmacien.
❑ Vrai   ❑ Faux   ❑ On ne sait pas

6 • Les assurances complémentaires ne prennent pas en charge les médicaments déremboursés.
❑ Vrai   ❑ Faux   ❑ On ne sait pas

7 • Les trois quarts des personnes interrogées souhaitent le remboursement des actions de prévention.
❑ Vrai   ❑ Faux   ❑ On ne sait pas

ACTIVITÉ 7

Répondez aux questions en cochant (X) la (ou les) bonnes réponses.

1 • La Bonnotte de Noirmoutier est :
   a. ❑ une châtaigne
   b. ❑ une pomme de terre
   c. ❑ une petite pomme

2 • La Bonnotte :
   a. ❑ est plantée le jour de la Chandeleur
   b. ❑ est plantée une année sur deux
   c. ❑ est cultivée par 35 agriculteurs

3 • La Bonnotte :
   a. ❑ est commercialisée depuis les années 1960
   b. ❑ n'était plus commercialisée dans les années 1960
   c. ❑ est cultivée depuis les années 1960

4 • Elle est de nouveau cultivée grâce :
   a. ❑ aux habitants de Noirmoutier
   b. ❑ à l'INRA de Brest
   c. ❑ à des collectonneurs de plantes oubliées

5 • Elle est vendue :
   a. ❑ en barquettes de 1,5 kg
   b. ❑ en barquettes de 2 kg
   c. ❑ en barquettes de 100 g et 200 g

6 • La Bonnotte de Noirmoutier :
   a. ❑ est appréciée pour son goût léger et sucré
   b. ❑ se conserve longtemps au frigidaire
   c. ❑ se conserve moins d'une semaine au frigidaire

7 • Pour la cuisiner :
   a. ❑ il faut l'éplucher
   b. ❑ il ne faut pas la laver
   c. ❑ il ne faut pas l'éplucher

8 • Trois recettes la proposent soit :
   a. ❑ frite
   b. ❑ cuite dans un bouillon
   c. ❑ sautée avec des algues et des œufs

D comme... DELF

//

ACTIVITÉ 8

Répondez aux questions en cochant (X) la bonne réponse. //

1 • **CNCS veut dire :**
   a. ❑ conservatoire du costume de scène
   b. ❑ centre national des costumes et de la scène
   c. ❑ centre national du costume de scène

2 • **Le CNCS :**
   a. ❑ est la seule structure de ce genre au monde
   b. ❑ n'est pas la seule structure de ce genre en Europe
   c. ❑ est la deuxième structure de ce genre en France

3 • **Cette structure a pour mission la valorisation, l'étude et la valorisation :**
   a. ❑ de costumes d'opéra et de ballet
   b. ❑ de 9 000 costumes, de décors de scène et d'éléments de machinerie
   c. ❑ de décors de scène et d'éléments de machinerie

4 • **Le CNCS est situé :**
   a. ❑ à Mougins, dans des bâtiments classés Monuments historiques
   b. ❑ dans le quartier Villars de Moulins
   c. ❑ à Moulins, dans l'ancien quartier de cavalerie Villars, daté du XVIIIe siècle

5 • **Grâce à son grand nombre de visiteurs, le CNCS se classe :**
   a. ❑ juste devant le Château de Fontainebleau
   b. ❑ au huitième rang des musées de province
   c. ❑ au dixième rang des musées de province

6 • **En 2012, au niveau national, au palmarès des musées, le CNCS se trouve :**
   a. ❑ à la 60e place
   b. ❑ à la 84e place
   c. ❑ à la 24e place

ACTIVITÉ 9

Répondez aux questions en cochant (X) la bonne réponse. //

1 • **Roland Moreno, l'inventeur de la carte à puce, était ingénieur électronicien.**
   ❑ Vrai   ❑ Faux   ❑ On ne sait pas

2 • **Roland Moreno était aussi l'inventeur de nombreux gadgets.**
   ❑ Vrai   ❑ Faux   ❑ On ne sait pas

3 • **Les livres écrits par Roland Moreno ont eu du succès.**
   ❑ Vrai   ❑ Faux   ❑ On ne sait pas

4 • **Le brevet de la carte à puce a été déposé en 1974.**
   ❑ Vrai   ❑ Faux   ❑ On ne sait pas

5 • **À l'origine, le circuit miniaturisé conçu par Roland Moreno, devait équiper une bague.**
   ❑ Vrai   ❑ Faux   ❑ On ne sait pas

6 • **Roland Moreno a exploité son invention pendant plus de 20 ans.**
   ❑ Vrai   ❑ Faux   ❑ On ne sait pas

7 • L'informaticien Serge Humpich a travaillé chez Innovatron, la société de Roland Moreno.
   ❑ Vrai   ❑ Faux   ❑ On ne sait pas

8 • Jusqu'à présent, personne n'a pu percer le secret de l'algorithme de la carte à puce.
   ❑ Vrai   ❑ Faux   ❑ On ne sait pas

ACTIVITÉ 10

Répondez aux questions en cochant (X) la (ou les) bonnes réponses.

1 • **La protection mise en place pour lutter contre les cambriolages s'appelle :**
   a. ❑ voisins et vigilance
   b. ❑ vigilance entre voisins
   c. ❑ voisins vigilants

2 • **Ce système de protection :**
   a. ❑ vient des pays anglo-saxons
   b. ❑ est appliqué dans les Alpes de Haute-Provence
   c. ❑ est testé dans les Alpes Maritimes

3 • **Le logo de cette protection est :**
   a. ❑ une main ouverte
   b. ❑ un œil grand ouvert
   c. ❑ un œil entr'ouvert

4 • **Ce logo est apposé sur :**
   a. ❑ les portes des maisons
   b. ❑ les boîtes aux lettres
   c. ❑ les panneaux

5 • **Surveiller le domicile de ses voisins est considéré par les personnes interrogées comme :**
   a. ❑ une garantie pour les personnes absentes de leur domicile
   b. ❑ un manque de discrétion
   c. ❑ quelque chose de suspect

6 • **Ce système de surveillance :**
   a. ❑ est encadré par un référent du quartier
   b. ❑ par la police municipale et la gendarmerie
   c. ❑ par une milice

7 • **Le dispositif mis en place depuis 5 ans a permis :**
   a. ❑ de réduire la délinquance de 10 %
   b. ❑ de renforcer le lien social dans la commune
   c. ❑ d'arrêter des délinquants

8 • **Ce modèle de participation citoyenne :**
   a. ❑ a été adopté par 86 villes dans les Alpes Maritimes
   b. ❑ 46 villes en France
   c. ❑ 46 villes dans les Alpes Maritimes

ACTIVITÉ 11

Répondez aux questions en cochant (X) la bonne réponse.

1 • Le bizutage est une manifestation festive appréciée de tous les étudiants.
 ☐ Vrai ☐ Faux ☐ On ne sait pas

2 • C'est l'accueil de la nouvelle promotion par les « anciens ».
 ☐ Vrai ☐ Faux ☐ On ne sait pas

3 • Tous les établissements supérieurs et les BTS pratiquent le bizutage.
 ☐ Vrai ☐ Faux ☐ On ne sait pas

4 • L'esprit de groupe et l'alcool conduisent parfois à des dérives.
 ☐ Vrai ☐ Faux ☐ On ne sait pas

5 • Il existe une loi et un Comité national contre le bizutage.
 ☐ Vrai ☐ Faux ☐ On ne sait pas

6 • De nombreuses condamnations pour bizutage sont régulièrement prononcées.
 ☐ Vrai ☐ Faux ☐ On ne sait pas

7 • La loi de 1998 devrait être prochainement renforcée.
 ☐ Vrai ☐ Faux ☐ On ne sait pas

8 • La Charte proscrivant le bizutage est le résultat du développement de l'alcoolisation.
 ☐ Vrai ☐ Faux ☐ On ne sait pas

ACTIVITÉ 12

Répondez aux questions en cochant (X) la (ou les) bonnes réponses.

1 • La fève est :
 a. ☐ une légumineuse
 b. ☐ un légume
 c. ☐ un protéagineux

2 • Dans les assiettes, la fève était jadis :
 a. ☐ assez rare
 b. ☐ commune
 c. ☐ inconnue

3 • Elle était un symbole de :
 a. ☐ précocité
 b. ☐ félicité
 c. ☐ fécondité

4 • Dans les galettes, elle est maintenant remplacée par :
 a. ☐ une figurine en porcelaine
 b. ☐ une autre légumineuse
 c. ☐ une petite couronne en porcelaine

5 • La variété de fèves réservée à l'alimentation du bétail s'appelle :
 a. ☐ des faveroles
 b. ☐ des féveroles
 c. ☐ des févoles

6 • Il n'y avait plus en 2008 que :
 a. ☐ 150 hectares de fèves cultivées en France
 b. ☐ 50 hectares de fèves cultivées en France
 c. ☐ environ 250 000 tonnes de fèves cultivées en France

7 • Le déclin de la fève est dû :
 a. ☐ au tourteau de soja
 b. ☐ à la viande
 c. ☐ aux légumes

8 • **a.** ☐ Les Égyptiens mangent les fèves en sandwich
 b. ☐ La fève Aquadulce peut se manger crue
 c. ☐ La fève dite de Séville est la moins chère

ACTIVITÉ 13

Répondez aux questions en cochant (X) la bonne réponse.

1 • Pour l'enlèvement de bagages à domicile, il faut composer le 3536.
  ❏ Vrai   ❏ Faux   ❏ On ne sait pas

2 • L'enlèvement des bagages ne peut avoir lieu que 48 heures avant le départ.
  ❏ Vrai   ❏ Faux   ❏ On ne sait pas

3 • Les médicaments et les aliments sont interdits dans les bagages enlevés.
  ❏ Vrai   ❏ Faux   ❏ On ne sait pas

4 • L'enlèvement d'un bagage peut, sur demande, avoir lieu après 19 heures.
  ❏ Vrai   ❏ Faux   ❏ On ne sait pas

5 • L'enlèvement et la livraison d'un bagage sur rendez-vous revient à 53 €.
  ❏ Vrai   ❏ Faux   ❏ On ne sait pas

6 • Il est possible de suivre le bagage en appelant le 3635, non surtaxé.
  ❏ Vrai   ❏ Faux   ❏ On ne sait pas

7 • Le bagage, qui ne peut dépasser 30 kg, est pesé par l'employé qui vient le chercher.
  ❏ Vrai   ❏ Faux   ❏ On ne sait pas

8 • Le spectacle des clowns est gratuit pour les enfants.
  ❏ Vrai   ❏ Faux   ❏ On ne sait pas

ACTIVITÉ 14

Répondez aux questions en cochant (X) la (ou les) bonnes réponses.

1 • Le covoiturage répond à des motivations :
  a. ❏ uniquement économiques
  b. ❏ économiques et environnementales
  c. ❏ principalement environnementales

2 • Le covoiturage :
  a. ❏ est né aux États-Unis
  b. ❏ est né pendant la Première Guerre mondiale
  c. ❏ est né pendant la Seconde Guerre mondiale

3 • Depuis 2007 :
  a. ❏ environ 80 sites de covoiturage ont été créés
  b. ❏ plus de 80 sites de covoiturage ont été créés
  c. ❏ près de deux millions de Français recourent au site covoiturage.fr

4 • Le covoiturage coûte :
  a. ❏ en moyenne 30 €
  b. ❏ trois fois moins cher que le TGV pour le trajet Paris-Marseille
  c. ❏ est parfois gratuit

5 • Le covoiturage :
  a. ❏ permet de créer des liens sociaux
  b. ❏ correspond toujours à des trajets porte-à-porte
  c. ❏ est difficile pour les trajets transversaux

///

6 • Sur le site du covoiturage figure :
   a. ☐ seulement l'âge des personnes
   b. ☐ une petite biographie et l'âge des personnes avec ensuite leur avis
   c. ☐ l'avis des personnes après le voyage

7 • Le covoiturage permet aux passagers et aux conducteurs :
   a. ☐ de se lier souvent d'amitié
   b. ☐ de parler et d'échanger alors qu'ils ne se connaissent pas
   c. ☐ de s'inviter après les trajets

8 • **a.** ☐ Les sites de covoiturage sont de plus en plus performants.
   b. ☐ Le prix fixé par le conducteur est rarement négociable.
   c. ☐ Il est maintenant possible de choisir son conducteur selon ses goûts.

ACTIVITÉ 15

Répondez aux questions en cochant (X) la bonne réponse. ///

1 • Les États-Unis attirent moins d'étudiants étrangers que l'Europe.
   ☐ Vrai   ☐ Faux   ☐ On ne sait pas

2 • Il y a un peu plus d'étudiants étrangers en Allemagne qu'en France.
   ☐ Vrai   ☐ Faux   ☐ On ne sait pas

3 • En Europe, les étudiants étrangers d'origine asiatique sont les plus nombreux.
   ☐ Vrai   ☐ Faux   ☐ On ne sait pas

4 • Les droits de scolarité en France, en Suisse et en Allemagne sont en moyenne trente fois moins élevés qu'aux États-Unis.
   ☐ Vrai   ☐ Faux   ☐ On ne sait pas

5 • Selon une étude britannique, Paris, en tête du classement mondial des villes universitaires, devance Londres.
   ☐ Vrai   ☐ Faux   ☐ On ne sait pas

6 • Berlin se place en quatrième position.
   ☐ Vrai   ☐ Faux   ☐ On ne sait pas

7 • En 2011, dans ce classement, la France a gardé la même place mais l'Allemagne est le pays à avoir perdu le plus de points.
   ☐ Vrai   ☐ Faux   ☐ On ne sait pas

8 • La Nouvelle-Zélande et l'Australie voient la proportion d'étudiants asiatiques augmenter dans leurs universités.
   ☐ Vrai   ☐ Faux   ☐ On ne sait pas

ACTIVITÉ 16

A. Répondez aux questions en cochant (X) la bonne réponse.

1 ● **Le Minitel a été créé au début des années 1980.**
   ❏ Vrai   ❏ Faux   ❏ On ne sait pas

2 ● **Le Minitel a changé la logique de l'accès à l'information.**
   ❏ Vrai   ❏ Faux   ❏ On ne sait pas

3 ● **Il fallait payer cher l'achat du Minitel.**
   ❏ Vrai   ❏ Faux   ❏ On ne sait pas

4 ● **Le Minitel a permis de supprimer les annuaires téléphoniques.**
   ❏ Vrai   ❏ Faux   ❏ On ne sait pas

5 ● **Pour consulter les messageries, il fallait composer le 3611.**
   ❏ Vrai   ❏ Faux   ❏ On ne sait pas

B. Cochez (X) les éléments d'Internet déjà présents dans le Minitel.

1 ● La consultation des annuaires téléphoniques   ❏
2 ● Le courrier électronique   ❏
3 ● Les messageries   ❏
4 ● Le choix d'un pseudo   ❏
5 ● Les achats en ligne   ❏
6 ● Les forums de discussion   ❏
7 ● La visualisation des échanges   ❏
8 ● L'accès aux journaux   ❏
9 ● La réservation de billets de train   ❏
10 ● La réservation de billets d'avion   ❏

ACTIVITÉ 17

Répondez aux questions en cochant (X) la bonne réponse.

1 ● **Les deux incursions ont eu lieu dans le même département.**
   ❏ Vrai   ❏ Faux   ❏ On ne sait pas

2 ● **Au Bugey, il s'agissait de l'escalade de la centrale.**
   ❏ Vrai   ❏ Faux   ❏ On ne sait pas

3 ● **Le « poète escaladeur » est un ancien membre de Green Peace.**
   ❏ Vrai   ❏ Faux   ❏ On ne sait pas

4 ● **Le gouvernement et EDF ont assuré que les incursions ne présentaient aucun risque.**
   ❏ Vrai   ❏ Faux   ❏ On ne sait pas

5 ● **La décision d'investir 400 millions d'euros dans la surveillance a pour but de rassurer la population.**
   ❏ Vrai   ❏ Faux   ❏ On ne sait pas

6 ● **L'incursion de Green Peace avait pour but d'alerter EDF sur ses systèmes de surveillance.**
   ❏ Vrai   ❏ Faux   ❏ On ne sait pas

7 ● **En cas d'attaque de centrale par un avion, EDF est sûre qu'il n'y a aucun risque radioactif.**
   ❏ Vrai   ❏ Faux   ❏ On ne sait pas

D comme... DELF

Répondez aux questions en cochant (X) la (ou les) bonnes réponses.

1 • Le temps de travail d'un français a diminué de 20 minutes depuis :
    a. ❑ 1979
    b. ❑ 1989
    c. ❑ 1999

2 • **a.** ❑ Les Français passent six minutes de moins à faire la cuisine.
    b. ❑ Les Français passent huit minutes de moins à faire le ménage.
    c. ❑ Les Français passent neuf minutes de moins à faire les courses.

3 • Sur le temps épargné pour les tâches domestiques :
    a. ❑ sept minutes supplémentaires sont consacrées aux loisirs
    b. ❑ quatorze minutes supplémentaires sont consacrées aux transports
    c. ❑ sept minutes supplémentaires sont consacrées à la toilette

4 • Les Français disposent de :
    a. ❑ 3 h 58 par jour de temps libre
    b. ❑ 4 h 38 par jour de temps libre
    c. ❑ 4 h 58 par jour de temps libre

5 • Les Français aiment beaucoup :
    a. ❑ danser et chanter
    b. ❑ se promener
    c. ❑ aller au cinéma

6 • **a.** ❑ Les Français consacrent 42 % de leur temps libre aux activités récréatives.
    b. ❑ La télévision occupe 42 % du temps libre des Français.
    c. ❑ Les Français surfent une demi-heure de plus sur Internet.

7 • **a.** ❑ Les Français consacrent 2 heures par jour aux activités associatives ou civiques.
    b. ❑ Les Français reconnaissent passer beaucoup de temps devant la télévision.
    c. ❑ Les téléphages reconnaissent passer 4 heures par jour devant la télévision.

Répondez aux questions en cochant (X) la bonne réponse.

1 • Alice, comme 80 % des possesseurs d'un Smartphone, y place des informations « top-secret ».
    ❑ Vrai   ❑ Faux   ❑ On ne sait pas

2 • La majorité des utilisateurs protègent leurs informations par des mots de passe.
    ❑ Vrai   ❑ Faux   ❑ On ne sait pas

3 • Michel met plusieurs mots de passe sur son téléphone et son ordinateur.
    ❑ Vrai   ❑ Faux   ❑ On ne sait pas

4 • Ces mots de passe protègent des codes ou encore des identifiants.
    ❑ Vrai   ❑ Faux   ❑ On ne sait pas

5 • Les utilisateurs de plus de 50 ans utilisent aussi de plus en plus des codes de verrouillage.
  ❏ Vrai   ❏ Faux   ❏ On ne sait pas

6 • Les parents pensent que leurs ados, sur les réseaux sociaux, savent gérer ce qui relève du domaine privé.
  ❏ Vrai   ❏ Faux   ❏ On ne sait pas

7 • Les parents pensent que leur rôle est de conseiller leurs enfants, non de les espionner.
  ❏ Vrai   ❏ Faux   ❏ On ne sait pas

8 • La CNIL se soucie du respect de la vie privée des utilisateurs de Smartphones.
  ❏ Vrai   ❏ Faux   ❏ On ne sait pas

ACTIVITÉ 20

Répondez aux questions en cochant (X) la bonne réponse.

1 • En France, les ados dépensent 1,5 millard d'euros par an.
  ❏ Vrai   ❏ Faux   ❏ On ne sait pas

2 • 90 milliards d'euros dépensés par les ménages sont dus aux ados.
  ❏ Vrai   ❏ Faux   ❏ On ne sait pas

3 • Les ados achètent seulement des produits de marque.
  ❏ Vrai   ❏ Faux   ❏ On ne sait pas

4 • Les parents souhaitent que leurs enfants soient traités comme eux.
  ❏ Vrai   ❏ Faux   ❏ On ne sait pas

5 • Pour attirer les ados, les grands magasins leur consacrent des étages.
  ❏ Vrai   ❏ Faux   ❏ On ne sait pas

6 • « Radio junior » est la première radio de tous les ados.
  ❏ Vrai   ❏ Faux   ❏ On ne sait pas

7 • Chez les 13-19 ans, le nombre de portables a augmenté de 43 % en deux ans.
  ❏ Vrai   ❏ Faux   ❏ On ne sait pas

8 • Un téléphone portable pour les moins de 4 ans est à l'étude.
  ❏ Vrai   ❏ Faux   ❏ On ne sait pas

ACTIVITÉ 21

Répondez aux questions en cochant (X) la (ou les) bonnes réponses.

1 • L'étude sur le café a été faite aux États-Unis auprès de :
  a. ❏ 50 000 médecins
  b. ❏ 50 000 aides-soignantes
  c. ❏ 50 000 infirmières

2 • Les chercheurs ont interrogé des femmes qui consommaient :
  a. ❏ seulement des boissons contenant de la caféine
  b. ❏ du café et des boissons contenant de la caféine
  c. ❏ seulement du café

//

3 • **Le risque de dépression est réduit de :**
   a. ❏ 20 % chez les personnes consommant 4 tasses de café par jour
   b. ❏ 15 % chez les personnes consommant 2 à 3 tasses de café par jour
   c. ❏ 10 % chez les personnes consommant 1 tasse de café par jour

4 • **Les études faites sur le café sont insuffisantes pour confirmer :**
   a. ❏ l'effet négatif de la caféine sur les troubles cardiovasculaires
   b. ❏ l'effet positif de la caféine sur le cancer de la peau
   c. ❏ les effets anti-inflammatoires du café

5 • **Ces études incitent à recommander la consommation du café.**
   ❏ Vrai   ❏ Faux   ❏ On ne sait pas

6 • **Chez certaines personnes, le café est à consommer avec précaution.**
   ❏ Vrai   ❏ Faux   ❏ On ne sait pas

ACTIVITÉ 22

Répondez aux questions en cochant (X) la (ou les) bonnes réponses. ///////////////////////////

1 • **Le système de classement des hôtels change à partir du :**
   a. ❏ 13 juillet 2012
   b. ❏ 23 juillet 2012
   c. ❏ 23 juin 2012

2 • **Les étoiles figureront alors sur un panneau :**
   a. ❏ rectangulaire bleu
   b. ❏ octogonal bordeaux
   c. ❏ rectangulaire bordeaux

3 • **Les hôtels sont classés d'une à cinq étoiles en fonction d'une liste de :**
   a. ❏ 146 critères
   b. ❏ 286 critères
   c. ❏ 246 critères

4 • **Parmi les domaines de classement figure :**
   a. ❏ l'accessibilité
   b. ❏ les services au client
   c. ❏ la décoration intérieure

5 • **Pour l'hôtelier, le passage à la nouvelle classification se fait :**
   a. ❏ sur sa seule demande
   b. ❏ sur sa demande, après examen du respect des critères
   c. ❏ automatiquement

6 • **L'hôtelier doit faire disparaître toute référence à l'ancienne classification sous peine :**
   a. ❏ d'une amende de 5 000 €
   b. ❏ d'une amende de 15 000 €
   c. ❏ d'une amende de 10 000 €

ACTIVITÉ 23

A. Répondez aux questions en cochant (X) la bonne réponse.

1 • En France, la génération « Boomerang » compte :
  a. ❑ 600 000 adultes
  b. ❑ 500 000 adultes
  c. ❑ 700 000 adultes

2 • La cause de ce retour chez les parents est par exemple :
  a. ❑ le prix des logements
  b. ❑ le chômage
  c. ❑ un problème de santé

3 • Chez les 25-34 ans :
  a. ❑ 8 % des hommes et 13 % des femmes vivent chez leurs parents
  b. ❑ 13 % des hommes et 8 % des femmes vivent chez leurs parents
  c. ❑ 16 % des hommes et 8 % des femmes vivent chez leurs parents

4 • Retourner dans sa chambre d'ado est considéré comme un échec par les parents.
  ❑ Vrai   ❑ Faux   ❑ On ne sait pas

5 • Ce retour chez les parents est, pour la plupart, une chance pour « rebondir ».
  ❑ Vrai   ❑ Faux   ❑ On ne sait pas

6 • Cette nouvelle cohabitation parents-enfant ne se fait pas sans difficultés.
  ❑ Vrai   ❑ Faux   ❑ On ne sait pas

7 • Les parents refusent une participation financière et ménagère de leurs enfants.
  ❑ Vrai   ❑ Faux   ❑ On ne sait pas

ACTIVITÉ 24

Répondez aux questions en cochant (X) la (ou les) bonnes réponses.

1 • Ces sandales de plage ont été créées :
  a. ❑ en 1946
  b. ❑ en cuir
  c. ❑ par un coutelier auvergnat

2 • Les premiers modèles ont été exportés :
  a. ❑ en Afrique orientale
  b. ❑ en Afrique du Nord
  c. ❑ en Afrique occidentale française

3 • Ces sandales appelées la Sarraizienne en 1962, sont rebaptisées :
  a. ❑ Mica à Paris
  b. ❑ Méduse aux Antilles
  c. ❑ Squelette en Vendée

4 • Oubliées pendant des années, elles sont fabriquées de nouveau :
  a. ❑ à Marseille
  b. ❑ à Brésil
  c. ❑ sous le nom d'Aranha

//

5 • **a.** ❏ L'idée de fabriquer l'Aranha est née en 1979 à Marseille.

    b. ❏ L'Aranha est vendue à cinquante millions d'exemplaires en 25 ans.

    c. ❏ L'Aranha est faite de bouchons de bouteilles.

6 • **a.** ❏ La marque Mélissa ne produit plus l'Aranha depuis deux ans.

    b. ❏ La collection de Mélissa est en PVC recyclé.

    c. ❏ Des marques de luxe font aussi des modèles de sandales en PVC.

ACTIVITÉ 25

Répondez aux questions en cochant (X) la bonne réponse. ///

1 • **Pour être sûr de cuire à basse température, la seule solution est le lave-vaisselle.**

   ❏ Vrai   ❏ Faux   ❏ On ne sait pas

2 • **Pour une cuisson au lave-vaisselle, il suffit d'emballer l'aliment dans un sac étanche.**

   ❏ Vrai   ❏ Faux   ❏ On ne sait pas

3 • **La meilleure cuisson à basse température se fait à la température constante de 80°.**

   ❏ Vrai   ❏ Faux   ❏ On ne sait pas

4 • **Les cuisiniers utilisent des fours ou des bacs spéciaux.**

   ❏ Vrai   ❏ Faux   ❏ On ne sait pas

5 • **Un rôti cuit à basse température perd plus de poids mais il est plus tendre et moelleux.**

   ❏ Vrai   ❏ Faux   ❏ On ne sait pas

6 • **Pour supprimer les bactéries, la température doit être supérieure à 60°.**

   ❏ Vrai   ❏ Faux   ❏ On ne sait pas

7 • **La cuisson dite « douce » n'existe que depuis les années 1970.**

   ❏ Vrai   ❏ Faux   ❏ On ne sait pas

8 • **Les grands cuisiniers encouragent à pratiquer cette cuisson chez soi.**

   ❏ Vrai   ❏ Faux   ❏ On ne sait pas

II Deuxième exercice

Activités de préparation

Le deuxième exercice propose des documents oraux relativement longs. S'il est bon de se concentrer sur le document pour bien le comprendre, dans la mesure où des questions de compréhension précises sont posées, prendre des notes rassurera certains. Toutefois, il est nécessaire de maîtriser cet exercice pour le pratiquer comme il convient, surtout lors d'un **examen**.

Prendre des notes ne veut pas dire tout noter mais sélectionner les informations qu'il convient de retenir, le faire de façon claire afin de ne pas faire d'erreurs d'interprétation lors de la relecture.

Trois procédés sont généralement utilisés :
- le recours à des signes, des symboles ;
- le recours à des abréviations ;
- la suppression de mots afin d'exprimer l'idée, l'information, de façon concise.

Il convient aussi de préciser que vous pouvez recourir à votre propre système de prise de notes, vos propres symboles, signes ou abréviations.

ACTIVITÉ 2

Les signes et les symboles permettent de remplacer des mots. Les plus utilisés sont souvent issus des mathématiques. Il convient, pour ne pas se tromper, de ne pas changer, d'une fois à l'autre, leur signification.

Pour exprimer les mots ci-après, quels signes ou symboles utiliseriez-vous ?

Mots :
1. Différent – 2. Égal – 3. Plus, et – 4. Moins – 5. Existe – 6. N'existe pas – 7. Question – 8. Homme (masculin) – 9. Femme (féminin) – 10. Plus ou moins – 11. Plus petit, inférieur à – 12. Plus grand, supérieur à – 13. Attention – 14. Diminuer – 15. Augmenter – 16. Par rapport à – 17. Ressemble à – 18. Parallèlement – 19. S'opposent – 20. Appartient à – 21. N'appartient pas – 22. À partir de

Signes et symboles :
a. $\triangle$ – b. $\pm$ – c. $/\!/$ – d. $\nearrow$ – e. $\not\in$ – f. $\male$ – g. $\neq$ – h. $-$ – i. $?$ – j. $\approx$ – k. $=$ – l. $\times$ – m. $\searrow$ – n. $\exists$ – o. $+$ – p. $\div$ – q. $\in$ – r. $\female$ – s. $>$ – t. $\not\exists$ – u. $<$ – v. $\rightarrow$

1. …. – 2. …. – 3. …. – 4. …. – 5. …. – 6. …. – 7. …. – 8. …. – 9. …. – 10. …. – 11. …. – 12. …. – 13. …. – 14. …. – 15. …. – 16. …. – 17. …. – 18. …. – 19. …. – 20. …. – 21. …. – 22. ….

ACTIVITÉ 3

Quand il n'existe pas de signes, il est possible de remplacer les mots par des « raccourcis », abréviations. Elles consistent, dans la plupart des cas, à garder essentiellement les consonnes du mot ou bien son amorce. Certaines de ces abréviations sont habituelles. Par exemple :
- la terminaison « -tion » est abrégée « ° » - Exemple : institution = instit°
- la terminaison « -ment » est abrégée « ^{t} » - Exemple : institutionnellement = instit^t
- la terminaison « -tie » est abrégée « ^{ie} » - Exemple : diplomatie = diplom^{ie}

Quels mots, selon vous, correspondent aux abréviations suivantes ?

tjs		cad	
qd		tt	
bcp		qqn	
jms		ns	
G^{al}		ex	
vs		ts	
qq		pr	
dc		pcq	
ds		qqch	
auj		cpt	
cf		chgt	
dvt		nb	
pb		sté	
svt		tps	
gd		min	
Id		NB	

ACTIVITÉ 4

Il est aussi possible :

    a. de ne noter que les mots essentiels d'une phrase ;

    b. ou encore de résumer, de reformuler de façon brève l'idée d'une phrase.

Par exemple :

    a. Les élections auront lieu dimanche prochain = *Élections dimanche prochain.*

    b. L'eau demeure l'élément essentiel de toute nutrition humaine, animale ou végétale
    = *Pas (de) nutrition sans eau.*

Lisez les phrases suivantes.
Proposez pour chacune une notation de l'idée. Vous pouvez aussi utiliser des abréviations.

1 • **Un des grands problèmes de la sécurité routière est la rapidité du secours en cas d'accident.**

2 • **L'éducation, partout et toujours, a été une pièce du système politique.**

3 • **Chaque découverte pose plus de questions qu'elle n'en résout.**

4 • Les Français se sentent infiniment plus concernés par les problèmes sociaux
que par les problèmes politiques.

5 • Les vacances, entre autres vertus, ont celle-ci que sortir de chez soi oblige à sortir un peu
de soi-même et donc à se désintoxiquer de certaines routines.

Activités de compréhension de l'oral

ACTIVITÉ 5

Répondez aux questions.

1 • Quelle est la fonction d'Hélène Wadowski chez Flammarion ?

2 • Que représente l'édition numérique :

- en France ?

- aux États-Unis ?

3 • Quel est l'un des avantages essentiels de l'édition numérique ?

4 • Quelle différence existe-t-il entre la structure du marché éditorial en Europe et aux États-Unis ?

Il y a .... aux États-Unis alors que .... en Europe.

5 • Dans quels pays cela est-il plus net ? ....

6 • Comment sont les peurs que suscite l'édition numérique ? ....

7 • Quelle sont ces peurs ? Cochez (✗) la (ou les) bonne(s) réponse(s).
   a. ☐ Le livre numérique sera le concurrent du livre imprimé.
   b. ☐ Les librairies vont disparaître.
   c. ☐ Le livre numérique va faire perdre le goût de la lecture.

8 • Selon Hélène Wadowski, quelle relation y a-t-il entre l'édition numérique et l'édition imprimée ?
   a. ☐ Elles s'opposent.
   b. ☐ Elles sont complémentaires.
   c. ☐ On ne sait pas.

9 • Que peut-on reprocher actuellement à l'édition numérique ?

10 • Cochez (✗) la (ou les) bonne(s) réponse(s).
Le grand lecteur :
   a. ☐ lit, actuellement, plus de cinquante livres par an
   b. ☐ lisait, il y a vingt ans, plus de 100 livres par an
   c. ☐ lit, actuellement, entre trente et cinquante livres par an

11 • Quelles sont les trois éléments qui font l'essentiel d'un livre jeunesse ?

///

ACTIVITÉ 6

Répondez aux questions. ///

1 ● Cochez (✗) la (les) bonne(s) réponse(s).
   Les émissions de télévision ou de radio affirment que les ados :
   a. ☐ mangent très bien
   b. ☐ sont anorexiques
   c. ☐ sont obèses

2 ● L'enquête AlimAdos concerne :
   a. ☐ les 15-18 ans
   b. ☐ les 12-18 ans
   c. ☐ on ne sait pas

3 ● Quel est le repas que les ados ne font pas parfois ? Pourquoi ?
....

4 ● Qu'est-ce que les ados aiment surtout ?
   Les .... et .... avec ....

5 ● Qui leur fait découvrir le goût et les mets ? ....

6 ● Les adolescents :
   a. ☐ ont de bonnes connaissances en nutrition
   b. ☐ ont peu de connaissances en nutrition
   c. ☐ sont minables en nutrition

7 ● Quel sens joue un grand rôle dans leur évaluation de la nourriture ?
....

8 ● Pourquoi ? ....

9 ● Qu'est-ce que les adolescents associent au sain et au pur ?
....

10 ● Qu'est-ce que les adolescents apprécient de manger :
   a. dans la rue ? ....

   b. dans leur chambre ? ....

   c. chez mamie ? ....

11 ● Qu'est-ce que les jeunes préfèrent prendre au petit-déjeuner et comment :
   a. vers 13-14 ans ? ....

   b. vers 18-19 ans ? ....

12 ● Qu'est-ce qu'il est nécessaire de faire pour apprendre le goût, le bien-manger ?
....

ACTIVITÉ 7

Répondez aux questions.

1 • Qu'est-ce que l'étude menée à la Florida Atlantic University révèle ?

2 • À quoi va contribuer cette découverte ?

3 • Cochez (✗) la (les) bonne(s) réponse(s).
Qui sont les chercheurs qui ont fait cette découverte ?
a. ☐ Le professeur Charles E. Schmidt
b. ☐ Amy Hansen-Tift, étudiant en doctorat
c. ☐ Le professeur David J. Lewkowicz

4 • Quelle est la spécialité du principal chercheur ?

5 • Quand est-ce que les bébés commencent à lire sur les lèvres ?

6 • **a.** Que veut dire TSA ?

b. À quel âge sont-ils diagnostiqués aujourd'hui ?

7 • D'après les études faites, qu'est-ce qui serait le signe d'un risque plus élevé d'autisme ?

8 • Les études ont été faites sur des nourrissons de quel âge ?

9 • Comment les chercheurs ont-ils procédé ? Complétez les phrases suivantes :

Les nourrissons ont visionné .... qui s'exprimaient ....

Pendant .... les chercheurs .... grâce à un système d'eye-tracking.

10• Reconstituez les trois conclusions auxquelles sont parvenus les chercheurs.
Associez pour cela chaque début (A) à la suite (B) qui lui correspond.

Partie A		Partie A
1. La concentration du regard sur les lèvres		a. que l'enfant retourne à un apprentissage de départ de la langue.
2. Le retour du regard sur les yeux de l'interlocuteur	indique	b. que les nourrissons apprennent à parler en lisant sur les lèvres de leur interlocuteur.
3. La persistance de la lecture labiale si l'interlocuteur parle en langue étrangère		c. l'acquisition de compétences en langue maternelle.

ACTIVITÉ 8

Répondez aux questions. //

1 • D'où viennent les mangas ? ....

   Que veut dire « manga » ? ....

2 • Depuis combien de temps et grâce à qui les mangas sont-ils connus en France ?

   ....

3 • Quelles sont les différences entre les bandes dessinées franco-belges et les mangas ?
   Complétez le tableau suivant.

	Format	Impression en	Sens de lecture	Nombre de pages
Bandes dessinées franco-belges				
Mangas				

4 • Quel public est particulièrement séduit par les mangas en Europe ?

   ....

5 • Quelles sont les raisons de ce succès ?
   Cochez (✗) les bonnes cases.

	Vrai	Faux	On ne sait pas
a. Chaque série s'adresse à un public précis.			
b. Les personnages font rêver les lecteurs par les différences qu'ils présentent avec eux.			
c. Les personnages ont les mêmes problèmes, se posent les mêmes questions et évoluent comme eux.			
d. Le nombre de tomes par série est déterminé par l'âge des lecteurs, leurs questionnements.			

6 • Cochez (✗) la(les) bonne(s) réponse(s).
   Quelles sont les éléments propres aux mangas ?
   a. ☐ Ce sont majoritairement des histoires fantastiques.
   b. ☐ Le sport est très présent dans de nombreuses histoires.
   c. ☐ L'amitié et la persévérance sont au cœur des histoires.

7 • N'y a-t-il que des mangas pour adolescents ?
   Complétez les phrases suivantes.

   « ...des milliers de ...., et ce .... Certaines sont destinées

   ...., d'autres aux .... »

8 • Cochez (✗) la bonne réponse.
   Le lectorat adulte des mangas en France devient de plus en plus connaisseur et important.
   ☐ Vrai   ☐ Faux   ☐ On ne sait pas

ACTIVITÉ 9

Répondez aux questions.

1 • Combien de banques de gênes existe-t-il dans le monde ? ....

2 • Qu'est-ce que ces banques conservent ?
....

3 • Pourquoi ne permettent-elles pas d'assurer l'avenir de la biodiversité ?
Complétez la phrase suivante.

Elles .... et .... pour les paysans alors qu'elles devraient

.... et .... d'eux.

4 • a. Quand le Réseau semences paysannes a-t-il été créé ? ....

b. Dans quel but ? Cochez (✗) la (ou les) bonne(s) réponse(s).
❑ pour aider les banques de gênes
❑ pour éviter la disparition de milliers de variétés de plantes
❑ pour s'opposer à l'apparition des OGM

5 • Cochez (✗) la (ou les) bonne(s) réponse(s).
Les paysans et les jardiniers ont décidé de s'approprier le travail :
a. ❑ de sélection des semences
b. ❑ de multiplication des semences
c. ❑ de commercialisation des semences

6 • Cochez (✗) la bonne réponse.
a. Les paysans ont remis les ressources génétiques dans les champs.
❑ Vrai   ❑ Faux   ❑ On ne sait pas

b. Ils savent qu'il est nécessaire de cultiver les semences pour les conserver.
❑ Vrai   ❑ Faux   ❑ On ne sait pas

c. Des techniques de conservation sans recours à l'électricité sont accessibles à tous
les paysans quels qu'ils soient.
❑ Vrai   ❑ Faux   ❑ On ne sait pas

7 • Où sont entreposées les plus grandes collections mondiales de semences ?
....

8 • Pourquoi les paysans n'ont-ils pas confiance dans les banques de gênes ? (3 raisons)
....

9 • Cochez (✗) la(les) affirmation(s) exacte(s).
a. ❑ L'industrie peut fabriquer absolument tous les gènes.
b. ❑ Il faut décoder l'utilité des gènes pour pouvoir les décoder.
c. ❑ On sait à quoi servent 50 % des gènes.

10• Pourquoi Guy Kastler pense-t-il qu'il faut rendre aux paysans leurs droits de conserver
les semences ? Complétez la phrase suivante.

Seul le travail des paysans .... permet .... les ....

capables .... et .... en cours.

D comme... DELF

//

ACTIVITÉ 10

Répondez aux questions. //

1 ● **Les couples français qui veulent un enfant d'un sexe déterminé :**
   a. ❑ ont des moyens à leur disposition
   b. ❑ n'ont aucun moyen à leur disposition
   c. ❑ on ne sait pas

2 ● **Auprès de qui l'enquête a-t-elle été menée ?**

   Les données ont été collectées auprès de .... hommes et .... femmes

   âgés de .... en ....

3 ● **Cochez (✗) la (ou les) bonne(s) réponse(s).**

   Les couples qui décident d'avoir un troisième enfant ont déjà eu en général :
   a. ❑ deux filles
   b. ❑ une fille et un garçon
   c. ❑ deux garçons

4 ● **Complétez les phrases :**

   a. En .... les gens préféraient avoir ....

   b. Les cadres et les employés font le choix d'un troisième enfant s'ils ont déjà eu ....

   c. Les agriculteurs et les ouvriers font le choix d'un troisième enfant s'ils ont déjà eu ....

5 ● **Que veulent en fait les couples français ?**

   ....

6 ● **Dans quel(s) pays les couples préféraient-ils avoir une fille pour troisième enfant :**

   a. selon une enquête de 2002 ? ....

   b. selon une enquête de 2006 ? ....

7 ● **Cochez (✗) la bonne réponse.**
   S'il était possible actuellement de choisir le sexe de son enfant, les couples français le feraient certainement.
   ❑ Vrai   ❑ Faux   ❑ On ne sait pas

8 ● **Dans les enquêtes, sur quel point les Français, à une très large majorité, s'accordent-ils ?**

   ....

ACTIVITÉ 11

Répondez aux questions.

1 ● Qui est Jodie Foster ?

....

2 ● À quel âge et où a-t-elle appris le français ? En combien de temps ?

....

3 ● Qui l'a incitée à apprendre le français ? Pourquoi ?

....

4 ● Comment améliore-t-elle son français ? Cochez (**X**) les bonnes réponses.
   a. ☐ en lisant beaucoup en français
   b. ☐ en venant souvent en France
   c. ☐ en faisant elle-même le doublage de ses rôles en français

5 ● Avec quels réalisateurs français n'a-t-elle pas joué ? Cochez (**X**) les bonnes réponses.
   ☐ Luc Besson   ☐ Claude Chabrol
   ☐ Jean-Pierre Jeunet   ☐ Mathieu Kassovitz
   ☐ Éric Le Heung   ☐ Louis Malle
   ☐ François Truffaut

6 ● Dans quels films a-t-elle joué ? En quelle année ?

	Elle a joué dans :	*en*
☐	**a.** Lacombe Lucien	
☐	**b.** Le sang des autres	
☐	**c.** Les quatre cents coups	
☐	**d.** Moi, fleur bleue	
☐	**e.** Un long dimanche de fiançailles	

7 ● Cochez (**X**) la (ou les) bonne(s) réponse(s).
   Pour Jodie Foster, être bilingue, biculturelle, c'est :
   a. ☐ le plus grand cadeau de sa vie
   b. ☐ un dédoublement de la personnalité
   c. ☐ une grande ouverture

8 ● Que permet le fait d'être bilingue ? Cochez (**X**) les bonnes cases.

	Vrai	Faux	On ne sait pas
a. d'utiliser les mots d'une autre façon			
b. d'avoir un double passeport			
c. de ne rien changer à son personnage			
d. d'avoir beaucoup d'amis			
e. d'avoir toute sorte d'amis			

9 ● Sa préférence va :

   a. pour les films français à : ....

   b. en littérature française à : ....

//

ACTIVITÉ 12

Répondez aux questions. //

1 ● À quoi est comparée la diète ? ....

2 ● Qu'est-ce que l'apparence fait de la minceur ? Cochez (**✗**) la (ou les) bonne(s) réponse(s).
    a. ☐ un synonyme de séduction, de réussite et de valeur
    b. ☐ un synonyme de réussite, de maîtrise de soi et de beauté
    c. ☐ un synonyme de maîtrise de soi, de réussite et de séduction

3 ● Complétez la phrase suivante.

En France, ... des femmes de moins de .... auraient .... régimes.

4 ● Cette « quête de la ligne » enrichit de nouveaux « gourous ».
    ☐ Vrai   ☐ Faux   ☐ On ne sait pas

5 ● Cochez (**✗**) les bonnes réponses.
    Le régime de Pierre Dukan :
    a. ☐ est suivi tous les jours par 4 millions de personnes
    b. ☐ est associé à un best-seller et de multiples produits dérivés
    c. ☐ a des effets parfois très mauvais sur la santé

6 ● Selon un rapport publié en 2011, à quoi conduiraient les régimes ? Cochez (**✗**) les bonnes cases.

	Vrai	Faux	On ne sait pas
a. À des maladies du système digestif			
b. À des maladies rénales			
c. À une perte de poids à long terme			
d. À des maladies de la circulation et du cœur			

7 ● En dehors des régimes, il existe deux autres procédés choisis pour perdre du poids.
    Complétez la phrase suivante.

Les comprimés .... ou .... et .... qui consiste ....

.... par la chirurgie.

8 ● Quels sont les aspects négatifs associés à ces deux moyens ?

....

9 ● Qui peut venir en aide aux femmes qui ont des problèmes avec la nourriture ? Comment ?

....

10 ● Que représente le marché de la minceur aux États-Unis ? Cochez (**✗**) les bonnes réponses.
    a. ☐ Il prend l'aspect d'une religion en Caroline du Nord.
    b. ☐ C'est un « business » de 50 milliards d'euros.
    c. ☐ Des taxes importantes sur les produits amincissants.

//

ACTIVITÉ 13

Répondez aux questions. ///

1 • **Complétez les phrases suivantes.**

Michel ONFRAY est ....

Il vit à ....

Il a écrit ....

Il a créé ....

2 • **Comment n'est pas, selon les paroles de Michel Onfray, une « réponse de normand » ?**

....

3 • **Quels superlatifs antonymes Michel Onfray emploie-t-il pour définir la télévision ?**

....

4 • **Complétez la phrase suivante : elle résume l'opinion de Michel Onfray sur la télévision :**

« C'est, en tant que telle, un .... et parfois un .... »

5 • **D'après lui, à quoi recourt la télévision pour « scotcher » le téléspectateur ?**
Citez trois des « procédés » utilisés.

....

6 • **Cochez (✗) les bonnes cases.**
Pour Michel Onfray :

	Vrai	Faux	On ne sait pas
a. il vaut mieux lire un bon livre que regarder la télévision			
b. la fréquentation d'un livre est irremplaçable			
c. la télévision exige d'être toujours sérieux			
d. les gens écrivent ce qu'ils disent par peur d'improviser			
e. ne pas préparer ses émissions, improviser, c'est prêter attention à son interlocuteur			
f. le livre n'incite pas toujours à la méditation			

7 • **Cochez (✗) les bonnes réponses.**
Que représente pour Michel Onfray le fait de passer à la télévision ?
a. ❑ Pouvoir faire la promotion de ses idées
b. ❑ Défendre des idées auxquelles il ne croit pas
c. ❑ Ne pas accepter de servir de prétexte à des comiques
d. ❑ Avoir la possibilité de pouvoir s'exprimer, d'être sérieux

8 • **Selon Michel Onfray, la télévision accumule les images pour « clouer » le téléspectateur sur son siège, ne pas lui laisser la possibilité de fixer son attention.**
❑ Vrai   ❑ Faux   ❑ On ne sait pas

9 • **Pour Michel Onfray, une télévision où l'on pourrait « faire des variations sur thème » est un rêve qu'il veut réaliser.**
❑ Vrai   ❑ Faux   ❑ On ne sait pas

//

ACTIVITÉ 14

Répondez aux questions. //

1 • Quelles sont les fonctions de Monsieur Wildloecher ?

....

2 • Pourquoi les véhicules électriques sont-ils considérés comme des véhicules doux ?

....

3 • a. Quel est le pourcentage, en France, de l'électricité fabriquée avec peu d'émission de CO_2 ?

....

b. Quels sont les sources de production citées ?

....

4 • En dehors de leur volontarisme, qu'est-ce qui peut encourager les entreprises à s'équiper en voitures électriques ?

....

5 • Lisez les affirmations suivantes. Cochez (✗) les bonnes cases.

	Vrai	Faux	On ne sait pas
a. La faible autonomie des véhicules électriques n'est pas un problème compte tenu des distances qu'ils parcourent.			
b. Les tournées de la Poste sont relativement longues.			
c. Le premier véhicule électrique, en 1904, était un véhicule de la Poste.			
d. En 1914, tous les véhicules de la Poste étaient électriques.			

6 • Qu'est-ce qui explique le développement des « transports doux » ? Cochez (✗) les bonnes réponses.
   a. ☐ La voiture reste encore un signe extérieur de richesse.
   b. ☐ Les trajets de 50 % des voitures est inférieur à 3 km.
   c. ☐ La voiture se partagera, deviendra une propriété collective.

7 • Complétez les phrases suivantes.

.... a une belle .... en France.

...., les consommateurs ....

8 • Comment La Poste s'implique-t-elle dans la mobilité douce ? Cochez (✗) les bonnes réponses.
   a. ☐ Elle a mis en place des plans de déplacement d'entreprise.
   b. ☐ Elle équipe les facteurs de vélos et quadricycles électriques.
   c. ☐ Elle organise le co-voiturage de ses employés.

ACTIVITÉ 15

Répondez aux questions.

1 • Cochez (✗) les bonnes cases.
   Que veut dire être une femme chef ?

	Vrai	Faux	On ne sait pas
a. Se battre contre les préjugés envers les femmes.			
b. Ne pas chercher à s'imposer en cuisine.			
c. Hésiter à affirmer sa différence.			
d. Travailler dans un milieu qui devient de moins en moins machiste.			
e. Cultiver la complémentarité avec son mari.			

2 • En quoi la cuisine des femmes est-elle différente ? Cochez (✗) les bonnes réponses.
   a. ☐ Elle utilise exclusivement des graisses végétales.
   b. ☐ Elle est généralement plus légère que celle des hommes.
   c. ☐ Elle fait une grande place aux légumes.
   d. ☐ Elle suit volontairement les tendances des magazines.

3 • a. Contre quoi Alice Bardet et son mari se battent-ils ? ....

   b. Quel rôle pense-t-elle devoir jouer ? ....

4 • a. D'où vient son inspiration ? ....

   b. Se laisse-t-elle influencer par les tendances culinaires ? ....

5 • Quels vins ont influencé ses recettes ? ....
   Pourquoi ? Complétez la phrase suivante.

   Parce que « ce sont ...., très ...., à .... ».

6 • Pense-t-elle qu'il y a un débat entre la cuisine de tradition et la cuisine moderne ?
   Cochez (✗) les bonnes réponses.
   a. ☐ Non, car la cuisine moderne est bien supérieure.
   b. ☐ Non, elle les juge complémentaires.
   c. ☐ Non. Il est important, avant de faire de la cuisine moderne de maîtriser les bases
      de la cuisine classique.

7 • Quel est l'objectif principal d'Alice Bardet ? ....

8 • Comment s'explique ce choix de métier chez Alice Bardet ? Cochez (✗) les bonnes réponses.
   a. ☐ Ses parents étaient des restaurateurs renommés.
   b. ☐ Elle a appris la cuisine avec sa mère et ses amis.
   c. ☐ Elle a voulu défendre un métier menacé de disparition.
   d. ☐ Elle aime partager le plaisir de la table.

D comme... DELF

//

ACTIVITÉ 16

Répondez aux questions. //

1 • De quoi les industriels de l'industrie pharmaceutique avertissent-ils le grand public ?

2 • Quel est le constat de la Commission européenne et de l'OMS ?

3 • Quel était le premier marché de la contrefaçon, et quel est-il actuellement, notamment sur Internet ?

4 • Cochez (✗) les bonnes réponses.
   La contrefaçon :
   a. ☐ représente 50 % des médicaments vendus sur les marchés en Afrique sub-saharienne
   b. ☐ touche également les médicaments appartenant à la liste des médicaments essentiels de l'OMS
   c. ☐ ne s'intéresse pas aux médicaments génériques

5 • Quels avantages présente la contrefaçon des médicaments par rapport aux autres trafics ?

6 • Où, dans le monde, y a-t-il le plus de contrefacteurs ?

7 • Quels sont les médicaments les plus contrefaits :

   a. en général ?

   b. dans les pays occidentaux ?

8 • Quels autres produits les gens cherchent-ils à acquérir sur Internet ? Pourquoi ?

Répondez aux questions.

1 ● Depuis quand les seniors peuvent-ils cumuler retraite et emploi ?

....

2 ● Cochez (✗) la (ou les) bonne(s) réponse(s).
Pour quelle(s) raison(s) les retraités choisissent de rester actifs ?
a. ☐ pour travailler avec leurs amis
b. ☐ pour continuer à faire partie de la société
c. ☐ pour compléter leurs revenus

3 ● Quel est le pourcentage de retraités vivant sous le seuil de pauvreté ?

....

4 ● Complétez le tableau suivant à l'aide des informations entendues.

Nom	Âge	Ancienne profession	Nouvelle occupation	Revenus	
				Pension	Emploi actuel
Jean-Marcel					
Lucile					
Annick					
Adrien					

5 ● Comment Lucile considère-t-elle la retraite ?

....

6 ● a. Combien de postes ont-ils été supprimés ces cinq dernières années dans l'Éducation nationale ?

....

b. Quelle en est la conséquence pour les académies ?

....

7 ● Quel était le salaire horaire d'Annick avant la retraite ?

....

8 ● Pourquoi les seniors sont-ils appréciés des entreprises ?

Ils sont ...., ...et ....

9 ● Cochez (✗) la (ou les) bonne(s) réponse(s).
Quel(s) type(s) d'emploi(s) peu apprécié(s) des jeunes l'est/le sont des retraités ?
a. ☐ Les CDD
b. ☐ Les CDI
c. ☐ Les emplois à temps partiel

//

ACTIVITÉ 18

Répondez aux questions. //

1 ● **Qui est Claude Vidal ? Complétez la phrase suivante.**

Âgé de ...., il est membre d'............................., groupe Vichy Val d'Allier depuis ....

Il a été successivement .... de son groupe, ..., et il s'occupe maintenant

de la .... au sein de la ....

2 ● **Cochez (✗) les bonnes cases.**

Amnesty international	Vrai	Faux	On ne sait pas
a. a été fondée en 1961 par Peter Benenson			
b. défend, fait respecter et promeut les droits de l'Homme			
c. base son travail sur le principe de solidarité nationale			
c. se bat pour la libération de tous les détenus pour des raisons raciales, politiques, confessionnelles, syndicales			
e. a connaissance des « prisonniers oubliés » à la suite de recherches approfondies dans les pays concernés			

3 ● **Citez au moins deux des valeurs auxquelles Claude Vidal adhère et pour lesquelles il se bat.**

a. ....

b. ....

4 ● **Cochez (✗) la (ou les) bonne(s) réponse(s). Comment se manifeste l'action de Claude Vidal ?**
   a. ☐ Il écrit aux victimes d'incarcérations arbitraires.
   b. ☐ Il écrit à ceux qui exercent le pouvoir pour dénoncer la situation des victimes.
   c. ☐ Il est aidé par les autres membres d'Amnesty qui écrivent en même temps pour la même victime.

5 ● **a. Amnesty International se trouve dans combien de pays ?** ....

   b. Combien de membres compte Amnesty International ? ....

6 ● **Quel est le logo d'Amnesty International ?** ....

7 ● **Quel est le proverbe chinois qui a inspiré ce logo ?**

....

8 ● **Comment, sur un plan personnel, Claude Vidal explique-t-il son engagement ? En quoi croit-il ?**

....

9 ● **En plus « d'écrire contre l'oubli », que fait Claude Vidal ?**

....

10● **Que représente enfin Amnesty International pour Claude Vidal ?**

....

ACTIVITÉ 19

Répondez aux questions.

1 ● À quoi est comparé le bureau de Daniel Pennac ?

....

2 ● Qu'est-ce qui justifie cette comparaison ?
Cochez (✗) les bonnes cases.

	Vrai	Faux	On ne sait pas
a. Le bureau est meublé très sobrement.			
b. Il n'y a pas de sonnette.			
c. Seul son portable reste ouvert.			
d. Il n'y a pas de connexion Internet.			
e. Le téléphone vient d'y être installé.			

3 ● a. Le bureau de Daniel Pennac se trouve-t-il à son domicile ? ....

b. Quelles sont les deux fonctions de ce bureau ? ....

4 ● Quelles précisions Daniel Pennac donne-t-il ? Complétez les phrases suivantes.

Ma femme et moi .... avant de rentrer à la maison .... C'est délicieux. Nous

menons .... et après nous n'y sommes .... , les amis, la vie – et ....

5 ● Où se trouve(nt) le(s) domicile(s) de Daniel Pennac ?

....

6 ● Quelles sont les activités qui mettent Daniel Pennac « en appétit d'écrire » ?
Cochez (✗) les bonnes réponses.
a. ☐ cueillir des myrtilles
b. ☐ faire de la gymnastique
c. ☐ faire de la marche
d. ☐ prendre le métro
e. ☐ faire le ménage

7 ● Si « le désir d'écrire le tient », où et comment s'installe-t-il ? Pourquoi ?

....

8 ● Qui était l'élève Daniel Pennac ? Cochez (✗) les bonnes réponses.
a. ☐ Il était pensionnaire.
b. ☐ Il adorait lire et devait le faire en cachette.
c. ☐ Il écrivait de petits romans et imitait Dumas ou Dickens.
d. ☐ Il comparait ses écrits avec ceux de Dumas et Dickens.

9 ● Quelle était la profession de Daniel Pennac ? En quoi était-elle complémentaire de son travail d'écrivain ?

....

10 ● Lisez les fins de phrases suivantes. Cochez (✗) les affirmations exactes. Pour Daniel Pennac, écrire :
a. ☐ le rend parfois malade
b. ☐ c'est organiser d'abord le récit pour soigner ensuite la rédaction
c. ☐ c'est rédiger en suivant le fil de son imagination
d. ☐ est nécessaire à sa santé

D comme... DELF

//

ACTIVITÉ 20

Répondez aux questions. //

1 ● Quelle est la conclusion à laquelle est parvenue l'équipe d'Herman Pontzer ?
   Complétez la phrase suivante.

   « ... l'adoption d'...............................n'est pas ....pour expliquer les...............................
   qui affectent une ....des pays développés. »

2 ● **Lisez les phrases suivantes. Cochez (✗) les affirmations exactes.**
   Cette étude :
   a. ☐ a porté sur les dépenses énergétiques des Hadzas de Tanzanie
   b. ☐ a comparé les dépenses énergétiques des Européens avec celles des Nord-américains vivant en ville
   c. ☐ a comparé les dépenses énergétiques des Européens et des Nord-américains avec celles
       des Hadzas de Tanzanie

3 ● **Lisez les affirmations suivantes.**
   Cochez (✗) les bonnes cases.

	Vrai	Faux	On ne sait pas
a. Le développement de l'obésité était jusque-là attribué à l'augmentation des apports alimentaires.			
b. Le développement de l'obésité était en partie attribué à une alimentation trop grasse.			
c. L'étude faite remet en cause les théories en vigueur jusque-là.			
d. Le développement de l'obésité serait plutôt dû à l'augmentation des apports alimentaires.			

4 ● **Cochez (✗) la bonne réponse. L'alimentation actuelle est :**
   a. ☐ trop dense en énergie, trop abondante, trop facilement comestible
   b. ☐ trop abondante, trop disponible, trop énergétique
   c. ☐ trop énergétique, trop accessible, trop pesante

5 ● **Cochez (✗) la (les) bonne(s) réponse(s). Selon l'OMS, d'ici 2015 :**
   a. ☐ un terrien sur quatre développera un cancer
   b. ☐ un terrien sur dix sera obèse
   c. ☐ un terrien sur trois sera en surpoids

6 ● **Sur quels types de populations a été faite l'étude d'Herman Pontzer et de ses collaborateurs ?**

   ....

7 ● **Cochez (✗) la bonne réponse. Les chercheurs ont constaté que :**
   • à taille égale les dépenses énergétiques des Hadzas et des occidentaux sont identiques
   • le taux de graisse n'est lié ni à l'activité physique, ni à la dépense calorique quotidienne
   ☐ Vrai   ☐ Faux   ☐ On ne sait pas

8 ● **Cochez (✗) la (ou les) bonne(s) réponse(s). Les résultats de l'enquête suggèrent :**
   a. ☐ que la dépense calorique de chacun est liée à son héritage génétique
   b. ☐ que les différences de mode de vie ont un effet négligeable sur les dépenses d'énergie
   c. ☐ que les campagnes du genre « Manger-Bouger » sont pertinentes
   d. ☐ de ne pas donner de nourriture industrielle aux pays en voie de développement.

ACTIVITÉ 21

Répondez aux questions.

1 • Combien de mots sont-ils entrés dans le *Petit Robert 2013* ? ....

2 • Comment ces mots sont-ils choisis ? ....

3 • Quels mots propres à la catastrophe de Fukushima et au débat entre pro et antinucléaires sont ainsi entrés dans le dictionnaire ? Quel est leur sens ?

Mots	Sens
1.	
2.	
3.	

4 • Attribuez à chaque domaine ou événement le(s) mot(s) correspondant(s), entré(s) dans le dictionnaire ?

Domaine/Événement	Mots
1. L'environnement	
2. L'actualité économique et sociale	
3. Le sacre de Jean Dujardin	

5 • Associez à chaque mot familier le sens qui lui correspond.

Mots	Sens
1. marrade •	• a. qui est à l'agonie
2. pipeauter •	• b. être dans un état de somnolence
3. comater •	• c. avoir peur
4. gloups •	• d. interjection exprimant l'étonnement
5. subclaquant •	• e. baratiner
6. psychoter •	• f. rigolade

6 • Quels pays ou région(s) du monde ont-ils « fourni » des mots au *Petit Robert 2013* ?

....

7 • Quel acronyme, issu des SMS que les ados échangent, a également été introduit dans le dictionnaire ?

....

Quels mots remplace-t-il ? ....

Quel est son sens ? ....

D comme... DELF

//

8 ● Cochez (✗) la (ou les) bonne(s) réponse(s). Dans quel(s) but(s) des belgicismes et des québécismes sont-ils également admis dans le dictionnaire ?

    a. ☐ pour étonner les lecteurs du dictionnaire

    b. ☐ dans un but commercial

    c. ☐ pour faire connaître aux Français un vocabulaire savoureux

9 ● Quels sont les belgicismes et les québécismes cités ? Quel est leur sens ?

	Mots	Sens
Begicismes	1. _____	1. _____
	2. _____	2. _____
Québécismes	1. _____	1. _____
	2. _____	2. _____

ACTIVITÉ 22

Répondez aux questions. //

1 ● **En quoi consiste le traumatisme des années 1980 et 1990 concernant les tomates ?**

_____

2 ● Cochez (✗) les bonnes cases. Selon Christophe Rothan, directeur de recherche à l'Inra :

	Vrai	Faux	On ne sait pas
a. Des croisements avec des variétés anciennes ont permis d'introduire des gênes de qualité dans les tomates.			
b. Les nouvelles variétés n'auront pas probablement pas toutes les qualités des tomates actuelles.			
c. Les nouvelles variétés seront plus chères.			
d. Ce seront des tomates à longue durée de vie et adaptées à tout mode de culture.			

3 ● Cochez (✗) la bonne réponse. L'équipe de biologistes américains, espagnols et argentins a montré que :

    a. ☐ un gène introduit dans la tomate lui a fait perdre son goût

    b. ☐ le goût ne dépend pas de la lumière, de la photosynthèse

    c. ☐ dans le même gène, véhicule de la couleur et du goût, la couleur l'a emporté sur le goût

4 ● **Depuis combien de temps la couleur uniforme de la tomate a-t-elle été sélectionnée ?**

_____

5 ● **Pour quelle raison ce trait de caractère de la tomate a-t-il été sélectionné ?**

_____

    En est-il ainsi seulement pour la tomate ?

_____

6. Qui est donc responsable de la baisse de qualité de la tomate : les producteurs ou les consommateurs ? Pourquoi ?

7. Cochez (✗) la (ou les) bonne(s) réponse(s).
L'enquête de Madame Causse, publiée en 2010 :
a. ☐ a été menée en France, en Espagne et aux Pays-Bas
b. ☐ a confirmé l'importance de l'apparence du fruit
c. ☐ a mis en évidence quatre profils de consommateurs

8. Complétez les phrases suivantes indiquant qui sont les consommateurs et leurs goûts.
– Les .... qui aiment les tomates .... ;
– les .... dont la préférence irait aux tomates .... ;
– les .... qui prisent les tomates .... ;
– les .... qui n'ont pas .... et ont ....

9. Cochez (✗) les bonnes cases.

Les sélectionneurs français :	Vrai	Faux	On ne sait pas
a. s'orientent vers des variétés complètement nouvelles			
b. s'orientent vers des variétés spécifiques comme la cœur de bœuf ou la noire de Crimée			
c. ne cherchent pas à diversifier leur production			
d. encouragent la culture en plein champ			

ACTIVITÉ 23

Répondez aux questions.

1. Quelles sont les caractéristiques communes des différents mouvements d' « indignés » ?

2. Par qui sont rejoints ces jeunes « indignés » ?

3. Dans quels pays la situation est-elle un peu différente ? Pourquoi ?

4. a. Pourquoi les jeunes se sentent-ils frustrés ?

   b. Qui cette frustration touche-t-elle également ? Pourquoi ?

5. Contre quoi ces jeunes s'opposent-ils également ?

6 ● Cochez (✗) les bonnes cases. En quoi cette forme de protestation est-elle nouvelle ?

	Vrai	Faux	On ne sait pas
a. Les moyens de communication permettent de programmer à l'avance les manifestations.			
b. Les moyens de communication permettent des manifestations spontanées.			
c. Les manifestants se regroupent dans un lieu symbolique de leur ville.			
d. Les manifestants préfèrent ne pas prendre la parole, s'exprimer sur leur mouvement.			

7 ● Quelle explication Monique Dagnaud donne-t-elle au fait que ces mouvements n'aient pas de leader ?

....

8 ● Quelle attitude les « indignés » ont-ils envers la scène politique traditionnelle ? Quelle en est la preuve ?

....

9 ● Quel constat fait également Monique Dagnaud ? Complétez la phrase suivante.

« ... les jeunes .... mais .... leur place. »

ACTIVITÉ 24

Répondez aux questions.

1 ● Cochez (✗) la (ou les) bonne(s) réponse(s). Montréal :
  a. ☐ compte environ 3 500 000 habitants
  b. ☐ compte environ 1 300 000 habitants provenant de l'immigration
  c. ☐ est la capitale provinciale du Québec

2 ● Que représente le 1er juillet pour les Québécois et pour les Canadiens ?

....

3 ● À quoi font penser les rues de Montréal ce jour-là ? Pourquoi ?

....

4 ● Pourquoi les Québécois déménagent-ils ce jour-là ?

....

5 ● Cochez (✗) les bonnes cases. Quelles sont les caractéristiques de l'architecture montréalaise ?

	Vrai	Faux	On ne sait pas
a. Les maisons ont des escaliers en pierre.			
b. Toutes les maisons disposent d'ascenseurs.			
c. La plupart des maisons sont en brique.			
d. Dans les maisons à deux étages, il y a trois locataires.			

6 ● Quel sont les avantages et les inconvénients de déménager un autre jour à Montréal ?

....

7 ● Cochez (✗) les bonnes réponses. Pourquoi est-il si facile de trouver un logement à Montréal ?
   a. ☐ Seule une caution est suffisante.
   b. ☐ Il n'est pas nécessaire de payer de mois d'avance.
   c. ☐ Il n'y a pas de frais d'agence.
   d. ☐ Les propriétaires demandent toujours un relevé bancaire.

8 ● Pour quelles raisons les propriétaires ne font pas de difficulté pour louer ?
   Complétez les phrases suivantes.

   Tout loyer est dû le 1er du mois. Selon la loi, le propriétaire ....

   pour .... dès le 2, et il ne faut que ....

   pour .... Un locataire ne peut pas ....

   S'il veut partir, il doit .... qu'il ....

   S'il ne trouve personne, ... jusqu'à ....

ACTIVITÉ 25

Répondez aux questions. ///

1 ● De quoi Valérie Jacquinot est-elle la gérante ?

....

2 ● Qu'est-ce qui la rend heureuse ? Pourquoi ?

....

3 ● Depuis combien de temps Valérie Jacquinot et Jean-Louis Heck tiennent-ils leur café ?

   Valérie Jacquinot : .... Jean-Louis Heck : ....

4 ● À quoi attribuent-ils les difficultés qu'ils rencontrent dans leurs commerces ?

   Valérie Jacquinot : ....

   Jean-Louis Heck : ....

5 ● Qu'est-ce qui permet à Valérie Jacquinot de subsister ?

....

6 ● Cochez (✗) les bonnes réponses. Quelles sont les stratégies adoptées pour éviter la fermeture
   des bistros ?
   a. ☐ l'animation des soirées
   b. ☐ la vente de journaux
   c. ☐ l'installation d'un point de poste
   d. ☐ l'installation d'un poste de secours
   e. ☐ la vente de tabac
   f. ☐ la possibilité de restauration ou la vente de produits d'épicerie

7 ● Pourquoi est-il si important que les cafés de ces villages ou petites villes survivent ?

....

Compréhension des ÉCRITS

A comme... *aborder l'épreuve de compréhension des écrits*

Description de l'épreuve

L'épreuve de compréhension des écrits consiste à répondre à des questionnaires de compréhension portant sur deux documents écrits.

Il s'agit d'analyser le contenu : - pour le premier document, d'un texte à caractère informatif concernant la France ou l'espace francophone ;
- pour le deuxième document, d'un texte argumentatif.

Le temps accordé pour l'étude des deux documents **est de 1 heure**.

Pour vous aider...

- Survolez rapidement les textes des deux exercices afin de voir si les thèmes vous sont connus : dans ce cas, il vous sera plus facile de les comprendre.
- Survolez ensuite également les questionnaires qui accompagnent les textes afin de décider par quel exercice commencer.
- Prenez toutefois en compte les notes attribuées à chaque exercice afin de privilégier celui auquel l'on attribue la plus haute note.

Dans les deux cas :

- Lisez en premier lieu le questionnaire auquel vous devez répondre. Cette lecture constitue un « filtre » à la lecture du texte, les informations à noter étant relevées plus vite, souvent dès la première lecture du texte ;
- observez « l'image » du texte : une illustration, la présence ou non de paragraphes, leur disposition, la présence d'un chapeau, d'un surtitre, d'intertitres, le repérage de chiffres, de noms propres ou encore de sigles aident en effet à avoir une première idée sur le contenu du texte, avant même sa lecture ;
- lisez une première fois le texte et donnez une première réponse – pendant cette lecture ou ensuite – aux questions qui ne présentent pas de difficultés, notez-les au brouillon si nécessaire ;
- lisez une deuxième fois le texte, contrôlez les premières réponses données et répondez aux autres questions – pendant cette lecture ou ensuite –, notez-les également au brouillon si nécessaire ;
- pendant ce travail, n'oubliez pas de consulter votre montre afin de ne pas vous attarder de trop sur certaines questions, de parvenir à répondre au plus grand nombre ;
- relisez vos réponses, recopiez-les sur la feuille de réponse si un brouillon a été fait ;
- corrigez les fautes d'orthographe éventuelles, soignez votre écriture.

Dans le cas du deuxième exercice :

- Identifiez rapidement le sujet et la thèse défendue ainsi que la contre-thèse ;
- repérez les articulateurs : ils introduisent les arguments et donnent la structure du texte, permettant ainsi de le comprendre.

- **Avant de rendre votre copie,** contrôlez de nouveau les deux questionnaires, vérifiez que vos réponses sont claires, ne prêtent pas au doute.

Pour vous entraîner, réalisez les activités suivantes.

Vous disposez de 1 heure pour les deux activités.

I | Comprendre un texte à caractère informatif

ACTIVITÉ 1

BRUXELLES **La Belgique, le pays le plus embouteillé au monde**

Les automobilistes perdent plus de temps dans les embouteillages en Belgique que dans les autres pays d'Europe et d'Amérique du nord, selon une étude américaine.

Les bouchons à Bruxelles et Anvers sont plus importants qu'à New-York, Paris ou Londres. Il n'y a qu'à Milan que les problèmes sont plus aigus. C'est ce qui ressort d'une étude américaine du fournisseur international d'informations sur le trafic Inrix. Celle-ci a, selon ses dires, étudié les déplacements de quelque 100 millions d'automobilistes *via* leur GPS. Il en ressort que les conducteurs belges ont perdu l'an dernier en moyenne 55 heures dans les embouteillages, soit plus que dans les autres pays d'Europe et en Amérique du Nord.

Un trajet en Belgique dure en moyenne 21 % plus longtemps lorsqu'il est effectué aux heures de pointe, en semaine. Les villes les plus touchées en Belgique sont sans surprise les villes de Bruxelles et d'Anvers. On y perd en moyenne, sur base annuelle, respectivement 72 et 71 heures dans la circulation. Il n'y a qu'à Milan, en Italie, que la situation est pire. Gand, Charleroi et Liège complètent le Top 5 des villes belges où il y a le plus de ralentissements. Inrix estime encore que le plus gros point noir du trafic en Belgique se situe le vendredi entre 16 h et 17 h à Anvers. À ce moment, un automobiliste voit son temps de parcours rallongé de 40 % en moyenne. Les chercheurs ont aussi établi un lien entre les embouteillages et l'économie. Ainsi, les files ont diminué à l'échelle mondiale de 15%. En Europe, la baisse est principalement constatée dans les pays qui ont été le plus durement touchés par la crise, comme le Portugal (−49 %), l'Irlande (− 25 %) et l'Espagne (−15 %). En Belgique, on a observé une diminution de 3 %. « *L'engorgement du trafic routier est un indicateur économique excellent qui nous montre si les gens vont au travail, si les entreprises livrent des produits et si les consommateurs dépensent* », précise Inrix. « *Il n'y a pas de solution miracle* », a réagi la ministre flamande de la Mobilité Hilde Crevits (CD&V) sur la VRT. « *Il faut continuer à investir, dans les routes, d'abord, mais également dans les transports publics* », a estimé la ministre en charge du ring d'Anvers et de l'essentiel du ring de Bruxelles.

Metro (Belgique), n°2589, 22 juin 2012.

Répondez aux questions

1 • Cochez VRAI ou FAUX et justifiez votre réponse en citant un passage du texte.

	VRAI	FAUX
1. Paris et Londres sont des villes moins embouteillées que la capitale belge. Justification :		
2. Bruxelles est la ville d'Europe où il y a le plus de bouchons. Justification :		

2 • Quel organisme est à l'origine des résultats sur la circulation en Belgique ? Comment a-t-il procédé ?

3 • Cochez (✗) la(les) affirmation(s) exacte(s).

   a. ☐ Les Belges perdent moins de temps dans les embouteillages que les Français.

   b. ☐ Les Belges perdent en moyenne trois jours par an dans la circulation.

   c. ☐ Les Bruxellois perdent en moyenne trois jours par an dans la circulation.

4 • Pour ne pas rallonger le temps de son parcours, où et à quel moment vaut-il mieux ne pas se déplacer en Belgique ?

....

5 • D'après l'étude effectuée, quelle relation y a-t-il entre la crise économique et les files d'embouteillage dans les pays ?

....

6 • En fonction de cette relation, quel pays, parmi ceux cités, est le plus touché par la crise ? Quel pays est le moins touché ?

....

7 • Relevez dans le texte tous les mots liés à la notion d'embouteillage.

....

///////////// **II** **Comprendre un texte argumentatif** ///

ACTIVITÉ 1

La musique n'a pas d'âge

Le 21 juin, c'est la fête, et chacun a le droit d'être musicien !
De nombreux adultes, inhibés, n'osent pas se mettre à jouer, et pourtant
il est plus facile de développer sa fibre musicale sur le tard... [...]

Bien sûr, un enfant qui fait grincer son violon reste attendrissant, alors qu'un homme ou une femme imposant la même torture à son entourage joue avec sa vie ! C'est injuste : la «mignonitude» résiste mieux aux fausses notes qu'au nombre des années. Faut-il pour autant renoncer à la musique dès que l'on a appris à faire ses lacets ? Fort heureusement, non. Car les adultes ont bien d'autres atouts pour devenir virtuoses. D'abord, note Emmanuel Bigand*, musicologue et spécialiste de la psychologie cognitive de la musique, «*si les enfants apprennent plus facilement, les études d'imagerie montrent que la plasticité du cerveau reste importante toute la vie et que, chez l'adulte débutant, il se réorganise presque tout de suite pour développer une compétence musicale*». Non seulement la mémoire ne sature pas, mais elle fait de la place pour enregistrer de nouvelles informations. Le cerveau mature est alors plus performant pour mettre les connaissances en lien et leur donner du sens. Sans compter que, avec l'âge, la capacité de travail s'accroît, et la concentration et la motivation sont plus claires. «*Pour peu que le joueur soit motivé, il apprendra beaucoup plus vite qu'un enfant qui s'en fiche*», relève Emmanuel Brigand. Qui note tout de même que, «*s'il n'est pas cognitif, le frein peut être moteur, l'adulte ayant un corps moins malléable pour se couler dans le geste du musicien*». Peur de la difficulté, de l'échec, du ridicule, nombreuses sont les raisons de ne pas s'y mettre. «*C'est dommage, car la musique sollicite plus de compétences cognitives, émotionnelles, physiques et sociales que la plupart des activités, reprend le musicologue. C'est donc un excellent moyen de lutter contre le vieillissement cérébral.* »

Cécile Guéret,
Psychologies Magazine, n°319, juin 2012.

_____

* Emmanuel Bigand, coauteur de *Musique et Cerveau* (Sauramps médical, 2012).

1 • **Quelle explication le chapeau de l'article donne-t-il au titre ?**
    a. ☐ Il est possible d'apprendre à jouer très jeune.
    b. ☐ Les adultes ne jouent pas parce qu'ils ont trop peur.
    c. ☐ On peut apprendre à jouer même si l'on est (relativement) âgé.
    d. ☐ On peut aimer la musique à tout âge.

2 • **Quelles sont les quatre parties du texte ?**
    a. ☐ **1** : Du début à « Fort heureusement, non ». **2** : De « Car.... » à « ... *compétence musicale* ».
        3 : De « *Non seulement* » à « ... *geste du musicien* ». **4** : De « *Peur de la difficulté...* » à la fin.
    b. ☐ **1** : Du début à « ... *au nombre des années* ». **2** : De « *Faut-il pour autant...* » à « ... *du sens* ».
        3 : De « *Sans compter que...* » à « ... *de ne pas s'y mettre* ». **4** : De « *C'est dommage...* » à la fin.
    c. ☐ **1** : Du début à « ... *virtuoses* ». **2** : De « *D'abord...* » à « ... *compétence musicale.* ».
        3 : De « *Non seulement...* » à « ... *geste du musicien* ». **4** : De « *Peur de la difficulté...* » à la fin.
    d. ☐ **2** : du début à « ... *virtuoses* ». **2** : De « *D'abord...* » à « ... *du sens* ». **3** : De « *Sans compter que...* »
        à « ... *geste du musicien* ». **4** : De « *Peur de la difficulté...* » à la fin.

3 • **En premier lieu, l'auteur affirme :**
    a. ☐ qu'il faut être jeune pour apprendre à jouer de la musique
    b. ☐ que l'on ne peut devenir un virtuose si on apprend à jouer à l'âge adulte
    c. ☐ que les adultes ne peuvent pas espérer apprendre à bien jouer
    d. ☐ que les débutants adultes ont des aptitudes pour apprendre à bien jouer

4 • **Selon Emmanuel Bigand, spécialiste de la psychologie cognitive de la musique :**
    a. ☐ le cerveau d'un adulte est plus performant pour relier les savoirs
    b. ☐ les enfants n'acquièrent pas plus vite les savoirs
    c. ☐ après un certain âge, le cerveau est moins souple
    d. ☐ la mémoire a tendance à rester stable à l'âge adulte

5 • **Un adulte peut rencontrer certains freins à l'apprentissage de la pratique musicale :**
    a. ☐ Il peut se décourager face aux difficultés.
    b. ☐ Il peut avoir des difficultés à faire les gestes nécessaires pour jouer.
    c. ☐ Le travail qu'impose l'apprentissage est parfois trop important.
    d. ☐ La pratique musicale demande à faire preuve de concentration.

6 • **D'après vous, l'auteur de l'article :**
    a. ☐ encourage les adultes à apprendre à jouer d'un instrument
    b. ☐ met en garde les adultes contre les difficultés à apprendre à jouer
    c. ☐ insiste sur les aptitudes supérieures des enfants
    d. ☐ approuve les hésitations des adultes à apprendre à jouer

    Justifiez votre réponse en relevant une expression du texte.

....

7 • **D'après l'auteur, quelle serait la mailleure raison pour apprendre à jouer ?**

....

Évaluez-vous dans les pages suivantes.

Grilles de correction

Les grilles de correction des activités sont les corrigés de celles-ci.
Lors de l'examen, chaque réponse est notée.
La compréhension des écrits est notée sur **25 points.**
Les points sont partagés entre les deux exercices.

Corrections

////////////// **I** **Comprendre un texte à caractère informatif** ///

ACTIVITÉ 1

1 •

	VRAI	FAUX
1. Paris et Londres sont des villes moins embouteillées que la capitale belge. Justification : **Les bouchons à Bruxelles et Anvers sont plus importants qu'à New-York, Paris ou Londres.**	X	
2. Bruxelles est la ville d'Europe où il y a le plus de bouchons. Justification : **Il n'y a qu'à Milan que les problèmes sont plus aigus.**		X

2 • C'est Inrix, fournisseur international d'informations sur le trafic.
L'étude, faite à l'aide de leurs GPS, a porté sur les déplacements de cent millions d'automobilistes.

3 • **c** : car 72 heures = trois jours.

4 • À Anvers, le vendredi, entre 16 h et 17 h.

5 • Les files d'embouteillage diminuent dans les pays touchés par la crise : plus un pays est touché, plus elles baissent.

6 • Le Portugal est le pays le plus touché, la Belgique le moins touché.

7 • Embouteillé(s) – embouteillages – bouchons – files – ralentissements – engorgement du trafic - (problèmes) perte de temps – temps de parcours rallongé

////////////// **II** **Comprendre un texte argumentatif** //

ACTIVITÉ 1

1 • c – 2. d – 3. d – 4. a – 5. B

6 • **a.** C'est dommage de ne pas se mettre à la musique (car elle sollicite plus de compétences cognitives... que la plupart des activités).

7 • Apprendre à jouer est « un excellent moyen de lutter contre le vieillissement cérébral ».

ACTIVITÉ 2

Les repas en France

Manger en France : un temps nécessaire à la société tout comme à l'individu

Selon les travaux sociologiques récents, le temps consacré à l'alimentation est abordé dans les pays latins comme une limite au temps consacré aux autres activités, tandis qu'aux États-Unis, se nourrir est considéré comme un acte technique, reposant sur une conception fonctionnelle de l'alimentation. La prise alimentaire n'est pas valorisée en tant que telle, elle peut donc se faire parallèlement à d'autres activités ou être brève et fréquente.

En France, l'idée que l'acte alimentaire puisse se réduire à sa seule dimension fonctionnelle n'a pas cours. Même si l'accélération des rythmes sociaux et les exigences du travail concourent à réduire le temps passé à table, le temps du repas reste valorisé pour lui-même et apparaît comme nécessaire à la vie en société.

Ce sens donné à l'acte alimentaire par le biais d'un modèle bien établi peut expliquer, en partie, que la part des personnes obèses soit nettement plus faible en France (14,5 %) qu'aux États-Unis (26,9 %) : la plupart des États américains en comptent au moins 20 % et de plus en plus en comptent plus de 30 %.

Bien d'autres facteurs entrent en compte dans l'obésité : la génétique, l'activité physique, les modes de chauffage, les facteurs psychologiques.

Manger en France est d'abord une question de convivialité

La convivialité est le principal sens que les Français donnent aux repas. Dans 80 % des cas, ils sont pris en compagnie d'autres individus (famille, amis, collègues…). Le fait de manger à plusieurs nécessite davantage de règles d'entente, qu'il s'agisse du moment, du lieu et d'un minimum de convenances favorisant la sociabilité. L'association entre la nourriture et la convivialité constitue ainsi un facteur de régularité des prises alimentaires dans des horaires resserrés. De plus, la convivialité favorise une discipline collective qui réduit le risque de comportement compulsif. En définitive, le modèle alimentaire français apparaîtrait comme l'un des principaux garants d'un équilibre qui préserverait de l'obésité.

Les repas des Français peuvent aisément devenir festifs

La convivialité s'exprime au travers de repas longs et à plusieurs. Les repas de plus d'une heure pris avec un ou plusieurs convives représentent 15 % des repas des Français et peuvent être considérés comme des repas festifs. Les repas de ce type ont lieu « chez des amis » (18,3 % contre 5,2 % sur l'ensemble des repas) ou « au restaurant » (10,3 % contre 2,6 %) ; dans 62 % des cas, on ne fait rien d'autre en même temps (contre 49 % en moyenne) et c'est la conversation à table qui prime.

Enfin, ce type de repas est privilégié par les plus de 30 ans, les cadres et les professions intermédiaires, moins par les plus jeunes et les plus modestes.

Les repas « festifs » sont plus longs et davantage structurés, avec au moins trois composantes et des préférences pour certains mets (plus d'entrées et plus de desserts) ou pour certains produits comme la viande et le poisson. Ces repas comportent plus de plats, et des plats plus élaborés, que l'on prépare avec plus d'attention, destinés à un plus grand nombre de personnes qu'à l'habitude. Le repas festif s'inscrit ainsi dans la continuité du repas caractéristique du modèle alimentaire français.

Gabriel Tavoularis et Thierry Mathé, *Consommation et modes de vie,* « Le modèle alimentaire français contribue à limiter le risque d'obésité », Centre de recherche pour l'étude et l'observation des conditions de vie, n° 232, septembre 2010, http://www.credoc.fr

Répondez aux questions. ///

1 • D'après les titres des paragraphes, que représentent et comment sont les repas des Français ?

....

2 • D'après les travaux récents, quelle conséquence ces habitudes alimentaires ont-elles ?

....

3 • Quelle précision nuance cette information ?

....

4 • Cochez **vrai** ou **faux** et justifiez votre réponse en citant un passage du texte.

	VRAI	FAUX
1. Dans les pays latins on dissocie les repas des autres activités. Justification :		
2. Aux États-Unis, les repas sont pris également séparément de toute autre activité. Justification :		
3. Pour les Français, les repas ont une dimension sociale. Justification :		
4. Aux États-Unis, les repas sont associés au plaisir de manger. Justification :		
5. Aux États-Unis, les gens mangent souvent plusieurs fois dans la journée, brièvement. Justification :		
6. À cause du travail, les repas en France ne sont jamais très longs. Justification :		

5 • Cochez (**X**) la (ou les) affirmation(s) exacte(s). En quoi la convivialité associée au modèle alimentaire français préserverait de l'obésité ?
   a. ❑ Le fait de manger avec d'autres personnes impose des règles d'entente sur le moment des repas.
   b. ❑ Le fait de manger à plusieurs réduit les quantités absorbées par chacun.
   c. ❑ La régularité des heures de repas évite la tentation de manger à tout moment.

6 • Cochez (**X**) les affirmations exactes. Quelles sont les caractéristiques des repas festifs ?
   a. ❑ Les convives regardent la télévision en même temps.
   b. ❑ Les convives dégustent les plats et parlent peu.
   c. ❑ Ils ont surtout lieu chez des amis.
   d. ❑ Ils durent plus d'une heure.

7 • Les repas festifs préparés avec soin comptent généralement au moins trois plats et souvent plusieurs entrées et desserts.
   ❑ Vrai   ❑ Faux   ❑ On ne sait pas

ACTIVITÉ 3

Le concours Lépine : 111 ans d'invention française

Du lave-vaisselle au stylo à bille

Pendant toutes ces années, le concours a révélé des objets qui appartiennent désormais à notre quotidien. Des mouchoirs hygiéniques à l'appareil à laver la vaisselle, en passant par le stylo à bille, pour n'en citer que quelques-uns, tous ont vu le jour grâce à l'événement. Le concours Lépine international de Paris se déroule en avril au Parc des Expositions de la Porte de Versailles dans le cadre de la foire de Paris. Un concours se tient également à Strasbourg, à Monts-en-Touraine, au Salon du Jouet et du Jeu (Porte de la Villette, Paris) et à Taipei. L'association sélectionne 500 inventions par an.

Concours Lépine : répondre à un besoin

Dans les années 2000, la voiture volante, l'ordinateur simplifié ou le plan du métro vocal voient le jour. Plus qu'un tremplin, le concours Lépine reflète la société, la tendance dans l'air du temps. Il présente notamment de nombreuses inventions liées aux énergies alternatives, aux technologies médicales ainsi qu'aux biotechnologies. « *L'inventeur ne crée pas le besoin, il répond à ce besoin* » estime Barbara Dorey, l'attachée de presse de l'AIFF (l'association des inventeurs et fabricants français, qui gère l'organisation du concours en France et dans le monde).

Pour son édition anniversaire, le concours Lépine se refait une beauté. Une rétrospective présente les inventions par secteurs « Nature & Art de Vivre », « Santé & Nouvelles Technologies » et « Transport & Industrie ». [...]

NB : Rares sont les femmes qui osent déposer un brevet à leur nom, plutôt qu'à celui de leur mari. Fort de ce constat, l'AIFF créée en 2009 l'«Avenue des femmes» afin de les inciter à se lancer elles-mêmes dans la création.

Marie Périssé, *Electro*, 7 mai 2012.

Depuis sa création en 1901, le concours Lépine fait rayonner l'innovation française au-delà de nos frontières. Il reste un tremplin hors du commun pour les Géo Trouvetou du monde entier. Cette année, le célèbre concours célèbre ses 111 ans d'existence à la Foire de Paris.

Le visiteur de la Foire de Paris, cette année, devra marcher de longues minutes pour atteindre le hall, puis l'espace dédié au concours Lépine. Mais le jeu en vaut la chandelle. Sur une moquette vert pelouse s'étendent 500 inventions indépendantes. Chaque idée demeure unique, déposée et peut-être un jour commercialisée. Quatorze nations ont répondu à l'appel de l'association du Concours Lépine, parmi lesquelles la Bosnie-Herzégovine, la Chine, l'Iran, la Russie ou encore Taïwan.

Il y a 111 ans, un préfet de police nommé Louis Lépine lance ce qui deviendra la vitrine de l'invention mondiale. [...] À l'aube du XXe siècle, Louis Lépine entend les inquiétudes des petits fabricants de jouets et d'articles de Paris qui font face à la concurrence étrangère (allemande, en particulier)

et décide de créer un concours-exposition. Pour cela, il s'appuie sur une loi qui vient tout juste d'être promulguée pour créer son association. Sa position permet d'assurer au concours un appui des pouvoirs publics et des démarches administratives facilitées.

Pour participer au concours Lépine, il faut avant tout disposer d'un titre de propriété qui prouve que son invention a été déposée. Il est, en outre, nécessaire de fournir une maquette ou un prototype. Enfin, l'inventeur doit adhérer à l'association et louer un stand sur le lieu de l'exposition. La récompense la plus importante reste le Prix du Président de la République.

Pour sa première édition, l'exposition des jeux et jouets, de quincaillerie, articles d'ameublement, de ménage, de sport, de mécanique, de TSF, de photographie, attire 250 000 personnes. Elle se déroule dans le hall du tribunal de commerce et présente 370 candidats. Deux lauréats sont désignés vainqueurs par le jury, l'inventeur d'un jeu de société et l'inventeur des mouchoirs hygiéniques. Depuis, le succès de l'événement n'a fait que croître [...]

Répondez aux questions.

1 • D'après le premier paragraphe du texte, à quoi est consacré le concours Lépine ?

....

2 • a. Quel sens donnez-vous à un « Géo Trouvetou » ? Proposez un synonyme.

....

  b. Reformulez l'expression « un tremplin hors du commun pour les Géo Trouvetou ».

....

3 • Cochez VRAI ou FAUX et justifiez votre réponse en citant un passage du texte.

	VRAI	FAUX
1. Le concours Lépine s'adresse uniquement à des concurrents européens. Justification :		
2. Le concours Lépine permet de juger des innovations semblables. Justification :		
3. Chaque invention présentée sera peut être proposée à la vente par la suite. Justification :		
4. Pour découvrir les inventions du concours Lépine, il faut se rendre à la Foire de Paris. Justification :		

4 • Qui était Louis Lépine ? Pour quelle(s) raison(s) a-t-il créé le concours Lépine ?
    Répondez en reformulant la réponse donnée dans le texte.

....

5 • Que doit faire successivement un inventeur pour exposer au concours Lépine ?

    1 : ....   2 : ....   3 : ....   4 : ....   5 : ....

6 • a. Quelle invention, lauréate du premier concours Lépine est encore très utilisée quotidiennement ?

....

  b. Quelles autres inventions célèbres ont vu le jour au concours Lépine ?

....

7 • Cochez (X) les affirmations exactes.
    a. ❑ Au total, il y a quatre éditions du concours Lépine par an.
    b. ❑ Les divers concours Lépine ont lieu en France.
    c. ❑ Le concours Lépine est un miroir des préoccupations de la société.
    d. ❑ Les concours actuels font une grande place aux biotechnologies.
    e. ❑ Peu de brevets sont déposés par des femmes.

8 • Relevez dans le texte les mots ou expressions liés au thème du concours.

....

//

ACTIVITÉ 4

Les secrets du « Carré de soie Hermès »

Quelques grammes de soie imprimée et une géométrie impeccable : le foulard Hermès se reconnaît au premier coup d'œil. Ce carré parfait naît en 1937, cent ans tout juste après la fondation d'Hermès, maison connue pour ses cuirs et son art de la sellerie de luxe. D'emblée, ce foulard de 90 cm sur 90 cm s'anime d'un motif qui raconte une histoire, lie la griffe aux arts, à l'équitation, au voyage...

Du premier modèle, baptisé *Jeu des omnibus et dames blanches,* à ceux créés aujourd'hui, plus de 1 500 références ont ponctué l'histoire du carré dont le fameux *Brides de gala* de 1957, un spectaculaire motif équestre qui fait toujours partie des best-sellers. Les amoureuses de cet objet au toucher sensuel collectionnent ses variations saisonnières. Et guettent l'arrivée en boutique de ces trésors fabriqués en toutes petites séries, selon un long processus artisanal. De l'arrivée des fils de soie, venus du Brésil, au pliage soigneux du carré dans sa boîte orange, il peut se passer de nombreux mois. La gravure du dessin demande à elle seule plus de cinq cents heures de travail minutieux.

Chacune le porte à sa manière

Au fil des décennies, le carré a multiplié les effets, grâce, entre autres, à la créatrice Bali Barret, directrice artistique de la soie féminine depuis 2006. Le carré devient aussi une matière à tout faire pour le prêt-à-porter Hermès : Véronique Nichanian (pour l'homme), Martin Margiela, Jean-Paul Gaultier ou Christophe Lemaire (qui se succèdent à la tête de la ligne féminine) y taillent des pans entiers de leurs vêtements.

Dans la rue, la vie du carré Hermès évolue également. On a pu se moquer des bourgeoises élégantes qui le portaient noué simplement autour du cou, accompagné d'une touche de Guerlain millésimé, bien sûr. Aujourd'hui leurs filles et petites filles l'arborent de mille façons différentes : sur la tête, attaché au sac, noué au poignet, en ceinture... Elles en ont hérité, l'ont trouvé aux puces, ou l'ont peut-être acheté chez Colette en 2010, quand Hermès a cosigné un modèle collector avec le concept store parisien. Contrairement aux sacs Kelly ou Birkin, le carré ne doit pas son succès à l'aura d'une marraine glamour. Cette bête de luxe s'épanouit hors codes et incarne, paradoxalement, le chic, pour et par toutes.

LA TAILLE. Un format géant, 140 x 140 cm, qui permet de varier les utilisations. Il complète la gamme des classiques (en 90 cm) et les versions intermédiaires (en 70 cm) éditées pour les 70 ans du carré en 2007.

LA MATIÈRE. Le twill de soie utilisé pour la casaque des jockeys, ou pour les cravates, présente de fins motifs tissés en diagonale. Ce matériau fait idéalement ressortir les couleurs.

LE BORD ROULOTTÉ. Cette technique de finition minutieuse signe les carrés Hermès. Il faut quarante-cinq minutes pour donner au bord d'un modèle classique son aspect de microrouleau doux au toucher.

LE MOTIF. Chaque saison, l'équipe de dessinateurs qui se consacre au travail de la soie pour Hermès imagine de nouveaux thèmes. Ces modèles rejoindront plus tard la « carréthothèque », où sont conservés plus de 1 500 originaux.

Delphine Paillard, « L'allure au carré »,
Le Monde, 26 mai 2012.

Répondez aux questions. //

1 • De quand date la maison Hermès ? Pour quels produits est-elle connue à l'origine ?

2 • À l'aide des éléments du premier paragraphe, donnez un synonyme au mot « carré » et faites une description du « Carré Hermès ».

3 • Combien y a-t-il eu de modèles du Carré Hermès depuis sa création ?

4 • Quels éléments, de sa création à sa vente, font du Carré Hermès un « trésor » ?

//

5 • Quelle est l'autre activité de la maison Hermès où le Carré est largement utilisé ?

....

6 • Cochez VRAI ou FAUX et justifiez votre réponse en citant un passage du texte.

	VRAI	FAUX
1. Les bourgeoises élégantes le portaient toutes de la même façon. Justification :		
2. Comme pour certains sacs, le carré doit son succès à une personnalité. Justification :		
3. Le Carré Hermès représente l'élégance même. Justification :		
4. Actuellement il n'y a aucune « règle » pour le porter. Justification :		

7 • Cochez (**X**) les affirmations exactes.
  a. ☐ Le Carré Hermès existe en trois tailles.
  b. ☐ La dernière taille créée l'a été il y a 70 ans.
  c. ☐ L'équitation, très présente chez Hermès, l'est aussi pour la matière du Carré.
  d. ☐ En dehors des nouveaux thèmes, un motif ancien est repris chaque saison.
  e. ☐ Le bord roulotté demande trois quarts d'heure de travail et « signe » le Carré.

ACTIVITÉ 5

Un parent sur deux espionne son ado

Facebook : *Inquiets et curieux de l'usage que font leurs enfants d'Internet,*
les adultes consultent leur compte en catimini

Quarante-cinq pour cent des Français ont accédé au compte Facebook de leur enfant à son insu ! C'est ce qu'il ressort d'une étude publiée par la société de sécurité AVG, menée en ligne dans onze pays auprès de 4 400 personnes dont les enfants ont entre 14 et 17 ans. Comme pour légitimer leur ingérence, ces parents espions sont aussi nombreux à redouter que les interactions de leurs adolescents sur les réseaux sociaux – une photo compromettante comme un commentaire malheureux – ne leur portent préjudice au moment de se lancer sur le marché du travail.

« Parce que nous sommes dans un contexte de panique morale qui génère de l'angoisse, les parents cherchent des stratégies pour vérifier que leurs enfants ne font pas tout et n'importe quoi », explique la sociologue Laurence Le Douarin, qui s'interroge sur le nombre de fois où les parents ont accédé au compte de leur enfant ainsi que sur la fréquence de leurs intrusions.

Aujourd'hui, la crise d'adolescence se vit sur Internet

Laurence le Douarin évoque *« des tensions sociales entre l'autonomie d'un côté et le contrôle de l'autre »*. Les mêmes dans la sphère familiale que dans le monde du travail. *« Ces équipements qui favorisent l'autonomie et la flexibilité sont, en* même temps, *des outils de surveillance »*, rappelle la spécialiste de la sociologie des usages, auteur d'un essai sur le couple, l'ordinateur, la famille (Payot).

Si les mères sont les plus intrusives (49 % contre 39 % pour les pères), elles ont plus de mal que les hommes à concevoir que leur progéniture puisse avoir des activités numériques inavouables : accès à des sites pornographiques, jeux d'argent en ligne, téléchargement illégal, échanges de contenus électroniques sexuellement explicites (un Français sur dix soupçonne son ado de « sexter » *via* son mobile)…

« Derrière une attitude bienveillante au départ – c'est toujours le discours mis en avant –, autre chose se joue », estime le sexologue Alain Héril, qui évoque une fascination parentale pour ce que vivent leurs ados, en particulier sur le terrain de la sexualité. *« Que les parents s'inquiètent me paraît normal, précise le sexothérapeute, mais il est aussi essentiel que cette inquiétude puisse être levée, et pour cela il faut pouvoir en discuter. En l'absence de dialogue, la situation devient très ambiguë. »*

Sur Facebook, 92% des parents sont amis avec leurs enfants et 72% connaissent leur mot de passe, selon un sondage réalisé en janvier dernier auprès de 500 internautes par la société américaine Lab 42, spécialisée dans les études marketing *via* les réseaux sociaux. *Too much ?* Pour le psychologue Michael Stora, membre fondateur de l'observatoire des mondes numériques, *« beaucoup de parents vont utiliser Internet comme un outil de contrôle parce qu'ils ne supportent pas que leur ado leur échappe »*. Aujourd'hui la crise d'adolescence serait surtout virtuelle. *« La transgression se fait de plus en plus sur les écrans, insiste Stora. Au fond, cette fenêtre sur le monde, cet espace de liberté, les jeunes l'ouvrent depuis leur chambre. »*

Si le réseau social aux 900 millions d'utilisateurs est une vitrine où l'adolescent joue de son image, c'est également un espace aussi intime qu'un journal dans lequel les adultes cherchent à comprendre ce qui les dépasse. Les ados, qui ne sont pas dupes, savent ce qu'ils montrent. Ils connaissent les subtilités de la négociation et développent des stratégies de contournements. Michael Stora, qui dirige la cellule psychologique de la radio Skyrock, le sait bien : *« Lorsqu'un ado qui tient un blog le montre à ses parents, c'est souvent qu'il en a d'autres beaucoup plus sulfureux… »*

Christel de Taddeo,
Le journal du dimanche, 6 mai 2012.

Répondez aux questions.

1 • Cochez VRAI ou FAUX et justifiez votre réponse en citant un passage du texte.

	VRAI	FAUX
1. Près de la moitié des Français se sont rendus sur le compte Facebook de leur enfant sans le lui dire. Justification :		
2. Il s'agit d'une étude faite auprès de parents ayant des enfants de moins de 15 ans Justification :		
3. Cette étude a été faite par téléphone dans onze pays. Justification :		
4. Les parents prétendent protéger ainsi l'avenir de leurs enfants. Justification :		
5. Les parents s'inquiètent de ce que leurs enfants pourraient faire sur les réseaux sociaux. Justification :		

2 • Quel est le paradoxe que présentent les équipements de télécommunication ou informatiques ?

....

3 • Cochez (✗) les affirmations exactes.
   a. ☐ Les pères cherchent, autant que les mères, à accéder au compte Facebook de leurs enfants.
   b. ☐ Les pères imaginent plus facilement que les mères que leurs enfants vont sur des sites inavouables.
   c. ☐ Neuf Français sur dix sont sûrs que leur adolescent ne « sexte » pas avec son mobile.

4 • Quelle solution propose le sexologue Alain Héril pour apaiser les inquiétudes des parents ?

....

5 • Quel rôle joue Internet pour les parents ? Pourquoi ?

....

6 • Quel est le paradoxe que présentent les équipements de télécommunication ou informatiques ?
   a. ☐ Les trois quarts des Français connaissent le mot de passe de leurs enfants.
   b. ☐ Sur Facebook, moins de 10 % des parents ne seraient pas amis avec leurs enfants.
   c. ☐ Facebook, par son nombre d'utilisateurs, ne peut être aussi intime qu'un journal.

7 • Conscients des « intrusions » de leur parents sur leur compte Facebook, que font les adolescents pour y échapper ?

....

ACTIVITÉ 6

Les parlers régionaux pimentent la langue française

Les mots et expressions du terroir suscitent un engouement particulier, y compris chez les jeunes via Internet. Petit voyage linguistique.

Quand on veut nettoyer le sol avec une serpillière, on toile le salon à Cherbourg, on passe la pièce à Marseille, la panosse à Lyon, la guenille en Aquitaine, la peille dans le Languedoc, la loque en Picardie et la wassingue dans le Nord. Et pour vider les poubelles, on sort les équevilles à Lyon, tandis qu'à Nantes on utilise le ramasse-bourrier (la pelle à poussière) avant d'aller à la jaille (la déchetterie). À Marseille, on n'est pas serrés comme des sardines, mais esquichés comme des anchois. Et à Lyon, on aime bien se rincer le corgnolon avec un canon dans les mâchons.

Les mots et expressions régionales n'ont pas perdu de leur saveur ni de leur vitalité. Le succès rencontré par les dictionnaires des « *parlers régionaux* », aux Éditions Christine Bonneton, l'atteste. Assimil a édité des dictionnaires du picard ou de l'occitan qui s'arrachent comme du pain chaud. Loin de bouder les vestiges linguistiques de leurs grands-parents, les jeunes les intègrent dans leur langage, se les échangent sur leurs blogs. [...] Pittoresques, parfois croustillantes, ces expressions sont soigneusement entretenues par les locaux qui n'ont pas envie de s'aligner sur le parler parisien. « *Il ne*

s'agit pas uniquement de nostalgie ; on aime préserver une petite zone de la langue comme un jardin secret », souligne Gilbert Salmon, linguiste à l'université de Haute-Alsace, mais originaire de Lyon et auteur du dictionnaire *Le parler du Lyonnais*[1].

Le « *français de Lyon* » a ses tournures syntaxiques (« *j'y veux* », « *j'y dis* ») et ses mots spécifiques que les « *lyonnais revendiquent avec fierté comme un signe de reconnaissance* », dit-il, et qui reprennent même une nouvelle vie. « *Gone* » par exemple, robe en ancien français, qui désignait les enfants (ils portaient des robes), puis les habitants de Lyon, s'est féminisé récemment en « *gonesse* » (membre de l'équipe de foot féminin) et « *gonette* » (militante associative de quartier).

Apparus au fur et à mesure que les dialectes disparaissaient, ces parlers régionaux constituent pour le linguiste Alain Rey[2] des « *biens précieux* », « *car ils reflètent la diversité des parlers à l'intérieur de la langue française* », tout comme les accents qui en modulent la musique. Même s'ils ont souvent du mal à bénéficier d'une reconnaissance nationale. [...] D'autres (parlers) essaiment en dehors de l'hexagone vers la

Belgique ou la Suisse et traversent même les océans : « *le québécois, qui nous paraît étrange, est riche de mots empruntés à l'ouest de la France* », souligne-t-il. Quelques-uns ont l'honneur chaque année de pouvoir entrer dans les dictionnaires de la langue française « *dominante* ». Les patois lui lèguent ainsi régulièrement de nouveaux mots (de rapetasser à escagasser), grâce à la littérature, la musique, ou la gastronomie (du magret de canard au kouign aman).

Bernard Cerquilini, recteur de l'Agence universitaire de la francophonie, se dit ainsi fasciné par la persistance d'expressions archaïques qui renvoient à nos anciennes provinces, comme « *à la queue leu leu* », issu du vieux picard. [...] Dans cet engouement pour le terroir, Bernard Cerquilini voit « *l'effet ultime de la décentralisation* ». « *Notre vieux pays a su réussir sa décentralisation : on en mesure les effets dans la langue.* » Le succès du film *Bienvenue chez les Ch'tis* en témoigne. « *C'est cette langue des mineurs que des millions de Français sont venus applaudir.* »

Christine Legrand,
Les dossiers de l'actualité, mai 2012.

---

1. Éd. Christine Bonneton.
2. Ancien rédacteur en chef des Éditions Le Robert.

Répondez aux questions.

1 • Combien de synonymes « régionaux » du mot « serpillière » sont-ils proposés ? Quels sont-ils ?

....

2 • En fonction du contexte, quel est le sens des mots suivants ?

Les équevilles : ....   Le bourrier : ....

La jaille : ....   Esquiché(e) : ....

Le corgnolon : ....   Un canon : ....

3 • Cochez VRAI ou FAUX et justifiez votre réponse en citant un passage du texte.

	VRAI	FAUX
1. Au moins deux maisons d'édition ont publié des dictionnaires de parlers régionaux. Justification :		
2. Les jeunes apprécient les parlers régionaux mais hésitent encore à les employer. Justification :		
3. Les Picards ou les Occitans ne protègent pas assez leurs parlers face au parler parisien. Justification :		
4. Selon le linguiste Guy Salmon, protéger son parler régional c'est surtout protéger quelque chose que l'on a au plus profond de soi. Justification :		

4 • D'après vous, à quoi correspond le « y » du parler lyonnais en français ? Proposez une « traduction » des deux expressions « j'y veux » et « j'y dis ».

....

5 • D'après vous, le mot « gone » est-il du genre masculin ou féminin ou bien dit-on un gone mais aussi une gone ? Sur quels éléments du texte basez-vous votre réponse ?

....

6 • Cochez (✗) les affirmations exactes.
   a. ☐ Les parlers régionaux ont remplacé les dialectes.
   b. ☐ Les parlers régionaux sont très présents dans la langue française.
   c. ☐ Les parlers régionaux français se retrouvent dans le français de tous les pays francophones.
   d. ☐ Des mots de patois ou de parlers régionaux accèdent régulièrement aux dictionnaires de la langue française « dominante ».

7 • Quelle explication Bernard Cerquilini donne-t-il à l'emballement pour le terroir et les parlers régionaux ?

....

À qui profite le vendredi 13 ?

SUPERSTITION - *« 20 Minutes » fait le point sur ceux qui vont profiter, au sens premier du terme, de la manne drainée par les jeux de hasard en ce jour censé porter bonheur...*

Ce vendredi porte chance. Ou malheur, c'est selon les croyances. Toujours est-il qu'en 2012, ceux qui considèrent que ce jour porte chance ont eu plusieurs occasions de se réjouir. En effet, en sept mois, il y a eu trois vendredi 13, en janvier, avril et juillet. Une série exceptionnelle déjà vue en 1998 et 2009 mais qui ne reviendra qu'en 2015 et 2026. Et, en conséquence, des superstitions attachées à ce jour particulier, les vendredis 13 ont leur lot de gagnants. *20 Minutes* fait le point.

LA FRANÇAISE DES JEUX

En moyenne, chaque semaine qui comporte un vendredi 13 voit deux fois plus de joueurs (8 millions contre 4 habituellement) tenter leur chance, non seulement aux jeux de tirage, mais aussi aux jeux de grattage. Avec un Super Loto de 13 millions d'euros et une cagnotte de l'Euro Millions de 28 millions d'euros le même jour, il y a de fortes chances que le chiffre d'affaires de la FDJ explose. Cette augmentation se voit même en amont du vendredi fatidique, puisque sur l'ensemble de la semaine qui comporte la date fatidique, les ventes sont en hausse de 25 % en moyenne, analyse la FDJ.

LES OPÉRATEURS DE PARIS SPORTIFS

Au PMU, le nombre de joueurs augmente en moyenne de 10 % chaque vendredi 13. Et, signe que certains comptent totalement sur la chance pour gagner ce jour-là, l'opérateur de paris hippiques enregistre une augmentation de 15 % du chiffre d'affaires de paris « Sp0t » (composés automatiquement par le système informatique). Cependant, l'opérateur de paris hippiques a décidé depuis 2011 de ne plus attendre les vendredi 13 pour augmenter sa tirelire, mais l'abonde chaque 13ᵉ jour du mois jusqu'à un total de 5 millions d'euros...

CASINOS ET BURALISTES

Les gérants de casinos attendent quelque 20 % d'entrées supplémentaires lorsque le 13 du mois tombe un vendredi. Cependant, s'il augmente également, le gain en terme de chiffre d'affaires ne peut être estimé en amont. Il « *dépend du nombre de gagnants* », expliquait à *20 Minutes* Benjamin Tranchant, vice-président du Groupe Tranchant.

Chez les buralistes, aussi, le vendredi 13 porte bonheur. « *Il y a un impact économique très important. Notre chiffre d'affaires sur les jeux augmente de 30 %* le jour J. La date attire de nombreux joueurs occasionnels* », explique à 20minutes.fr Yves Augizeau, vice-président de la Confédération des buralistes.

L'ÉTAT

On ne s'en rend pas toujours compte, mais l'État gagne lui aussi gros grâce aux superstitions de nombreux Français. En 2010, 2,6 milliards d'euros, soit près du quart des mises totales des Français tous jeux confondus, sont directement partis dans les caisses de l'État. Et quand le nombre de joueurs augmente, le bénéfice augmente proportionnellement.

VOUS

Enfin, quelques-uns parmi vous. En 2010, les Français ont misé au total 10,551 milliards d'euros, tous jeux ou paris confondus. Et la plus grosse part du gâteau (6,8 milliards) est revenue dans les poches des quelque 28 millions de joueurs. Une somme rondelette, qu'il faut cependant ramener à la réalité : si beaucoup ont gagné, à peine 92 sont devenus millionnaires, avec un gain record pour l'année de 42 millions en juillet dernier à l'Euro Millions.

Bérénice Dubuc,
http://www.20minutes.fr, 12 janvier 2012.

Répondez aux questions.

1 • Quel sens les superstitieux donnent-ils au vendredi 13 ?

....

2 • Selon les titres des paragraphes, à qui profite la grande quantité d'argent drainée par les jeux de hasard » ?

....

3 • Cochez VRAI ou FAUX et justifiez votre réponse en citant un passage du texte.

	VRAI	FAUX
1. Trois vendredi 13 la même année est un événement rare. Justification :		
2. Quand il y a un vendredi 13, les gens jouent deux fois plus. Justification :		
3. La vraie gagnante du vendredi 13, c'est la Française des jeux. Justification :		
4. Ce jour-là, les gens jouent surtout au Loto et les jeux de grattage ou de tirage ont moins de succès. Justification :		
5. Les ventes de billets de loterie n'augmentent pas seulement le vendredi. Justification :		

4 • Cochez (X) les affirmations exactes.
   a. ☐ Le PMU s'occupe des paris hippiques.
   b. ☐ Les paris hippiques augmentent de 10 % les vendredi 13.
   c. ☐ Tous les paris se font automatiquement par le système informatique.
   d. ☐ Connaissant la superstition des joueurs, le PMU offre plus de gains potentiels tous les 13ᵉ jours de chaque mois.

5 • Les casinos peuvent-ils prévoir l'augmentation de leur chiffre d'affaires les vendredi 13 ? Pourquoi ?

....

6 • Pour quelle(s) raison(s) le chiffre d'affaires des buralistes augmente les vendredi 13 ?

....

7 • À qui, en fait, le vendredi 13 rapporte-t-il le plus ? À quoi le gain est-il proportionnel ?

....

8 • Cochez (X) les affirmations exactes. En 2010 :
   a. ☐ les joueurs ont remporté un peu plus de la moitié de leurs mises
   b. ☐ l'État a encaissé l'équivalent des gains des joueurs
   c. ☐ le plus gros gain correspond à un jeu de tirage
   d. ☐ environ un joueur sur 300 000 avait une chance de devenir millionnaire

///

ACTIVITÉ 8

Lisez de nouveau le texte de l'activité précédente et répondez aux questions. //////////////////////////

1 • Relevez les mots relatifs au thème du jeu.

....

....

2 • Relevez les mots et expressions associés à la chance ou comportant le mot « chance ».

....

....

ACTIVITÉ 9

Le dada¹ des Françaises

Les Français sont de plus en plus nombreux à monter à cheval. Devenue un sport grand public, l'équitation a néanmoins encore des obstacles à franchir.

La France compte plus d'un million de cavaliers. Parmi eux, 700 000 sont licenciés de la Fédération française d'équitation (FFE), contre 430 000 en 2001, soit une hausse de 60 % depuis dix ans. S'y ajoutent près de 2 millions de personnes montant occasionnellement. L'équitation, premier employeur du secteur sportif, se place à la troisième place des sports les plus pratiqués, derrière le football et le tennis. Selon un sondage BVA de juin 2011, réalisé à la demande de la FFE, 56 % des Français se disent prêts à inscrire leur enfant dans un centre équestre et ont envie de vacances équestres (promenade, voyage, randonnée à cheval, en roulotte), le cheval représentant pour eux « la liberté ». Et, pour 77 % des personnes interrogées, il n'y a pas d'âge pour faire du cheval.

La marche de la démocratisation

« *L'équitation est en phase avec les aspirations nature de la population. Le poney, le cheval, c'est le vivant, le chaud, le froid, le cycle des saisons, aux antipodes du tout numérique qui s'impose dans la plupart des secteurs de notre société, explique Serge Lecomte, le président de la FFE, dithyrambique. Les familles savent que l'équitation va rendre*

leurs enfants sensibles aux animaux, à la nature, aux autres, tout en leur offrant des moments inoubliables. Ludique, éducative, nature, l'équitation a tout pour séduire. »

Un succès demeurant néanmoins surprenant, tant rien ne prédisposait cette activité à devenir un sport grand public. Longtemps exclusivement concentrée sur son rôle utilitaire (transport et agriculture) et militaire, l'équitation a amorcé sa mutation vers le loisir et la détente à partir des années 60. Les établissements équestres se sont développés : il en existe aujourd'hui 7 000, à statut associatif ou privé, répartis sur tout le territoire. La démocratisation de l'équitation est passée par l'apparition de nouvelles disciplines et de formes de pratiques, comme le poney et le tourisme équestre. Elle s'est accompagnée d'une professionnalisation des structures et de l'encadrement. Résultat : l'activité a attiré de façon croissante un public plus amateur que professionnel, jeune et féminin. En France, 70 % des cavaliers ont moins de 18 ans, le cœur de cible étant les jeunes filles de moins de 16 ans.

Des limites à l'extension du secteur

Et certaines activités ne demandent qu'à se développer davantage, tel le tourisme équestre, une branche de l'équitation relevant de la FFE et dont les potentialités sont encore sous-exploitées. Dans un avis rendu en 2010, le Conseil économique, social et environnemental estime que si la France est la « *première destination en la matière, prisée par les randonneurs étrangers du fait de la diversité de ses territoires et de ses parcours, [...] des efforts restent à faire en matière de développement d'infrastructures adaptées et de balisage des sentiers de randonnées équestres* ».

Autre argument modérant l'expansion du secteur équestre en général : le coût de la pratique. Si la FFE avance une « *démocratisation réelle, le revenu médian des familles équitantes se situant aux alentours de 25 à 30 000 € par an* », le budget d'une année en club varie tout de même entre 500 et 1 000 €. Des tarifs prohibitifs pour certains. Et ce d'autant qu'un récent arrêt de la Cour de justice de l'Union européenne a condamné la France pour ne pas avoir correctement transposé la directive TVA, en appliquant un taux réduit aux opérations relatives aux équidés. Le passage à 19,6 % aurait des conséquences directes sur l'augmentation des tarifs.

Isabelle Guardiola,
Valeurs mutualistes (magazine des adhérents de la Muruelle Générale de l'Éducation Nationale (MGEN)), n°278, mai/juin 2012.

1. Un dada : un cheval en langage enfantin ; une idée à laquelle on revient sans cesse, une marotte.

Répondez aux questions.

1 ● D'après le président de la FFE, quelles sont les deux raisons principales pour lesquelles les gens sont séduits par l'équitation ?

2 ● a. À quoi relie-t-on actuellement l'équitation ?

  b. À quoi était-elle associée avant ?

D comme... DELF

3 • Cochez VRAI ou FAUX et justifiez votre réponse en citant un passage du texte.

	VRAI	FAUX
1. Trois cavaliers sur dix ne sont pas licenciés à la FFE. Justification :		
2. Près de quatre millions de personnes montent régulièrement ou occasionnellement à cheval. Justification :		
3. Le sport le plus pratiqué en France est le football, suivi du tennis. Justification :		
4. Plus de la moitié des Français aimeraient participer à des activités équestres. Justification :		
5. Les trois quarts des personnes interrogées ont envie de faire du cheval. Justification :		

4 • Cochez (X) les bonnes cases.

	VRAI	FAUX	On ne sait pas
a. 50 % des établissements équestres sont à statut privé.			
b. Le poney et le tourisme équestre sont apparus après 1960.			
c. Le personnel des centres équestres est majoritairement constitué de professionnels.			
d. Si les trois quarts des cavaliers ont moins de 18 ans, les jeunes filles de moins de 16 ans sont les plus nombreuses.			

5 • **Quelle branche de l'équitation est appelée à se développer en France ? Pour quelle(s) raison(s) ? Que nécessitera-t-elle ?**

....

6 • Cochez (X) les affirmations exactes.
   a. ☐ Pour preuve de la démocratisation de l'équitation, la FFE avance le salaire moyen des familles équitantes.
   b. ☐ La dépense annuelle que nécessite la pratique de l'équitation est à la portée de toutes les bourses.
   c. ☐ La modicité du coût de la pratique de l'équitation est le principal facteur de son expansion.
   d. ☐ L'augmentation de la TVA est une menace pour la pratique de l'équitation.

7 • Relevez dans le texte les mots :
   a. ☐ reliés au cheval : ....
   b. ☐ reliés à la pratique de l'équitation : ....

Les Français et la francophonie

L'institut iSAMA a réalisé auprès d'un échantillon représentatif de la population française une enquête portant sur la perception de la francophonie par les Français.

I - LA FRANCOPHONIE : UN SUJET CONSENSUEL

En dépit de préjugés peu glorieux, la francophonie reste une préoccupation significative pour les Français. Le plébiscite francophone illustré par ce sondage (91 % des sondés se sentent francophones) tranche avec un manque de visibilité de l'Organisation internationale de la francophonie.

Ce sondage reflète une uniformité certaine des réponses et des sentiments liés à la Francophonie. Il a été en effet impossible pour les sondeurs de dégager des disparités connexes aux variables de sexe et d'âge ou encore géographique. Une majorité des sondés s'accorde toutefois à dire que la Francophonie est une idée menacée, et que sa défense doit être une priorité (90 %). Les réponses des jeunes sont à l'unisson. Spontanément, la majorité (51 %) de l'échantillon envisage la francophonie sous un angle géographique. La langue française et la culture francophone apparaissent comme un socle. Mais pour l'opinion, la francophonie est constituée de pays et de peuples, dans un contexte connoté : la communauté politique francophone est plus présente dans les esprits que l'espace culturel.

II - LES ATTENTES : UNE ACTION POLITIQUE

Si les fondements de la francophonie sont linguistiques et culturels, elle étend sa portée pour constituer une organisation politique d'influence sur la scène internationale. Elle se place notamment comme vigie des valeurs démocratiques, de l'État de droit et des droits de l'Homme au sein de l'espace francophone. Cette ambition, souvent débattue, répond aux attentes relevées.

1. Les attentes envers les dirigeants

Au-delà de sa nature même, l'usage d'une langue reste le premier maillon de l'élaboration et de la diffusion d'une pensée. Elle devient ainsi un enjeu primordial dans une société multilingue. Cet aspect plus politique et stratégique n'a semble-t-il pas échappé aux personnes sondées (91 %) qui font de la langue française un instrument de rayonnement pour la France et pour la francophonie. Les Français semblent ressentir le déclin de l'utilisation de la langue française plus particulièrement dans les médias et au sein des organisations internationales, et en font les deux domaines les plus importants où notre langue doit être défendue. À cet effet, les sondés incitent les dirigeants et fonctionnaires politiques de pays francophones à parler le français lors de leurs voyages à l'étranger et au sein des instances internationales. (N.B. comme il en a été décidé lors du sommet de Bucarest en 2006). Les Français ne limitent pas cette injonction au domaine diplomatique, et pressent les grandes entreprises françaises de se joindre à cet effort. Mais cet attachement au français ne traduit pas un repli identitaire, au contraire il se double de l'idée que le développement de l'enseignement du français à l'étranger représente « une chose importante » (pour plus de la moitié de l'échantillon). Le développement des échanges universitaires entre la France et les pays francophones ou non francophones apparaît également privilégié.

2. Les attentes envers l'organisation francophone

La prise de conscience politique et internationale du rôle de la francophonie se traduit par ailleurs par la place prioritaire accordée aux valeurs démocratiques et aux défis mondiaux actuels. 73 % des sondés donnent pour mandat principal à l'OIF de « défendre les valeurs de liberté et de droits de l'Homme et de travailler pour la paix dans le monde ». Ce plébiscite montre que les Sommets ont raison d'affirmer une vocation politique visant à faire de la francophonie une organisation majeure sur la scène internationale (les États membres de l'OIF représentent plus du tiers des membres des Nations Unies). Un rôle accru de la Francophonie dans les grands débats mondiaux est visiblement en phase avec l'opinion (cf. mentions du développement durable, de l'environnement…).

Les critiques, dont la francophonie fait parfois l'objet, ne semblent ainsi pas être partagées par les Français. Il serait donc utile à l'avenir de se servir de ce levier populaire pour acquérir une visibilité accrue dans l'espace public.

http://www.diplomatie.gouv.fr

D comme... DELF

Répondez aux questions.

1 • En quoi les résultats de l'enquête portant sur la perception de la francophonie par les Français sont-ils surprenants ?

2 • Cochez VRAI ou FAUX et justifiez votre réponse en citant un passage du texte.

	VRAI	FAUX
1. Presque la totalité des Français interrogés ont déclaré se sentir francophones. Justification :		
2. Un grand nombre des sondés connaissent l'OIF. Justification :		
3. Peu de personnes interrogées estiment que la francophonie est menacée. Justification :		
4. Pour la plupart des « sondés » l'idée de francophonie est reliée à une notion géographique, à des pays, des peuples. Justification :		
5. Pour les personnes interrogées, la langue et l'idée de politique communautaire francophone surpassent la référence culturelle. Justification :		

3 • Quel rôle joue la francophonie dans l'espace francophone ?

4 • Quelle place occupe une langue dans la transmission d'une idée, dans une société multilingue ?

5 • Que pensent les Français de la place qu'occupe la langue française actuellement ?
Que pensent-ils qu'elle devrait être ?

6 • Quelle(s) est (sont) la (ou les) action(s) préconisée(s) pour défendre la langue française ?

7 • Cochez (**X**) les affirmations exactes.
   a. ☐ Les trois quarts des personnes interrogées pensent que l'OIF doit défendre les valeurs de liberté et de droits de l'Homme.
   b. ☐ La moitié environ des pays membres des Nations Unies sont membres de l'OIF.
   c. ☐ Les Français ne partagent pas les prises de position consistant à critiquer la francophonie.

ACTIVITÉ 11

Les îles Marquises recèlent un trésor exceptionnel de biodiversité

Une campagne océanographique a révélé de nombreuses espèces nouvelles.

En vingt jours d'exploration dans les eaux vertes des Marquises, les scientifiques ont découvert vingt nouveaux poissons près des côtes de l'archipel polynésien. Avec des espaces marins pressentis comme exceptionnels, il y a toujours un risque d'être déçu. Pas cette fois : c'est un véritable trésor de biodiversité qu'ont sillonné océanographes, experts en halieutique, généticiens et biologistes. Ces scientifiques ont présenté, mercredi 27 juin, à l'Aquarium tropical de la porte Dorée, à Paris, les premiers résultats de l'expédition Pakaihi i te moana (« respect de l'océan » en polynésien) menée à l'initiative de l'Agence des aires marines protégées, et à laquelle ont participé près de quarante chercheurs d'octobre 2011 à fin février 2012.

À les entendre, le caractère exceptionnel des Marquises tient moins à ses espèces encore inconnues qu'à l'équilibre d'un écosystème débordant de vie, sans doute proche de ce qu'il devait être à l'origine, avant que l'homme ne jette ses gros chaluts et disperse ses pollutions. Sa bonne santé pourrait faire de cette zone du Pacifique une référence scientifique, car elle offre un état de préservation rare sur cette planète. Elle est aussi en bonne voie pour un classement au Patrimoine mondial de l'Unesco.

Pas d'atolls ni de massifs de récifs coralliens dans ces treize îles du bout du monde, mais une géographie particulière, comme le décrit Serge Planes, directeur d'études au CNRS : « *Imaginez une Bretagne rocheuse avec une eau à 27°C ou 28°C. Nous y avons inventorié 450 espèces de vertébrés, dont une cinquantaine qui n'avaient pas été repérées dans ces parages ou que l'on* croyait cantonnées à des profondeurs supérieures, et vingt espèces nouvelles dont une murène. Il y en a forcément plus que ça, car il reste beaucoup à explorer.* » Ce généticien qui travaille pour le Centre de recherches insulaires et observatoire de l'environnement de Polynésie française connaît bien le Pacifique. Il se dit surpris par « *cet écosystème presque intact avec des frénésies de poissons très réactifs, remarquable par l'équilibre rare entre proies et prédateurs, et des biomasses très importantes.* »

Les chercheurs se sont succédé à bord d'un navire océanographique néo-zélandais lors de quatre campagnes : les poissons côtiers ; l'habitat, la flore et la faune fixée ; les grottes ; et les espèces pélagiques. Cette dernière étude était dirigée par Marc Taquet de l'Institut français de recherche pour l'exploitation de la mer. « *Thon jaune, marlin bleu, carangue, ces prédateurs sont déjà bien connus, car ils se déplacent beaucoup, rapporte ce spécialiste des eaux tropicales, mais nous avons été étonnés par leur abondance. Nous avons pu ainsi observer deux espèces de raies mantas différentes. Nous voulons à présent savoir pourquoi les Marquises sont si poissonneuses et riches en phytoplancton.* » Le contenu de l'estomac de soixante-dix grands prédateurs a été expédié à Sète pour être analysé, comme des échantillons de plancton à Marseille. Au passage, les scientifiques de l'expédition se sont souciés des répercussions de l'accident nucléaire de Fukushima. L'impact n'en semble pas décelable localement, à l'inverse des tirs français de Mururoa dont il reste des traces chez les poissons des Marquises.

Pêche de subsistance

« *Cette expédition s'est distinguée par l'effort permanent des scientifiques pour partager leurs découvertes avec les îliens, témoigne Pierre Watremez, directeur scientifique de l'Agence des aires marines protégées. Les enfants rencontrés ont tous dit vouloir devenir océanographes !* »

Jusqu'à présent, les Marquises ont bénéficié d'un peuplement faible – 9 000 habitants – et d'une simple pêche de subsistance – l'archipel est trop isolé pour exporter son poisson. Les îliens s'imposent en outre depuis longtemps des mesures de gestion communautaires et écologiques des ressources. Jusqu'à présent, ils ont su tenir à distance les thoniers-senneurs industriels venus d'Asie.

Martine Valo,
Le Monde, 29 juin 2012, page 7.

D comme... DELF

//

Répondez aux questions. //

1 ● Cochez (✗) les affirmations exactes.
   L'expédition dans les eaux des îles Marquises :
   a. ☐ s'est effectuée dans une zone protégée
   b. ☐ a duré cinq mois
   c. ☐ a mobilisé quarante chercheurs en permanence
   d. ☐ a fait l'objet d'un film présenté à Paris le 27 juin
   e. ☐ a permis de révéler la richesse exceptionnelle de cette zone

2 ● Pour quelle(s) raison(s) les résultats de l'expédition dans les îles Marquises sont-ils si intéressants ?
   ....

3 ● Cochez VRAI ou FAUX et justifiez votre réponse en citant un passage du texte.

	VRAI	FAUX
1. Le paysage offert par ces îles est celui de toutes les îles polynésiennes Justification :		
2. Toutes les espèces inventoriées ont été trouvées en eau relativement peu profonde. Justification :		
3. Les scientifiques pensent qu'ils découvriront bien d'autres espèces de poissons. Justification :		
4. La découverte est surprenante tant par la nature des poissons que par leur milieu ambiant. Justification :		
5. Chaque campagne océanographique avait un objectif précis. Justification :		

4 ● Quels poissons cités dans le texte appartiennent à des espèces pélagiques ?
   ....

5 ● Quelles sont les questions que se posent les chercheurs ? Qu'ont-ils fait dès à présent
   pour essayer de trouver une réponse ?
   ....

6 ● a. Quelle différence les chercheurs ont-ils remarquée entre l'accident nucléaire de Fukushima
   et les tirs français de Mururoa ?
   ....

   b. Quel mot indique qu'ils se montrent prudents dans leurs conclusions concernant Fukushima ?
   ....

7 ● Quelle particularité a présenté l'expédition ? Quelle en est la conséquence ?
   ....

8 ● Quels éléments peuvent expliquer que les poissons soient si nombreux aux Marquises ?
   ....

Se lancer à vélo sous le regard d'un coach

Des associations accompagnent les coups de pédale des novices effrayés par la jungle urbaine.

Tous les prétextes sont bons pour se mettre au vélo : la santé, le porte-monnaie, voire l'avenir de la planète. Mais beaucoup n'osent pas. Se lancer dans la jungle urbaine, parmi les voitures, est souvent considéré comme risqué. Comment braver la circulation lorsque la piste cyclable s'arrête brusquement ? Que faire face à un automobiliste klaxonnant furieusement ? Faut-il porter un casque ? C'est à ces questions que répondent, à Nantes, les coachs bénévoles formés par l'association Place au vélo.

« *Il ne s'agit pas d'apprendre aux gens à monter sur une bicyclette mais bien de les accompagner dans la circulation, pour qu'ils s'habituent à leur trajet quotidien* », explique Loïc Boche, animateur salarié de l'association. L'opération, qui s'est tenue en juin, est encore confidentielle.

À Bruxelles, l'association Pro Vélo, soutenue financièrement par la région Bruxelles-capitale, organise chaque printemps une campagne appelée Bike Experience, qui rencontre un grand succès. De trente-sept participants en 2010, l'opération a séduit plus de deux cents adeptes pour sa troisième édition, au début du mois de mai.

Julie Koplowicz fait partie de ces motivés. Cette jeune femme vit à Laeken, au nord de Bruxelles, et, jusqu'en 2011, ne se déplaçait dans la ville qu'au volant de sa voiture. Lassée de cet objet « *encombrant, polluant et pas très sportif* », elle souhaitait « *envisager d'autres moyens de transport* », mais craignait de rouler en ville à vélo. La capitale belge, en partie bâtie sur des collines, n'est guère propice à la bicyclette. Les pentes y sont rudes et les pavés rebutent les cyclistes les plus témé-raires qui doivent aussi éviter de glisser leurs roues dans les rails du tramway.

En mai 2011, Pro Vélo a présenté Mme Koplowicz à Isabelle Paternotte, la comédienne de profession, qui vit à Jette, dans la banlieue nord-ouest de la capitale, et se déplace presqu'exclusivement à vélo. « *J'apprécie le militantisme concret, citoyen, susceptible de changer vraiment la ville* », explique le coach.

Avant de guider son « élève » dans les rues de la ville, Mme Paternotte s'est elle-même prêtée à une séance de formation. « *J'ai dû faire un effort mental pour me mettre à la place d'une personne qui n'a pas l'habitude du vélo* », raconte-t-elle. Puis les deux femmes ont sympathisé au cours d'un pique-nique festif organisé par l'association. Pour l'occasion, chaque coach et chaque « biker » », comme on appelle l'impétrant, ont reçu un sac. À l'intérieur, un plan du grand Bruxelles avec indication du relief, une présentation de la Bike Experience en français comme en néerlandais, ainsi qu'un gilet fluo.

L'expérience dure trois jours. Chaque matin, le coach vient chercher l'apprenti à son domicile et accomplit l'itinéraire avec lui avant de le raccompagner le soir. Mme Koplowicz s'est sentie plus à l'aise qu'elle ne l'avait imaginé. « *Je n'ai pas ressenti d'agression de la part des automobilistes. Finalement, la cohabitation se passe bien* », témoigne-t-elle. Mme Paternotte a

trouvé que la jeune femme s'en sortait correctement même si « *elle avait tendance, comme beaucoup de novices, à rouler discrètement, trop près des voitures en stationnement. Alors que les automobilistes respectent mieux les cyclistes lorsqu'ils les voient* ».

Afin de remplir l'objectif fixé par la région, d'un taux de 20 % de Bruxellois à vélo en 2015, Pro Vélo cherche à convaincre des entreprises de participer à son opération annuelle. « *Si les gens partagent la même destination, c'est plus facile à organiser* », précise Nathalie Carpentier, salariée de l'association. Plusieurs employeurs, parmi lesquels la Commission européenne, le Parlement européen, le groupe Total ou l'Université libre de Bruxelles, se sont prêtés au jeu.

Toutefois, de nombreux « bikers » continuent à se présenter individuellement. [...] À Nantes, Place au vélo n'espère pas faire autant d'émules dans un premier temps. Mais l'association prévoit déjà de renouveler l'opération en 2013 en cas de succès.

Olivier Razemon,
Le Monde, 3 juillet 2012, page 7.

D comme... DELF

1 • Cochez (**X**) les affirmations exactes. L'association Place au vélo :

    a. ☐ qui existe depuis quelque temps apprend aux gens à monter à vélo

    b. ☐ apprend aux gens à oser se lancer à vélo dans la circulation

    c. ☐ multiplie les formations pour habituer les gens à circuler

    d. ☐ fonctionne avec des coachs bénévoles

    e. ☐ a l'intention de répéter la même opération en 2013 si 2012 est un succès

2 • Cochez VRAI ou FAUX et justifiez votre réponse en citant un passage du texte.

	VRAI	FAUX
1. L'association Pro Vélo de Bruxelles fonctionne grâce à des aides. Justification :		
2. Ses campagnes de formation, Bike Experience, n'ont pas lieu qu'au printemps. Justification :		
3. Son succès est attesté par un accroissement de plus de cinq fois son nombre d'adhérents en trois ans. Justification :		

3 • Pourquoi est-il difficile de circuler à vélo à Bruxelles ?

4 • Qui sont les « coachs » de l'association Pro Vélo ? Sont-ils des professionnels ?

5 • Combien de temps dure la « formation » de chaque « biker » ? Comment se déroule-t-elle ? De quoi le coach et son « élève » disposent-ils ?

6 • Quelle erreur commettent les apprentis cyclistes ? Pourquoi est-ce dangereux ?

7 • En quoi l'association Pro Vélo contribue-t-elle à la politique de circulation de Bruxelles ? De quelle façon ?

ACTIVITÉ 13

Made in France : filon ou nécessité ?

Le made in France a le vent en poupe. Qualité des produits et valorisation des savoir-faire originaux constituent les atouts de la production française.

Octobre 2011, l'effervescence est de mise à Montceau-les-Mines en Saône-et-Loire. Sous les yeux du ministre de la Recherche, Laurent Wauquiez et du président du Conseil général Arnaud Montebourg, Jean-Yves Hepp a concrétisé son pari fou : relocaliser en France la fabrication des tablettes numériques QOOQ, après en avoir commencé la fabrication en Chine. À 45 ans, le défi de cet ex-publicitaire devenu le PDG d'Unowhy, le fabricant de QOOQ, est clair. « *Je voulais prouver à mes enfants qu'il était encore possible de produire en France. Mais à la suite d'une étude comparée des différentiels de coût de production entre la France et la Chine, nous nous sommes aperçus qu'il n'y avait aucun écart de prix* », relève l'entrepreneur, diplômé d'un MBA Sciences-Po Paris. Lassé des difficultés rencontrées avec les fournisseurs chinois, notamment un taux de défaut avoisinant les 8 %, décision est prise de confier la fabrication des tablettes au sous-traitant industriel Eolane, qui emploie 2 500 salariés. « *Si nous avons automatisé une partie de la production, nous nous appuyons malgré tout sur une main-d'œuvre qualifiée et performante, qui assure le contrôle qualité de nos tablettes. En économisant d'importantes dépenses, notamment sur les frais de transport ou de logistique, nous avons réussi à compenser le surcoût de l'ordre de 60 % de la main-d'œuvre française* », se réjouit Jean-Yves Hepp. Une stratégie payante puisque QOOQ se positionne comme l'unique producteur de tablettes électroniques fabriquées localement et non en Asie. De quoi conforter le made in France de plus en plus plébiscité par les consommateurs.

Miser sur la qualité et la traçabilité des produits

Selon un sondage réalisé en novembre 2011 par l'IFOP pour le compte de l'association Cedre (Comité des entrepreneurs pour un développement responsable de l'économie), 76 % des personnes interrogées estiment que la qualité du produit représente le critère majeur qui motive l'acte d'achat, derrière le prix. Ainsi, 66 % des sondés se disent disposés à payer 5 % plus cher pour acheter français. Un état de fait pleinement intégré par la société parisienne Génération Plume qui conçoit, produit et commercialise des culottes antifuites pour bébés sous la marque Hamac. « *Eu égard à nos valeurs tournées vers le développement durable, nous avons pour volonté de produire en France. Nous y avons trouvé un savoir-faire, une rapidité sur les commandes, une excellente réactivité et une facilité de transport, ce qui améliore nos impacts environnementaux que nous calculons* », commente Florence Hallouin, 40 ans, fondatrice de Génération Plume. « *En termes de qualité du produit, nous avons un devoir de résultat. De ce fait, nous avons investi en innovation et en technicité plutôt qu'en rapidité d'exécution* », poursuit l'entrepreneuse, sortie designer industriel de l'École nationale supérieure de création industrielle. À ses yeux la valorisation de made in France repose sur une prise de conscience citoyenne. « *Les consommateurs ne doivent pas exercer une pression trop forte sur les prix mais plutôt privilégier des produits de qualité durable. Car, lorsqu'on réduit les coûts, la qualité des matériaux utilisés ou des solvants s'en ressent. Toutefois, les Français sont de plus en plus exigeants quant à la traçabilité, la transparence et la fiabilité des produits commercialisés. La reconnaissance de notre démarche, certifiée par le label "Origine France Garantie", nous confère une réelle légitimité* », conclut-elle. Afin d'éclairer les consommateurs qui ne se retrouvent pas parmi la multiplicité des appellations commerciales plus ou moins fiables, le label « Origine France Garantie » a été lancé en mai 2011 sur proposition du gouvernement.

[...] Selon un sondage BVA pour Max Havelaar paru le 12 avril, 78 % des sondés estiment que le made in France garantit la relocalisation et contribue à diminuer le chômage. Le message est clair.

Nicolas Lacombe, *Le Magazine*,
n°6, juillet/août/septembre 2012.

D comme... DELF

Répondez aux questions.

1 ● Quelles sont les informations sur le contenu du texte données par son titre, le « chapeau », ainsi que par les titres des paragraphes ?

2 ● Cochez VRAI ou FAUX et justifiez votre réponse en citant un passage du texte.

	VRAI	FAUX
1. L'entreprise QOOQ va de nouveau fabriquer ses tablettes numériques en France. Justification :		
2. C'est QOOQ elle-même qui les fabriquera. Justification :		
3. La principale raison de cette décision tient au taux de défaut de fabrication d'environ 18 % de la production en Chine. Justification :		
4. Le coût de la main-d'œuvre en France est 60 % plus élevé qu'en Chine. Justification :		
5. Il n'y aura pas de différence de prix grâce aux économies faites sur l'acheminement des tablettes aux distributeurs. Justification :		
6. Seules tablettes électroniques fabriquées en France et non en Asie, elles devraient rencontrer du succès auprès des consommateurs. Justification :		

3 ● Cochez (✗) les affirmations exactes.
   a. ☐ C'est l'association Cedre qui a demandé à l'IFOP d'effectuer le sondage.
   b. ☐ Les trois quarts des personnes interrogées placent la qualité avant le prix lors d'un achat.
   c. ☐ Les deux tiers d'entre eux accepteraient un surcoût de 5 % sur le prix du produit.

4 ● Quels avantages la société Génération Plume a-t-elle trouvé à produire français ?
   Cela est-il par ailleurs en accord avec ses valeurs ? Lesquelles ?

5 ● Comment se manifeste l'attention portée par la société Génération Plume à la qualité du produit ?

6 ● Selon la responsable de la société Génération Plume, qu'est-ce qui pourrait contribuer à la valorisation du made in France ? Quelle attitude devraient avoir les consommateurs ?

7 ● Comment dorénavant les consommateurs pourront-ils être sûrs que les produits sont bien fabriqués en France ? Qu'est-ce que la mesure prise atteste ?

8 ● Selon le sondage BVA, que permet par ailleurs le made in France ?

ACTIVITÉ 14

Les Français privilégient les loisirs aux grandes vacances

À choisir, ils préfèrent s'offrir des activités et des « petits plaisirs » tout au long de l'année, quitte à faire des économies en sacrifiant les congés d'été, selon l'Observatoire des loisirs PMU.

Voilà qui ne devrait pas rassurer les professionnels du tourisme, qui ont déjà annoncé un recul de 4,4 % des réservations pour cet été. Et ce, pour la destination France comme pour le long-courrier. D'après un sondage TNS Sofres* pour l'Observatoire des loisirs PMU publié ce vendredi, deux tiers des Français (65 %) préfèrent s'offrir des loisirs tout au long de l'année plutôt que de « bonnes vacances » une fois par an. En ces temps d'inquiétude pour leur pouvoir d'achat, ils ne sont pas prêts à sacrifier leurs « petits plaisirs » du quotidien. Même à l'approche de l'été, 51 % d'entre eux se disent plus enclins à raboter leur budget vacances plutôt que leurs dépenses de loisirs (44 %). Résultat : peu de Français changeront d'air cet été. Certes, trois sondés sur quatre (71 %) ont prévu de prendre des vacances, mais seul un sur deux partira effectivement en vacances, tandis que 21 % prendront des congés qu'ils passeront chez eux. Enfin, selon cette enquête, 27 % des Français ne prendront pas de vacances. Comment ces derniers comptent-ils occuper leur temps libre ?

« Ceux qui ne partent pas gardent le moral en liant l'utile à l'agréable et en multipliant les activités », répond l'Observatoire PMU. Ils privilégient à 95 % les activités gratuites, comme les invitations entre amis, les pique-niques ou la détente en plein air. D'autres en profiteront pour réaliser des travaux chez eux. Parmi les loisirs payants, les sorties au restaurant, au café ou au cinéma sont plébiscitées par 51 % des Français qui ne partiront pas en vacances cet été, devant la piscine municipale ou les autres sports en salle (30 %).

Le tourisme inquiet pour le calendrier des vacances

« Autre note d'optimisme dans un climat morose, les Français ont envie de découvrir de nouvelles activités », ajoute l'étude. En effet, 51 % des vacanciers ont l'intention de s'initier à de nouveaux loisirs cet été. À l'honneur, les activités culturelles séduisent 71 % d'entre eux, devant la randonnée (70 %), les activités sportives (57 %), les activités de détente (34 %) ou encore les sports à sensation (30 %) et les loisirs créatifs (24 %). Enfin, 12 % d'entre eux profiteront de leurs vacances estivales pour s'adonner aux jeux d'argent, comme le casino, les courses de chevaux ou le poker.

Cette étude intervient alors que le débat sur le rythme scolaire a ressurgi, faisant craindre aux professionnels du tourisme une modification du calendrier des vacances d'été. Parmi les pistes lancées par Vincent Peillon, le ministre de l'Éducation nationale, les vacances de la Toussaint seraient allongées de quatre jours dès la rentrée de 2012. *« Cette proposition induit-elle un raccourcissement des vacances d'été ? »*, s'interroge Jean-Marc Rozé, le secrétaire général du Syndicat national des agences de voyages (Snav). Une inquiétude d'autant plus forte que, selon les professionnels, la période de la Toussaint, ni en été ni en hiver, n'est pas propice aux voyages à l'étranger ou en famille.

Isabelle de Foucaud,
http://www.lefigaro.fr, 22 juin 2012.

* Enquête réalisée auprès de 958 personnes de 18 ans et plus, issues d'un échantillon national représentatif et interrogées le 5 et 6 juin par téléphone.

Répondez aux questions.

1 • **Cochez (X) les affirmations exactes.**
   a. ☐ Ces temps de crise modifient les choix des Français en matière de vacances.
   b. ☐ Les Français choisiraient désormais pour avoir des loisirs toute l'année d'écourter leurs vacances.
   c. ☐ Cette décision concerne près des deux tiers des Français.
   d. ☐ La moitié des Français envisagent de dépenser moins pour leurs vacances que pour leurs loisirs.
   e. ☐ Ce choix des Français n'aura toutefois pas de conséquence sur le tourisme.

2 • **Que révèle aussi le sondage sur les intentions de distractions de la moitié des Français pendant leurs vacances ?**

......

///

3 • Cochez VRAI ou FAUX et justifiez votre réponse en citant un passage du texte.

	VRAI	FAUX
1. Environ un tiers des Français partiront vraiment en vacances. Justification :		
2. Un peu plus d'un quart des Français vont chercher à occuper de façon utile leur temps libre. Justification :		
3. Un tiers des Français passeront leurs vacances chez eux. Justification :		
4. La moitié des Français qui ne partent pas choisiront de préférence des loisirs payants. Justification :		
5. Seuls un tiers de ceux qui ne partent pas pensent à occuper leurs loisirs avec le sport, la piscine. Justification :		

4 • En quoi cette décision, de par sa nature, peut-elle apporter une « note d'optimisme dans un climat morose » ?

....

5 • Quelles sont les deux principales activités choisies par les vacanciers ? Que révèle le choix des activités, à l'exception de la première et des deux dernières, sur leurs goûts, leurs désirs ?

....

6 • Lisez les affirmations suivantes. Cochez (X) les bonnes cases.

	VRAI	FAUX	On ne sait pas
a. Il est prévu un allongement de quatre jours des vacances de la Toussaint.			
b. Les vacances d'été seront raccourcies.			
c. Les Français aiment partir en voyage à la Toussaint.			
d. On pense que l'accent mis par les Français sur leurs loisirs pourrait avoir une incidence sur leurs vacances d'été.			

ACTIVITÉ 15

Lisez de nouveau le texte de l'activité précédente et répondez à la question. ///////////////////////////

• Selon le contexte, quel sens donnez-vous au mot et à l'expression suivante :

a. raboter : ....

b. changer d'air : ....

ACTIVITÉ 16

« Gaston, y'a l'téléfon qui son »

Si vous vous sentez « très angoissés » à l'idée de perdre votre portable ou carrément « incapables » de vous en passer pendant plus d'une journée, alors, vous êtes atteints de « nomophobie ». C'est grave, docteur ?

En ce temps-là, au tout début des années 70 – le téléphone à fil et à cadran trônait fièrement sur la table du salon, tandis que Nino Ferrer chantait : « Gaston, y'a l'téléfon qui son et y'a jamais person qui y répond »…

Aujourd'hui il ne quitte plus votre poche – ou votre sac à main, c'est selon – et vous restez joignable à chaque instant. Au pire, c'est votre messagerie qui enregistre vos « appels en absence ». Même éteint, y'a donc toujours quelqu'un qui répond !

Le syndrome « je suis connecté donc je suis »

En moins de vingt ans, le téléphone est devenu indispensable à notre vie quotidienne. Une partie intégrante de nous-même, comme un organe supplémentaire greffé à notre oreille. À tel point que certains ont développé une nouvelle pathologie : la « nomophobie » (contraction de « no mobile phobia »).

Les symptômes sont facilement identifiables : si vous vous sentez « très angoissé » à l'idée de perdre votre portable ou carrément « incapable » de vous en passer pendant plus d'une journée, alors vous êtes atteints de « nomophobie ».

Selon une étude menée au Royaume-Uni – pays où ce terme est apparu pour la première fois, en 2008 – 66 % des utilisateurs ne conçoivent pas de vivre sans portable ; proportion qui atteint 76 % chez les 18-24 ans.

En France, 22 % avouent qu'il leur est « impossible » de passer plus d'une journée sans leur téléphone ; pourcentage qui grimpe à 34 % chez les 15-19 ans.

Plus troublant peut-être : 20 % des Français reconnaissent dormir avec leur portable à côté du lit, jugeant cette présence « plus importante » que la télévision dans la chambre à coucher (*sic*).

Expert en nouvelles technologies, Damien Douani n'hésite pas à parler de « véritable domaine de l'addiction » pour définir ce syndrome : « Je suis connecté, donc je suis. Et je vérifie mon téléphone en permanence, au cas où ». Ne pas être connecté, c'est donc prendre le risque de « louper quelque chose ». Autrement dit, la peur de ne « plus être dans le coup »…

« Génération des pouces »

Il y a quelques années, le SMS portait déjà en lui les premiers stigmates de la « nomophobie ». On parlait même de « génération des pouces » pour décrire ceux qui tapaient des textos non-stop. « *Mais l'internet via un smartphone, c'est le SMS puissance 10 000 !* », estime Damien Douani.

Les réseaux sociaux créent également des liens avec des communautés et font qu'il y a un besoin de mise à jour constante et de consultation en permanence. «*On peut comprendre que les gens soient "accros" à leur smartphone, car ils ont pour ainsi dire toute leur vie dedans. Et si par malheur ils le perdent ou qu'il tombe en panne, alors ils se sentent totalement coupés du monde* », analyse pour sa part l'écrivain Phil Marso[1] qui, pour aider ces personnes à « décrocher », organise depuis une dizaine d'années les Journées mondiales sans téléphone portable (*élection présidentielle oblige, le thème de l'édition 2012, en février dernier, était «Se connecter plus pour… travailler plus ? »*).

Histoire de rappeler à quel point le portable utilisé avec excès peut devenir « un outil qui déshumanise», Phil Marso aime à raconter cette anecdote : « *Un jour dans la rue, une personne qui cherchait son chemin m'a tendu son smartphone avec le plan du quartier sur l'écran au lieu de me demander où se trouvait la rue qu'elle cherchait* »…

Olivier Charrier,
La Montagne, 29 avril 2012, page 36.

---

1. Phil Marso a publié, fin 1999, le tout premier roman policier autour du téléphone sous le titre *Tueur de portable sans mobile apparent* (Ed. Megacom-ik).

Répondez aux questions.

1 ● Survolez le texte et dites comment s'appelle cette nouvelle « maladie » relative au « manque » ressenti quand on n'a pas son portable. D'où vient son nom ?

2 ● Quelle est la différence essentielle entre le téléphone des années 1970 et le téléphone aujourd'hui ?

3 ● Cochez VRAI ou FAUX et justifiez votre réponse en citant un passage du texte.

	VRAI	FAUX
1. Le téléphone est devenu en quelque sorte un cinquième membre, un prolongement de l'oreille. Justification :		
2. Une nouvelle pathologie a été identifiée et nommée pour la première fois en Grande-Bretagne. Justification :		
3. Cette nouvelle maladie atteint en moyenne trois fois moins de Français que de Britanniques. Justification :		
4. Les « malades » de 18-19 ans sont deux fois moins nombreux en France qu'au Royaume-Uni. Justification :		
5. Environ le tiers des Français ne peuvent dormir sans leur portable à leur chevet. Justification :		

4 ● À quoi est assimilée cette maladie pour certains experts ?

5 ● La « génération des pouces » était atteinte de quelle autre « maladie » considérée comme annonciatrice de celle-ci ? En quoi le nouveau syndrome est-il plus grave ?

6 ● Pour quelle raison essentielle la perte d'un smartphone est-elle si grave pour son possesseur ?

ACTIVITÉ 17

Lisez de nouveau le texte de l'activité précédente. Répondez à la question.

1 ● D'où vient le mot « nomophobie » ? Quel est son sens ?

2 ● Relevez les mots associés au domaine du téléphone.

ACTIVITÉ 18

GASTRONOMIE

Le Club des chefs des chefs : le G20 des cuisiniers reçu par François Hollande

Après Berlin la semaine dernière, la crème de la crème des chefs cuisiniers se retrouve depuis dimanche à Paris pour une rencontre annuelle exceptionnelle : celle du Club des chefs des chefs, l'association gastronomique réunissant 25 cuisiniers de chefs d'État, de premiers ministres en exercice et de têtes couronnées.

Ce club, qui se vante d'être le plus exclusif au monde, fête cette année ses 35 ans d'existence et avait choisi d'honorer les 50 ans de l'amitié franco-allemande en se réunissant à la fois à Berlin et Paris. Parmi les membres illustres de ce petit groupe très fermé, le chef français, Bernard Vaussion, aux commandes des cuisines de l'Élysée depuis près de quarante ans. À ses côtés, son homologue allemand, Ulrich Kerz, en charge des repas de la Chancellerie, mais aussi Mark Flanagan, chef de sa Majesté la Reine d'Angleterre, Cristeta Comerford, qui préside les cuisines de la Maison Blanche, ou encore Christian Garcia, chef du Prince Albert II de Monaco.

Tous doivent être reçus ce mardi après-midi par le président François Hollande et se réuniront autour d'un repas au « Jules Verne » d'Alain Ducasse, le restaurant de la Tour Eiffel où ils devraient se régaler, entre autres, d'une « pince de crabe et navets croquants marinés », de « langoustines dorées et légumes acidulés », d'un « grenadin de veau au sautoir et ses girolles grillées » et de « fraises des bois dans leur jus tiède accompagnées d'un sorbet au fromage blanc », selon le « projet de menu ».

Dans les petits plats des politiques

Loin de la reconnaissance de leurs confrères étoilés, ces chefs ont pourtant une lourde pression sur leurs épaules : servir les personnalités les plus puissantes de la planète et défendre le patrimoine gastronomique de leur pays.

Un exercice qui passe par une adaptation permanente aux variations des désirs des chefs d'État. En quarante ans de métier et de maison à la tête des cuisines de l'Élysée, Bernard Vaussion évoque sans ciller les goûts et les dégoûts des présidents de passage.

« Chirac aimait les plats en sauce et l'agneau sous toutes ses formes : gigot, selle ou épaule. Mitterrand adorait le foie gras, poêlé, mi-cuit, mais je lui faisais aussi rôtir entier en cocotte avec des raisins », expliquait-il avant l'élection présidentielle. Aujourd'hui, il confie le désamour de Nicolas Sarkozy pour les artichauts mais salue la « réintroduction du fromage à l'Élysée » depuis son départ. Certaines tâches sont encore plus complexes, comme au siège des Nations-Unies, à New York, où le chef Daryl Schembeck raconte qu'après avoir fait « *de longues recherches pour pouvoir s'adapter à autant de nations, il cuisine la plupart du temps des choses simples et fraîches comme de l'agneau avec des courgettes, toutes sortes de fruits et légumes, accompagnés de salade verte* ».

Diplomatie et gastronomie

Diplomatie oblige, les chefs échangent beaucoup entre eux, non seulement des recettes mais aussi sur les goûts de leurs hôtes. Ainsi, Christian Garcia, chef du prince Albert II de Monaco, confie avoir appelé Hilton Little, chef cuisinier de la présidence sud-africaine, lors de la visite à Monaco de Nelson Mandela, « l'un de ses plus grands souvenirs ».

Il faut éviter les fautes culturelles, adapter les sauces aux demandes et aux allergies de passage. Et surtout cultiver le goût du secret. Interrogé sur les plats préférés de la chancelière allemande Angela Merkel, le chef cuisinier Ulrich Kerz préfère rester discret. « *Je ne peux vous dire ce qu'elle préfère, sinon on lui servirait ce plat aux quatre coins du monde* »,

expliquait récemment le chef au cours d'une conférence de presse, à l'occasion de la rencontre annuelle du « Club des Chefs des Chefs ».

« *Quand le goût de Jacques Chirac pour la tête de veau a été connu, le président s'en est vu proposer partout* », confirme Gilles Bragard, fondateur de ce club en 1977, pour justifier cette habitude mystérieuse.

Gouverner, c'est manger

Mais cette discrétion s'explique aussi par la charge symbolique de la nourriture en politique, où les dirigeants se révèlent parfois autant par ce qu'ils mangent que par ce qu'ils dédaignent. Amateur de mousse au chocolat, François Hollande a suivi un régime drastique et remarqué avant de se lancer dans la course à la présidentielle. Lui aussi dévoreur de chocolat et de chouquettes, Nicolas Sarkozy poussait la rupture jusqu'à ne pas boire de vin ni manger de fromage.

Aux États-Unis, les habitudes alimentaires de Barack Obama font l'objet d'une attention toute particulière. Un blog politique est d'ailleurs intégralement consacré aux rapports entre le président et la nourriture.

Mais alors que Michelle Obama a fait de la lutte contre l'obésité et de la promotion des légumes son cheval de bataille avec l'aide de la chef de la Maison Blanche Cristeta Comerford, Barack Obama n'hésite pas à hanter les fast-foods pendant ses campagnes électorales, posant en bras de chemise devant un barbecue ou commandant du chili con carne à emporter. Une manière de se rapprocher d'un électorat populaire plus sensible aux plats roboratifs qu'au potager bio installé à grands frais par la Première Dame à la Maison Blanche.

Geoffroy Clavel, *Le HuffPost*,
http://huffingtonpost.fr, 24 juillet 2012.

Répondez aux questions.

1 • De quelle rencontre s'agit-il ?

2 • Que veut dire, d'après le contexte, l'expression « la crème de la crème » ? À quoi conduit le rapprochement de cette expression avec l'expression « le G20 des cuisiniers » ?

3 • Cochez VRAI ou FAUX et justifiez votre réponse en citant un passage du texte.

	VRAI	FAUX
1. Lors de cette réunion, le club des 25 cuisiniers de chefs d'État fêtait ses 25 ans d'existence. Justification :		
2. En 2012, il s'agissait aussi de célébrer un anniversaire important. Justification :		
3. Le chef cuisinier de l'Élysée, hôte de ses confrères à Paris, est à son poste depuis un temps correspondant à près de huit quinquennats. Justification :		
4. François Hollande les a reçus au restaurant de la Tour Eiffel. Justification :		
5. Le projet de menu du repas comportait un gâteau d'anniversaire aux fraises en dessert. Justification :		

4 • Les qualités de ces chefs sont-elles reconnues de la même façon que celles de leurs célèbres confrères ?

5 • De quelle capacité, quelle qualité, doivent-ils faire preuve pour servir au mieux les différents chefs d'État qui se succèdent ?

6 • Cochez (✗) les affirmations exactes.
   a. ☐ Il y a de nouveau du fromage au menu des repas de l'Élysée.
   b. ☐ Les chefs échangent entre eux les goûts des chefs d'État mais rarement leurs recettes.
   c. ☐ Les chefs cuisiniers doivent surtout éviter les fautes culturelles.
   d. ☐ Les chefs cuisiniers doivent se montrer discrets.

7 • Pourquoi les chefs cuisiniers ne peuvent-ils pas parler des plats préférés des chefs d'État qu'ils servent ?

8 • Quelle charge peut avoir la nourriture en politique ?

Parc national des Calanques : c'est fait !

La signature hier par le Premier Ministre du décret en Conseil d'État marque officiellement la naissance du 1er parc péri-urbain français.

Annoncée comme imminente depuis plusieurs semaines, la nouvelle est tombée hier sous forme d'un long communiqué du ministère de l'Écologie et du Développement durable, désormais confié au Premier ministre. C'est donc à ce double titre que François Fillon a signé le fameux décret pris en Conseil d'État portant création du Parc national des Calanques, décret qui doit être publié aujourd'hui au journal officiel.

10ᵉ du genre en France et peut-être le dernier

Cette annonce de la création du parc a été accueillie avec satisfaction et soulagement par tous ceux qui depuis plus de dix ans se battent pour offrir à cet espace naturel remarquable le plus haut degré de protection permis par la loi française. À commencer par le député-maire UMP des 9ᵉ et 10ᵉ arrondissements de Marseille Guy Teissier en sa qualité de président du Groupement d'intérêt public (GIP) des Calanques ; GIP dont la mission était de préparer le montage du dossier en concertation avec l'ensemble des acteurs concernés.

Ce parc est ainsi le 10ᵉ à voir le jour sur le territoire national, avec une particularité qui le distingue de tous ses prédécesseurs mais l'inscrit aussi dans un cercle très fermé au niveau mondial : il s'agit en effet du tout premier parc de type périurbain ; le 3ᵉ recensé à ce jour sur l'ensemble de la planète. Un acquis d'autant plus

précieux que selon certains observateurs, ce parc pourrait bien être le dernier à voir le jour en France compte tenu du coût de fonctionnement d'une telle institution...

Un espace essentiellement maritime

Essentiellement maritime (89,5 % de sa surface), le Parc national des Calanques s'étend sur une superficie de 158 100 hectares comprenant un « cœur » marin de 43 500 ha et un « cœur » terrestre de 8 300 ha, une Aire optimale d'adhésion ou AOA (terrestre) de 8 300 ha et une Aire maritime adjacente (AMA) de 98 000 ha, le tout réparti sur le territoire de sept communes (Marseille, Cassis, La Ciotat, Carnoux, La Penne sur Huveaune, Ceyreste et Roquefort la Bédoule). Chacun de ces territoires comporte des niveaux de protection spécifiques avec des restrictions de circulation, de stationnement ou d'usage, mais aussi et surtout une organisation de la fréquentation des différents sites terrestres et maritimes. Il faut dire que l'espace concerné est exceptionnellement riche en terme de biodiversité comme sur le plan historique avec près de 140 espèces animales protégées dont le très rare aigle de Bonelli, 60 espèces marines patrimoniales (mérou, dauphins, tortues, etc.) des espèces végétales endémiques (Ophrus de Marseille, Sabline de Provence, Astragale de Marseille, etc.), mais aussi près de

La calanque de Sugiton, sans doute l'une des plus pittoresques parmi toutes celles qui découpent ce massif de calcaire plongeant dans les eaux turquoises de la Méditerranée.

90 sites archéologiques, à commencer par la monumentale grotte Cosquer, cavité ornée témoin d'une présence humaine très ancienne.

C'est d'ailleurs cette richesse, mais aussi la configuration complexe des lieux et la double nécessité de préserver à la fois un environnement fragile fortement menacé, et des activités ancestrales, économiquement importantes, le tout en périphérie de la 2ᵉ ville de France et de ses 880 000 habitants, qui expliquent la durée de gestation très longue de ce parc.

Le fruit de nombreux compromis

Un processus d'ailleurs marqué par de très fortes oppositions venant à la fois des mondes politiques, économiques et associatifs suscitant d'innombrables manifestations, compromis et rebondissements. De multiples « adaptations » qui ne doivent d'ailleurs pas faire oublier qu'à l'origine du projet, les premiers tracés du parc incluaient le massif du Garlaban.

Philippe Gallini,
http://www.laprovence.com, 19 avril 2012.

Répondez aux questions.

1 • Qu'est-ce qui a été annoncé le 18 avril 2012 ? Était-ce une surprise ?

2 • Quel document officialise la décision prise ? Par qui a-t-il été signé ? À quel titre ?

3 • Quelle est la caractéristique principale de ce parc ? Comment, par ailleurs, se justifie sa qualification de « périurbain » ?

4 • En quoi consiste la richesse des lieux ? Répondez en reformulant les éléments du texte.

5 • Cochez VRAI ou FAUX et justifiez votre réponse en citant un passage du texte.

	VRAI	FAUX
1. La création du Parc est la plus sûre protection qu'offre la loi en France. Justification :		
2. Cette création était attendue en particulier par le sénateur-maire de deux arrondissements de Marseille. Justification :		
3. Ce parc se trouve en périphérie de Marseille. Justification :		
4. Troisième parc périurbain au monde, c'est aussi le seul parc de ce genre en France. Justification :		
5. Il y a neuf autres parcs nationaux en France. Justification :		

6 • Cochez (✗) les affirmations exactes.
   a. ☐ Le Parc national des Calanques comporte quatre territoires distincts : deux maritimes et deux terrestres.
   b. ☐ La superficie de l'aire maritime adjacente (AMA) correspond à trois fois celle du « cœur » marin.
   c. ☐ Les deux territoires terrestres ont la même superficie.
   d. ☐ Ces territoires sont soumis aux mêmes règles de protection.
   e. ☐ La fréquentation de tous les territoires sera très organisée.

7 • Pour quelle(s) raison(s) la création du parc national des Calanques a-t-elle été si longue ? Cochez (✗) les affirmations exactes.
   a. ☐ Il fallait organiser la protection des territoires mais aussi celle des activités.
   b. ☐ Si les politiques étaient tous d'accord, ce n'était pas le cas des associations.
   c. ☐ Il a été nécessaire que les uns et les autres acceptent des compromis.
   d. ☐ La proximité d'une grande ville telle que Marseille a posé quelques difficultés.

ACTIVITÉ 20

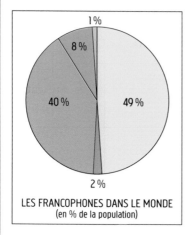

1 %
8 %
40 %
49 %
2 %

LES FRANCOPHONES DANS LE MONDE
(en % de la population)

L'Afrique, phare de l'avenir du français

2/6 JUILLET 2012 - FORUM MONDIAL DE LA LANGUE FRANÇAISE À QUÉBEC (CANADA)

Curieusement, l'Organisation internationale de la francophonie (OIF) pas plus que ses ancêtres n'avaient encore organisé, depuis leur naissance dans les années 1970, de grand rassemblement autour de l'idiome qui les motive. Voilà qui est réparé avec le premier Forum mondial de la langue française, qui doit se dérouler à Québec, du 2 au 6 juillet.

Quel est le nombre de francophones dans le monde ?

Au moins 220 millions de personnes parlent le français, selon le premier rapport de l'observatoire de la langue française, créé en 2007. [...] Outre les francophones des 75 États ou gouvernements de l'OIF (56 membres et 19 observateurs), ceux de pays non membres ont aussi été dénombrés. [...] Dans les pays africains, seules les personnes sachant non seulement parler mais aussi lire et écrire en français ont été prises en compte. C'est l'un des facteurs qui permet aux responsables de l'OIF d'assurer que ce chiffre de 220 millions de francophones reste sous-évalué. À titre de comparaison, on estime généralement à plus de 1 milliard le nombre d'anglophones dans le monde. Mais un tiers d'entre eux seulement (330 à 340 millions) ont l'anglais comme langue maternelle. Le français est, selon l'OIF, la deuxième langue étrangère enseignée dans le monde, avec 116 millions de personnes qui l'apprennent.

Le français régresse-t-il au profit de l'anglais ?

D'après le rapport, le français se développe en Afrique, principalement pour des raisons démographiques, stagne en Amérique ou en Asie, et décline en Europe où le Royaume-Uni, par exemple, a décidé, en 2004, que la langue de Molière n'était plus indispensable à l'examen final du cycle secondaire. Dans ses projections, l'OIF anticipe que l'Afrique où vivent déjà environ la moitié des francophones du monde en regroupera en 2050 environ 85 %, sur 715 millions de locuteurs, à la faveur de ses taux de natalité. À condition toutefois que la scolarisation continue de progresser sur ce continent et que le français y demeure une langue enseignée. [...]

Le Sud-Est asiatique peut-il renouer avec le français ?

L'anglais y a supplanté le français depuis longtemps. Les efforts de l'OIF portent sur l'enseignement supérieur. «On crée de petites poches d'enseignement en français»,

explique Olivier Garro, directeur du bureau Asie-Pacifique de l'Agence universitaire de la francophonie (AUF, fédération de 786 établissements d'enseignement supérieur et de recherche de 98 pays). [...] « Nous essayons de bâtir une francophonie de qualité. Le français est considéré comme une langue des élites et il permet de se différencier par rapport aux élites anglophones », estime Olivier Garro. Cette politique semble porter ses fruits : dans certains secteurs, le français est redevenu la langue du quotidien. En médecine, en psychologie, en architecture, en urbanisme et en archéologie notamment, des formations conjointes d'universités et d'écoles françaises avec des universités asiatiques ont vu le jour. [...]

Où en est le français au Canada, et notamment au Québec ?

Au Canada officiellement bilingue (anglais-français) depuis 1969, la proportion de personnes de langue maternelle française est passée de 27 % à 22 % entre 1971 et 2006 [...] Au Québec, unique province canadienne où le français est la seule langue officielle (depuis 1974) [...] le nombre de francophones est passé de 82,5 % à 85,7 % [...]

Quid du français dans les organisations internationales et aux Jeux olympiques ?

La régression est patente. [...] Abdou Diouf, secrétaire général de l'OIF, déplore « une certaine démission des élites françaises », qui « s'expriment en anglais quand leurs homologues hispaniques parlent en espagnol, et ceux arabes, en arabe, par exemple à l'Unesco », dont le siège est à Paris. [...] Nommée en 2011 « grand témoin » de la francophonie, Michaëlle Jean, ex-gouverneure générale du Canada, assistera aux jeux olympiques de Londres, du 27 juillet au 12 août, pour veiller au bon usage du français, langue officielle de l'olympisme avec l'anglais. [...]

Martine Jacot avec Nathalie Brafman,
Le Monde, 1er et 2 juillet 2012.

D comme... DELF

//

Répondez aux questions. //

1 ● Quel événement s'est tenu à Québec du 2 au 6 juillet 2012 ?

2 ● Cochez VRAI ou FAUX et justifiez votre réponse en citant un passage du texte.

	VRAI	FAUX
1. D'après les chiffres, actuellement, le nombre de personnes parlant le français correspond à près du quart du nombre de personnes parlant l'anglais. Justification :		
2. La comparaison entre le nombre de francophones et celui d'anglophones est faussée du fait que ce ne sont pas les mêmes éléments qui sont pris en compte dans chaque cas. Justification :		
3. Les francophones dénombrés sont ceux des 75 pays qui constituent l'OIF. Justification :		
4. Le nombre de personnes apprenant le français est sensiblement égal au nombre de francophones. Justification :		

3 ● Quelle est la situation du français en Afrique, en Europe, en Asie et en Amérique ?
Répondez en reformulant les informations données dans le texte.

4 ● Cochez (*X*) les affirmations exactes.
   a. ❑ L'anglais a remplacé le français dans le Sud-Est asiatique.
   b. ❑ L'OIF, avec l'AUF, cible les établissements supérieurs pour l'enseignement du français.
   c. ❑ L'AUF est présente dans 98 pays et va établir des formations conjointes entre des universités et écoles françaises et des université asiatiques.
   d. ❑ Le français enseigné en Asie du Sud-est s'adresse à des élites ou futures élites.
   e. ❑ Au Canada, le nombre de locuteurs français est en régression au plan national mais en légère progression au Québec.

5 ● Que reproche Abdou Diouf aux Français qui siègent dans les organisations internationales ?

6 ● Où la langue française est-elle utilisée à égalité avec la langue anglaise ?

ACTIVITÉ 21

Prix littéraires : pourquoi ça marche encore

Vitale pour la profession, la course aux Goncourt, Renaudot, Médicis ou Femina électrise toujours, en dépit des critiques.

On a dit que la littérature n'avait rien à y gagner. Que l'édition laissait, chaque année un petit coin de son âme dans les arrière-salles sans lumière où se signaient les traités les moins avouables. Et, plus récemment, qu'ils contribuaient à aggraver la polarisation autour de quelques titres, au détriment de tous les autres. Bref, depuis la création du Goncourt, le grand ancêtre et le plus convoité, les prix littéraires n'ont cessé d'être critiqués.

Pourtant, au lieu de s'étioler, et à force de s'engendrer les uns les autres – souvent les uns contre les autres, puisque le Fémina fut lancé en réaction contre le Goncourt, en 1904, idem pour le Renaudot, en 1926 –, les prix littéraires sont devenus, en France, « presque une institution républicaine », constate Christian Thorel, patron de la librairie Ombres Blanches, à Toulouse. Cent sept ans après la création du Goncourt, la saison des prix continue de magnétiser la vie éditoriale française, dans une mise en scène parfaitement rodée, riche en rebondissements, souvent très efficace. Les prix se sont multipliés : un écrivain francophone peut prétendre à quelque 2 000 décorations, des plus éclatantes aux plus obscures. Des médailles qui font toujours vendre, même si les tirages moyens des livres élus se sont érodés depuis dix ans. Les lecteurs « marchent », les éditeurs continuent d'engager dans la bataille le gros de leurs forces et, à l'extérieur des frontières, dans quel autre pays l'annonce d'un prix fait-elle la « une » des journaux ?

Même les plus réfractaires aspirent à la brusque arrivée d'air que peut offrir un prix prestigieux. Du coup, presque tous jouent le jeu de la rentrée littéraire entre la mi-août et la mi-octobre : plus de 700 auteurs d'un côté, une poignée de grands prix de l'autre. Ce qui ressemble fort à une course est en fait une industrie, vitale pour la profession. Un « business » aligné sur la proximité des fêtes de Noël, où tout est lié : les prix tiennent la rentrée, qui elle-même tient les prix.

Dans un contexte économique très difficile, une récompense peut changer du tout au tout le destin d'un livre : « *Pour de petites maisons, cela va du simple au double, en termes de chiffre d'affaires* », avance Isabelle Gallimard, directrice du Mercure de France, qui a obtenu le Goncourt en 2007 (Gilles Leroy) et le Fémina deux ans plus tard (Gwenaëlle Aubry). « *On vit tous sur 10 ou 15 titres par an, explique Olivier Bétourné, PDG du Seuil. Les prix mettent dans la course des livres plus littéraires que les best-sellers et qui, sans cela, n'atteindraient pas ces niveaux de ventes* ».

Le système s'est policé au fil des ans. [...] « *Bien sûr, il existe encore des arrangements, dans la mesure* où certains jurés préféreront les livres de la maison où ils sont édités,* explique Jean-Marc Roberts, qui dirige Stock. *Mais l'époque où les éditeurs se réunissaient en petit comité pour savoir qui aurait quoi est révolue.* » Le fameux trio Gallimard-Grasset-Seuil (« galligrasseuil ») a judicieusement fait une petite place à des maisons comme Actes Sud ou POL (filiale de Gallimard) fondé par Paul Otchakovsky-Laurens. Reste que le gâteau se partage toujours entre un nombre restreint de convives.

La fonction des prix dépasse largement les retombées financières directes, tous le reconnaissent. D'abord ils fournissent des indications : aux éditeurs étrangers sur des écrivains peu connus et pas encore traduits ; et aux lecteurs, noyés sous la quantité de livres sortis. Surtout, ce système introduit une composante ludique dans la vie littéraire. [...] Le suspense monte dans les semaines précédant les prix, les listes de sélection se raccourcissent au fil des jours. « *C'est une torture pour les auteurs comme pour les éditeurs !* », dénonce Patrick Besson, membre du jury Renaudot. [...]

Le Goncourt occupe une place à part dans ce dispositif. « *Il incite à prendre position. Comme si les Français rêvaient de devenir jurés à leur tour* », observe avec malice Elisabeth Samama, directrice littéraire chez Fayard. [...]

A. Beuve-Méry, R. Rérolle et Ch. Rousseau,
Le Monde, Dossiers et Documents,
septembre 2011.

Répondez aux questions.

1 ● Quel est le prix littéraire le plus ancien ? Quand a-t-il été créé ?

....

2 ● En fonction du contexte, proposez un synonyme aux mots suivants :

La polarisation : ....   (Le plus) convoité : ....

S'étioler : ....   Magnétiser : ....

3 • Combien compte-t-on de prix littéraires en France ? Quel effet ont-ils sur les lecteurs et les maisons d'édition ?

4 • Cochez VRAI ou FAUX et justifiez votre réponse en citant un passage du texte.

	VRAI	FAUX
1. Les prix sont accusés de mettre en lumière un petit nombre de livres et ainsi d'écarter tous les autres. Justification :		
2. Il semblerait que les maisons d'édition passent des accords secrets entre elles pour l'attribution des prix. Justification :		
3. Les accusations portées contre les prix le sont depuis une date relativement récente. Justification :		
4. Certains prix littéraires ont été créés en relation avec d'autres. Justification :		
5. La rentrée littéraire et l'attribution des prix sont organisées comme une parfaite pièce de théâtre. Justification :		

5 • Cochez (X) les affirmations exactes.
   a. ☐ Certains éditeurs se montrent peu enthousiastes envers les prix littéraires.
   b. ☐ La compétition des prix littéraires commence dès le mois d'août.
   c. ☐ Les prix assurent une bonne partie des ventes de livres au moment des fêtes de fin d'année.
   d. ☐ Les chiffres d'affaires des éditeurs sont multipliés si leurs auteurs sont primés.
   e. ☐ La saison des prix permet aux éditeurs de vendre autant de livres littéraires que de best-sellers.

6 • Que reconnaît le directeur de chez Stock ?

7 • Quelles sont les maisons d'édition qui « reçoivent » le plus souvent les célèbres prix littéraires ? Quelle en est la « preuve » ?

8 • Pour qui les prix littéraires constituent-ils une information importante ? De quel type ?

L'Unesco distingue le patrimoine minier du Nord-Pas-de-Calais

L'Unesco a décidé samedi 30 juin d'inscrire le bassin minier du Nord-Pas-de-Calais au patrimoine mondial.

Les promoteurs du dossier de candidature vont devoir maintenant appliquer un plan de gestion destiné à préserver ce bien, sans pour autant mettre tout un territoire « sous cloche ».

Déjà à l'honneur, on trouvait le canal du Midi, l'abbaye de Vézelay ou le Val de Loire. Depuis samedi 30 juin, le bassin minier du Nord-Pas-de-Calais est le 38e « bien » français inscrit au patrimoine mondial par l'Unesco, dans la catégorie « paysage culturel évolutif et vivant ».

Mais ce n'est pas la fin de la tâche pour les promoteurs d'une candidature portée pendant dix ans par l'association Bassin minier uni (BMU). En effet, il va falloir maintenant appliquer le plan de gestion prévu dans le dossier pour protéger ce patrimoine lié à l'extraction du charbon.

L'organisation onusienne veillera à sa bonne mise en œuvre, sous peine d'un retour en arrière, mais sans donner de moyens financiers. De fait, elle ne verse pas d'argent, sauf aux pays en voie de développement.

24 000 logements de 124 cités minières

Son label, par ailleurs, n'apporte pas de protection juridique. Dans le cas du bassin minier français, la conservation est d'autant plus délicate à effectuer que le secteur géographique est grand (120 km de long, 87 communes) et très urbanisé. Qui plus est, le patrimoine retenu est très divers.

Aux côtés d'installations houillères, il comprend notamment 24 000 logements de 124 cités minières, qui relèvent aujourd'hui de l'habitat social et doivent pouvoir évoluer pour un meilleur confort de leurs locataires. « *C'est plus complexe à gérer qu'un château ou une cathédrale* », commente Jean-François Caron, maire de Loos-en-Gohelle (Pas-de-Calais) et président de BMU.

Une partie de ces biens (144 sur 353) a d'ores et déjà été classée par l'État. Pour le reste, il a fallu discuter et trouver un terrain d'entente avec les propriétaires ou gestionnaires, principalement des bailleurs sociaux et des élus locaux soucieux de ne pas être bloqués dans leurs projets. « *Il ne faut surtout pas figer les choses, on ne va pas mettre tout un territoire sous cloche* », poursuit Jean-François Caron.

« Un héritage, cela se gère »

Une série d'engagements contractuels a donc été adoptée, sous différentes formes (schémas de cohérence territoriale, plans urbains d'urbanisme, charte patrimoniale, conventions…) pour essayer de trouver un équilibre entre le caractère « évolutif » du paysage et le respect de ses spécificités historiques.

Ce travail de concertation a été mené avec l'appui technique de la Mission Bassin minier (MBM), un outil public d'aménagement du territoire basé à Oignies (Pas-de-Calais).

L'architecte Raphaël Alessandri y a vu l'occasion d'engager une « *réflexion transversale* » sur l'avenir des logements hérités des compagnies minières. « *Pour nous, cela a été un cheval de Troie* », résume-t-il.

La même structure va avoir la responsabilité du suivi du plan de gestion. «*Un héritage, cela se gère, insiste Catherine Bertram, directrice d'études à la MBM. Nous avons le devoir de le transmettre aux générations futures. Mais on ne doit pas rester sur une image nostalgique et figée. L'intérêt de*

ce label va aussi au-delà du tourisme. C'est ce qu'on en fait qui est important. C'est un déclencheur, cela donne des lignes directrices et ouvre des possibles. Y compris dans la tête des gens. »

L'hommage à un monde disparu

En décidant samedi 30 juin à Saint-Pétersbourg (Russie) d'inscrire le bassin minier du Nord-Pas-de-Calais au patrimoine mondial de l'humanité, l'Unesco a récompensé la seule candidature française. Ils ont surtout apporté une reconnaissance très attendue à une région qui a connu une reconversion difficile après trois siècles d'exploitation du charbon.

L'Unesco « *reconnaît la valeur universelle et exceptionnelle de ce paysage tout à la fois culturel, industriel et social qui rend hommage au monde disparu de la mine* », a réagi Aurélie Filippetti, ministre de la Culture, ajoutant qu'elle entendait faire de la valorisation du patrimoine industriel « l'une de ses priorités ».

La maire de Lille, Martine Aubry, voit dans cette décision « *un hommage rendu à tous ceux qui ont travaillé pour développer notre économie, notre industrie, qui ont souvent laissé leur santé et leur vie [...], un hommage à tous ceux, qu'ils soient nés ici ou qu'ils soient venus d'ailleurs, qui ont mis leurs forces, leur intelligence, au service de notre pays* ».

Pascal Charrier,
http://www.la-croix.com, 1er juillet 2012.

D comme... DELF

//

Répondez aux questions. //

1 • Quel label a été décerné au bassin minier du Nord-Pas-de-Calais ? Dans quelle catégorie ?

....

2 • Pendant combien de temps l'association Bassin minier uni (BMU) a-t-elle défendu la candidature
du bassin minier ? À quoi s'engage-t-elle dorénavant ? Quel risque encourt le bassin minier
si ce n'est pas le cas ?

....

3 • Peut-elle attendre une aide ou une protection de la part de l'Unesco ?

....

4 • Cochez VRAI ou FAUX et justifiez votre réponse en citant un passage du texte.

	VRAI	FAUX
1. Le patrimoine comporte des mines et leurs installations. Justification :		
2. Parmi les biens protégés, il y a 24 000 logements de 124 cités minières ou non. Justification :		
3. Comme elles sont protégées, bien qu'étant sociales, les habitations ne peuvent guère évoluer. Justification :		
4. Un peu moins de la moitié des biens de ce patrimoine minier ont déjà été classés par l'État. Justification :		
5. En vertu du classement du bassin minier, l'État a plus de liberté pour appliquer ce qu'il juge bon. Justification :		

5 • Grâce à quoi est-il possible de trouver un équilibre entre le « caractère évolutif du paysage
et le respect de ses spécificités historiques » ? Répondez en reformulant les éléments du texte.

....

6 • Quelle structure va avoir la responsabilité du suivi du plan de gestion ? Quel est l'objectif visé ?

....

7 • Au-delà de la reconnaissance de la valeur du paysage, qu'est-ce que cette inscription du bassin
minier du Nord-Pas-de-Calais a aussi reconnu ? Pourquoi est-ce aussi important ?

....

Vingt ans après, le permis à points est toujours contesté

En introduction du bilan 2010 du permis à points, la Sécurité routière compare la courbe descendante de la mortalité routière à la courbe ascendante du nombre de points retirés. « *Depuis son instauration, en 1992, le système du permis à points a contribué à réduire de plus de la moitié le nombre de personnes tuées sur les routes de France* ». [...] *C'est pourquoi, considérant que des gens continuent de mourir tous les ans sur les routes*, « *le permis à points est indispensable à la poursuite de la lutte contre l'insécurité routière* », ajoutent les rédacteurs de ce rapport. Une corrélation qui ne parvient pas à convaincre les associations de défense des automobilistes, pour qui le « tout-répressif » symbolisé par le retrait automatique de points en fonction des infractions définies par le code de la route n'est pas un facteur déterminant de la baisse constante de la mortalité sur les routes.

Pour preuve, le débat qui a surgi à la publication des résultats de la mortalité routière de février. Alors que la Sécurité routière se félicitait, le 7 mars, d'une baisse de la mortalité routière de 25,3 % pour le mois de février, [...] pour l'association 40 Millions d'automobilistes, qui se définit comme le « *premier représentant national des automobilistes auprès des pouvoirs publics* », ce résultat historique n'est pas à porter au crédit de la répression policière. Dans un communiqué, l'association explique qu'il faut plutôt considérer l'impact des « *conditions hivernales très dures que la France a pu connaître pendant près de quinze jours* », ainsi que l'influence de « *la crise économique et la flambée des prix des carburants qui amènent les Français à limiter leurs déplacements* ».

Une monstruosité juridique

[...] Depuis la loi du 10 juillet 1989, date de son instauration, le retrait de points est une sanction administrative et non pas pénale. Quand un automobiliste a perdu les douze points de son permis (ou seulement six points, s'il s'agit d'un permis probatoire), l'annulation de son permis peut être faite automatiquement, sans passer par le tribunal pénal. Une situation, qui, pour l'association (40 Millions d'automobilistes), « *porte atteinte aux libertés individuelles, car elle ne permet pas aux personnes concernées de disposer d'un moyen de défense qui pourrait leur permettre d'obtenir une sanction adaptée à leur situation propre* ». [...]

Francis Rongier, membre du Front national [...], fondateur du Mouvement pour un permis sans points, estime que le permis tel qu'il existe aujourd'hui est « *une monstruosité juridique, sociale et économique [...], un permis infantile et sans incidence sur la sécurité routière* ». [...]

Face au schéma produit par la Sécurité routière, il exhume une note de synthèse datant de mars 2006. [...] Selon cette note, les facteurs liés à l'infrastructure (route, équipement, environnement) entrent en jeu dans 50 % des accidents mortels, et les facteurs liés aux véhicules (pneumatiques sous-gonflés, mauvaise suspension) dans 30 % des cas. [...]

Grand excès de vitesse démagogique

[...] Parmi tous les détracteurs du permis à points, les plus violents sont en effet les membres du Front national. En février 2012, Marine Le Pen, alors candidate à la présidentielle, s'est rendue sur le bord de la RN20 dans l'Essonne, à l'endroit même où Nicolas Sarkozy avait inauguré en 2003 le premier radar automatique, pour proposer l'abrogation du permis à points. « *Il s'agit d'un lieu symbolique d'une dérive lente mais certaine d'une politique de sécurité routière vers une politique de chasse à l'automobiliste, vache à lait pour les finances de l'État* », avait alors déclaré Mme Le Pen.

Dans un communiqué, l'association Victimes et citoyens avait réagi en qualifiant ses déclarations de « grand excès de vitesse démagogique ». « *Prôner l'abolition du permis à points [...], c'est oublier que si la France est passée de plus de huit mille morts en 2000 à environ quatre mille aujourd'hui, c'est grâce, notamment au renforcement de l'efficacité de la chaîne contrôle-sanction. [...] Les propositions de Marine le Pen ne peuvent pas être qualifiées de "propositions pour la sécurité routière". Ce sont des propositions pour gagner des voix* ». [...]

http://www.lemonde.fr, 1er juillet 2012.

D comme... DELF

///

Répondez aux questions. ///

1 • Cochez VRAI ou FAUX et justifiez votre réponse en citant un passage du texte.

	VRAI	FAUX
1. Le nombre de tués sur les routes diminue autant que le nombre de points retirés augmente. Justification :		
2. Comme il y a toujours des morts sur les routes, la sécurité routière doute de la pertinence du permis à points. Justification :		
3. Les associations de défense des automobilistes ne sont pas convaincues de l'efficacité du permis à points sur la diminution du nombre de morts sur les routes. Justification :		
4. En février 2012, il y a eu environ un quart de morts en moins sur les routes. Justification :		
5. Selon le premier représentant national des automobilistes, il faut attribuer cette diminution aux conditions climatiques et aux problèmes économiques. Justification :		

2 • En quoi le retrait de points est-il une sanction administrative et non pénale ?

....

3 • Pourquoi cette sanction est-elle considérée comme une atteinte aux libertés individuelles ? Répondez en reformulant les éléments du texte.

....

4 • Comment le fondateur du Mouvement pour un permis sans points juge-t-il ce permis ? Reformulez ses paroles.

....

5 • Quels sont ses arguments ? Répondez en reformulant les éléments du texte.

....

6 • Cochez (✗) les affirmations exactes.
   a. ☐ Les opposants les plus violents au permis à points sont les membres du Front national.
   b. ☐ Marine Le Pen est allée avec Nicolas Sarkozy là où se trouve le premier des radars, inauguré en 2003.
   c. ☐ Marine Le Pen assimile la Sécurité routière à un organisme qui harcèle les automobilistes pour leur soutirer le plus possible d'argent.

7 • Comment l'association Victimes et citoyens considère-t-elle la déclaration de Marine Le Pen ?

....

ACTIVITÉ 24

L'appel du français

Le Québec est devenu au fil des ans une région très attractive pour des populations ayant une connaissance du français.

Les chiffres sont du ministère québécois de l'Immigration et des Communautés culturelles : en 2007, 60,4 % des immigrés qui se sont installés au Québec suite à la politique d'accueil des étrangers de la Belle Province avaient une connaissance du français. Alors qu'ils n'étaient que 18,3 % ayant une connaissance de l'anglais et 21,3 % ayant une connaissance d'une autre langue. Toujours à partir de ces statistiques, on sait que sur les cinq principaux pays de naissance des personnes qui se sont installées au Québec entre 2003 et 2007, deux pays francophones occupent les premières places (l'Algérie et la France), et le Maroc se classe au quatrième rang. Et rien que sur l'année 2007, les trois premiers pays de naissance des personnes qui ont émigré au Québec sont le Maroc, la France et l'Algérie. Des pays francophones donc. En clair, le français est aujourd'hui un des principaux critères du choix de la destination Québec.

Qu'est-ce qui peut justifier cette situation ? Principalement le fait que le Québec fasse de cette immigration francophone une sorte de priorité. Cette volonté politique est exprimée dans les différents sites officiels ou messages d'appel vantant les capacités et les conditions d'accueil du Québec. Ainsi sur le site du gouvernement québécois consacré à l'immigration, on lit dès la page d'accueil et de manière extrêmement visible que « le Québec est une société très largement francophone qui a fait du français sa langue officielle. Le français y est donc la langue de l'État et la langue normale et habituelle du travail, de l'enseignement des communications, du commerce et des affaires ». De même, en règle générale, les autorités québécoises en charge des questions d'immigration privilégient les francophones. La grille de sélection québécoise accorde à la connaissance du français une grande importance. Un questionnaire permet d'estimer les chances d'être sélectionné par le Québec et l'une des parties les plus importantes de ce questionnaire porte exclusivement sur les connaissances en français.

Proximité linguistique

Autre phénomène qui prend beaucoup d'envergure ces dernières années : l'attraction qu'exerce de plus en plus le Québec sur les populations originaires d'Amérique centrale ou d'Amérique du Sud. Des diplômés ou des cadres colombiens, mexicains ou péruviens traversent les États-Unis pour s'installer au Canada. Parmi les « produits d'appel », la langue française. Pour beaucoup, passer de leur langue d'apprentissage scolaire, l'espagnol, au français ne semble pas insurmontable, vu les éléments de proximité entre ces deux langues. Si cette immigration, en croissance ces dernières années, reste faible comparée à celle des populations francophones, elle n'en devient pas moins un phénomène important, scruté par divers spécialistes québécois. Plusieurs études montrent en effet qu'après les immigrés francophones, les Latino-Américains présentent le plus d'aptitudes à une bonne intégration dans la société québécoise. D'autant plus qu'ils peuvent bénéficier, comme d'ailleurs tous les immigrés au Québec ne parlant pas français, de possibilités d'apprentissage de la langue. En effet, différentes formules de cours de français sont proposées aux immigrants, avec des possibilités d'aide financière accordée par le ministère de l'Immigration et des Communautés culturelles.

Jackson Njiké, *Francophonies d'Amérique du Nord,*
Supplément du « Français dans le Monde, n°358,
juillet-août 2008, page 16.

Répondez aux questions.

1 • Comment s'explique le fait que la langue soit l'un des critères principaux pour le choix du Québec ?

2 • Comment cela se manifeste-t-il ?

3 ● Cochez VRAI ou FAUX et justifiez votre réponse en citant un passage du texte.

	VRAI	FAUX
1. En 2007, au Québec, dix-huit immigrés sur cent ne parlaient pas l'anglais. Justification :		
2. En 2007, au Québec, six immigrés sur dix parlaient français. Justification :		
3. En 2007, la France, l'Algérie et le Maroc étaient les trois pays d'origine du plus grand nombre des immigrés. Justification :		
4. La plupart des immigrés qui choisissent ce pays le font parce qu'ils parlent français. Justification :		

4 ● Cochez (**X**) les affirmations exactes.
    a. ☐ Le français est la langue du Québec, dans tous les domaines.
    b. ☐ Les autorités canadiennes dans leur ensemble privilégient l'immigration des francophones.
    c. ☐ Dans les documents d'immigration au Québec, la langue française y occupe une large place.
    d. ☐ Le candidat à l'immigration peut estimer ses chances d'acceptation dans un questionnaire où le français est très important.

5 ● De quelle(s) origine(s) sont, depuis peu, les autres candidats à l'immigration au Québec ?
À quelle catégorie socio-professionnelle appartiennent-ils ?

....

....

6 ● Pour quelle raison choisissent-ils le Québec et non les États-Unis ? Quel avantage les autorités québécoises trouvent-elles à cette immigration ?

....

....

7 ● De quelle façon ces nouveaux immigrants sont-ils aidés par le Québec pour apprendre le français ?

....

....

ACTIVITÉ 25

Des baby-tablettes pour les premiers apprentissages

Pour Noël, les fabricants de jouets proposeront toute une gamme de tablettes numériques conçues pour les enfants à partir... de 18 mois. Vendredi 29 juin, la société chinoise Vtech a ainsi présenté son offre, Storio2, conçue pour les 3-9 ans, en vente dès septembre, ainsi qu'une « baby tablette » utilisable par les tout-petits et commercialisée fin octobre. Les fabricants Lexibook, LeapFrog, Oregon Scientific ont également tous en soute une offre pléthorique.

Car les enfants sont séduits par cet objet qu'acquiert un nombre croissant de parents : 1,5 million de tablettes ont été vendues en France en 2012, selon le cabinet d'études GFK. « *Le marché des tablettes pour enfants pourrait, lui, atteindre 500 000 pièces vendues en 2012, soit pratiquement autant que les produits pour les adultes en 2010* », estime Sylvie Bannelier, directrice du développement des produits chez Vtech.

Un échantillon de 300 mères d'enfants âgés de 1 à 6 ans ont été interrogées en mai par l'Institut des mamans, spécialiste des études auprès des femmes enceintes, des mères et des enfants. Sur les 56,7 % de femmes qui possédaient un smartphone et les 18,9 % une tablette, 85 % ont déclaré que leur enfant était attiré par leur appareil et 80,2 % d'entre elles qu'il l'utilisait. Plus de la moitié – 57,9 % – d'entre elles avaient déjà téléchargé des applications destinées aux enfants.

Que font les petits lorsqu'ils ont un écran tactile en main ? Principalement des jeux (74,9 %), mais ils regardent aussi des photos (70,6 %), font des coloriages, du dessin (57,8 %), regardent des vidéos (52,6 %), écoutent de la musique (49,2 %). Moins nombreux sont ceux qui font des exercices éducatifs (33,6 %), et encore moins ceux qui lisent (14,6 %).

Si elles laissent leurs enfants utiliser ces supports, les mères n'y sont pas toutes favorables. En premier lieu par peur qu'ils les fassent tomber et ne les abîment, parce qu'elles jugent leur contenu inapproprié, ou par crainte que l'enfant ne passe des heures devant un écran.

Michael Stora, psychologue et psychanalyste, fondateur de l'observatoire des mondes numériques, estime que, bien utilisé, l'objet présente un réel intérêt en matière d'apprentissage : « *Pour les enfants, ce qui permet de monter en puissance dans l'apprentissage, c'est la valorisation. Or, dans les jeux vidéo il y a une mise en scène des récompenses. Le jeu vidéo confronte aussi au fait de perdre, et c'est grâce à cela que l'enfant va avoir envie de gagner, surtout entre 1 et 6 ans, tranche d'âge où l'enfant se croit tout-puissant.* »

L'écran tactile permet aussi au petit de « *manipuler une image, une information pour se l'approprier* », affirme M. Stora. Contrairement à d'autres spécialistes, comme le psychiatre Serge Tisseron, qui juge « nuisible » l'usage de la tablette avant 3 ans, M. Stora estime qu'il n'y a pas de danger à ce que les petits jouent avec des images, mais il est important qu'il y ait du jeu et du contenu éducatif. « *L'enfant adore jouer par « essai-erreur », où c'est l'erreur qui lui permettra de comprendre où se trouve la bonne réponse, alors qu'à l'école, très souvent, la mauvaise réponse est sanctionnée* », poursuit-il.

La tablette permet aussi de combler une forme de séparation entre l'enfant et ses parents, explique-t-il. « *Mais la tablette ne doit pas remplacer la maman. Ce n'est pas une nurse digitale.* » Madame Bannelier, pour sa part, conseille aux parents de limiter l'usage de ces objets à une demi-heure par jour.

Cécile Prudhomme,
Le Monde, 3 juillet 2012.

///
///

Répondez aux questions. ///

1 ● Quel nouveau type de jouet sera proposé aux enfants pour Noël ? Il concernera les enfants de quel âge ?

....

2 ● Quelle est la preuve du succès de ce « jouet » auprès des parents et des enfants ?

....

3 ● Cochez (✗) les affirmations exactes.
    a. ☐ Les mères interrogées par l'Institut des mamans avaient des enfants de 1 à 9 ans.
    b. ☐ Plus d'une mère sur deux avait un smartphone, et près d'une mère sur cinq avait une tablette.
    c. ☐ Parmi les mères possédant smartphone ou tablette, huit sur dix ont assuré que leurs enfants
        utilisaient leur appareil.
    d. ☐ Plus de la moitié des mères possédant un smartphone ou une tablette ont déclaré hésiter
        à télécharger des applications pour les enfants.

4 ● Parmi les activités mentionnées :
    a. quelles sont les deux les plus pratiquées ?
    b. quelles sont les deux les moins pratiquées par les enfants ? Reformulez les pourcentages.

....

5 ● Tous les spécialistes sont-ils pour l'utilisation de la tablette par les enfants avant l'âge de 3 ans ?
Connaît-on les arguments avancés pour ou contre cette utilisation ?

....

6 ● Selon la directrice du développement des produits chez le fabricant Vtech, à quoi ne faut-il pas
assimiler la tablette ? À combien de temps par jour faut-il limiter son utilisation ?

....

7 ● Cochez VRAI ou FAUX et justifiez votre réponse en citant un passage du texte.	VRAI	FAUX
1. Comme le prouve l'enquête, toutes les mères sont pour l'utilisation des tablettes. Justification :		
2. Quand les enfants utilisent leurs tablettes, les mères ont peur qu'ils ne les abiment. Justification :		
3. Les mères doutent de la fonction éducative des tablettes. Justification :		
4. Selon le fondateur de l'observatoire des mondes numériques, les jeux vidéo permettent à l'enfant d'apprendre à perdre mais aussi de valoriser ce qu'il apprend. Justification :		
5. Ce spécialiste est favorable à ce que les enfants jouent avec les images de façon ludique ou non. Justification :		
6. Les erreurs ne sont pas sanctionnées quand l'enfant fait un exercice sur une tablette, contrairement à ce qui se passe dans le cadre scolaire. Justification :		

II Comprendre un texte argumentatif

Activités de préparation

Comprendre un texte argumentatif implique d'identifier, si possible rapidement en situation d'évaluation :
- la prise de position de l'auteur, son avis, par rapport au thème abordé ;
- les arguments utilisés pour convaincre le lecteur ;
- et, pour ce faire, identifier les articulateurs permettant de les introduire.

ACTIVITÉ 2

Il est possible, dès le premier « survol » du texte, en fonction souvent de son titre, de son chapeau, des intertitres d'appréhender la position de l'auteur du texte.
Une lecture plus attentive permet, en fonction des verbes et /ou des expressions utilisés, de préciser cette prise de position.
Celle-ci peut en effet prendre différentes tonalités, allant de la certitude absolue de la thèse défendue au rejet catégorique de la contre-thèse en passant par la concession, la nuance, dans la confrontation des deux thèses.

Lisez les expressions suivantes. Cochez (X) ce à quoi elles correspondent.

Expressions	Certitude	Concession	Nuance	Rejet
Il est aberrant de penser que…				
Disons plutôt que…				
S'il est exact que…				
Je suis persuadé que…				
Cela n'est pas aussi simple…				
Comment peut-on croire…				
Il est incontestable que…				
Il est en effet possible…				
Il est certain que…				
En fait, tout dépend de…				
J'admets volontiers que…				
Il est inadmissible…				

D comme... DELF

//

ACTIVITÉ 3

Les articulateurs logiques ou argumentatifs permettent, après l'énoncé d'un point de vue, d'introduire : une concession, une opposition, une explicitation, un élément complémentaire ou encore la conclusion du raisonnement.

Observez les articulateurs suivants. Cochez (X) ce qu'ils expriment. //////////////////////////////////////

Mots et expressions	Concession	Opposition	Explicitation	Complément	Conclusion
Or...					
Cependant...					
En résumé...					
En effet...					
Tandis que...					
Autrement dit...					
Toutefois...					
En revanche...					
Ainsi...					
Somme toute...					
En outre...					
Pourtant...					
De ce fait...					
En conclusion...					
Alors que...					

Activités de compréhension des écrits

ACTIVITÉ 4

L'école en crise ?

Le modèle républicain à l'épreuve

Alors que l'école a longtemps évoqué le symbole républicain par excellence, d'après un sondage Ipsos réalisé en juillet 2011, 64 % des personnes interrogées estiment que l'institution fonctionne plutôt mal, notamment pour assurer l'égalité des chances. Les évaluations nationales et internationales semblent appuyer cette représentation. En effet, d'après les enquêtes PISA, les performances des écoliers et lycéens français baissent tout en se maintenant dans la moyenne des pays de l'OCDE. Dans ce contexte, quel bilan peut-on dresser de notre système éducatif et des multiples réformes dont il fait l'objet depuis quelques années ? Quelles difficultés l'école rencontre-t-elle pour assurer sa mission de transmission des savoirs et de justice sociale ?

Sur le long terme, l'installation durable du chômage de masse et l'élévation du niveau général de diplôme ont renforcé la compétition pour l'entrée dans la vie active et accru l'inégale valeur des diplômes. De plus, depuis une quinzaine d'années, le système scolaire français semble devenir de moins en moins équitable au regard de l'origine sociale des élèves. Ainsi, la polarisation entre élèves et entre établissements les plus et moins favorisés s'accentuant, le système éducatif tend à ne plus jouer son rôle compensatoire des inégalités sociales. Quant aux universités, aucune ne figure actuellement parmi les vingt mondiales dans les classements internationaux des universités, dont celui de Shanghai. Enfin, on assiste à une diminution des vocations dans l'enseignement.

Pourtant, le système éducatif a fait, et continue de faire, l'objet de nombreuses réformes. Ainsi, celle de la filière professionnelle s'est avérée un succès. On assiste également à un véritable bouleversement des modes de gouvernance de l'Éducation nationale. Mais, le contexte actuel marqué par des restrictions budgétaires ne favorise pas l'efficience de ces changements tandis que les évolutions socioéconomiques actuelles appellent davantage d'investissements pour l'éducation et la recherche. De nouvelles mesures sont déjà envisagées pour la réforme du recrutement des enseignants au bout d'un an d'application.

Face à ces constats, l'école fait l'objet d'une crise de confiance quant à son efficacité et sa mission d'égalité des chances. Différentes solutions sont proposées dont l'instauration d'une plus grande flexibilité de l'offre éducative ou agir dès la petite enfance sur l'environnement socio-économique des parents. Pour certains, le système éducatif tendrait à se limiter à une fonction de socialisation. Pour d'autres, il faudrait repenser le principe méritocratique fondateur de l'école. Les problématiques de l'école dépassant les seules politiques éducatives, notre société attendrait peut-être trop de l'institution. Ce sont bien les valeurs et principes même de l'école qui sont en jeu, valeurs et principes aux fondements de notre pacte social républicain.

Céline Persini, *Cahiers français*, n°368,
mai-juin 2012, Éditorial, p. 1.

Répondez aux questions en cochant (X) la bonne réponse.

1 • Le premier paragraphe de cet éditorial révèle que, selon un sondage, pour deux tiers des personnes interrogées :
   a. ☐ l'école, malgré les épreuves, représente toujours le modèle républicain
   b. ☐ grâce à l'école, l'égalité des chances reste présente
   c. ☐ l'école est une institution qui connaît actuellement des problèmes
   d. ☐ les résultats scolaires des Français sont plutôt stables

2 • Les deux questions posées à la fin de ce même paragraphe :
   a. ☐ correspondent aux préoccupations des Français
   b. ☐ annoncent les sujets traités dans le numéro du magazine où figure l'éditorial
   c. ☐ figuraient dans le sondage Ipsos.
   d. ☐ sont à l'origine des évaluations nationales et internationales

3 • Dans le deuxième paragraphe, on affirme que :
   a. ☐ il est de plus en plus difficile de rentrer dans la vie active à cause du chômage
       et de l'augmentation du nombre de haut-diplômés
   b. ☐ dans le système scolaire français, l'égalité d'origine sociale des élèves est préservée
   c. ☐ il y a toujours autant de candidats à la profession d'enseignant
   d. ☐ les universités françaises figurent à une assez bonne place dans les classements internationaux

4 • Le troisième paragraphe fait état :
   a. ☐ de l'insuffisance actuelle des réformes dans le système éducatif
   b. ☐ de l'effort financier fourni pour réaliser les réformes envisagées
   c. ☐ du nouveau mode de recrutement des enseignants déjà en place
   d. ☐ des bons résultats des réformes effectuées dans la filière professionnelle

5 • Le dernier paragraphe mentionne :
   a. ☐ le doute que suscite l'efficacité de l'école
   b. ☐ la réussite de l'école en matière d'égalité des chances
   c. ☐ la nécessité de mieux structurer les cours proposés
   d. ☐ l'inutilité de prendre en compte le milieu socio-économique des parents

6 • D'après la conclusion de l'éditorial, comment la société pourrait-elle trouver une solution à la crise de l'école ? Reformulez les mots du texte.

....

....

ACTIVITÉ 5

Lisez de nouveau le texte précédent.

1 • Relevez les articulateurs de chacun des quatre paragraphes.

....

2 • Dans le troisième paragraphe,
   – quel articulateur oppose ce paragraphe au précédent ? ....

   – quels rôles jouent les autres articulateurs ? ....

3 • Dans le dernier paragraphe, quelles expressions montrent, par leur opposition, que l'auteur présente la situation afin que le lecteur se fasse sa propre opinion ?

....

Les régimes contre l'obésité sont inefficaces

Depuis dix ans, le nombre d'obèses a augmenté de 50 %. Il faut donc agir ! Certes, mais comment ? Les solutions proposées par les différentes instances gouvernementales mettent à jour l'insuffisance des connaissances, tant sur le plan théorique que pratique, et aboutissent à des politiques de Gribouille.

Comment, par exemple, le Programme national nutrition santé (PNNS) français peut-il encore engager tout un chacun à réduire sa consommation de gras, s'opposant ainsi à l'Agence française de sécurité sanitaire des aliments (Afssa) qui, en 2010, vient de relever les apports conseillés en lipides de 35 % à 40 % au lieu de 30 % à 35 % ? L'agence note que 30 % des Français se situent au-dessous du seuil de consommation recommandé. Elle note aussi que la proportion de lipides de la ration alimentaire ne saurait être la cause de l'obésité. Pourtant, l'Afssa conclut en recommandant à tous de suivre les préceptes du PNNS : manger moins gras. [...]

Le rapport de l'Agence nationale de sécurité sanitaire de l'alimentation (Anses) de 2010 sur « l'évaluation des risques liés aux pratiques alimentaires d'amaigrissement », établi par un comité d'experts indépendants, démontre clairement l'inefficacité des réponses d'ordre diététique dans le traitement de l'obésité. La majorité des régimes amaigrissants peut à la longue induire des déséquilibres nutritionnels graves, préjudiciables à la santé physique. [...]

Au total, 90 % à 95 % des patients soumis à un régime, équilibré ou non, reprendront le poids perdu dans les trois années qui suivent, ainsi que le montrent les études citées. Beaucoup d'entre eux

verront leur surpoids ou leur obésité s'aggraver ! Ainsi qu'il est écrit en toutes lettres dans le rapport : « *Au final, la "solution" diététique aggrave souvent le "problème" pondéral.* »

Si la diététique n'est pas la solution, est-elle à rechercher du côté des médicaments ? Non, malheureusement. [...] Le Groupe de réflexion sur l'obésité et le surpoids (Gros) s'est toujours défié de médicaments qui, au mieux, n'ont que des effets temporaires et, au pire, se révèlent dangereux. L'association stipule dans sa charte, établie en 1998, que les régimes amaigrissants, quels qu'ils soient, sont des pratiques inefficaces et nocives, et que les conseils nutritionnels ne sont pas une réponse pertinente face à la montée de l'obésité.

Que faut-il encore pour que le corps médical, les instances gouvernementales, les différents médias disent, non pas en catimini, mais haut et fort, que les solutions diététiques ne sont pas la bonne méthode pour venir à bout des problèmes pondéraux ? Faudra-t-il, comme l'a fait Irène Frachon avec le Mediator, qu'on procède à l'inventaire des dégâts causés par les régimes amaigrissants ? Faudra-t-il comptabiliser les troubles du comportement alimentaire, les dépressions, les troubles psycho-émotionnels, les vies détruites ? Faudra-t-il faire le décompte des kilos accumulés sur le long cours

à force de régimes amaigrissants, et rappeler que ces obésités créées ou entretenues par les régimes génèrent diabète, cancers, troubles cardio-vasculaires et diminution de l'espérance de vie ? Que faire pour qu'enfin chacun prenne ses responsabilités ? Et qui le dira ? Le marché de la minceur fait vivre beaucoup de monde. Que de conflits d'intérêts ! Quels sont les médias qui seront en position de les dénoncer avec suffisamment de force ?

Sans régime ni médicament, les médecins se sentent réduits à l'impuissance. D'autant plus que les avancées de la physiologie montrent que tout le monde ne maigrira pas, en tout cas pas autant qu'il le désire, pas autant que le recommandent des politiques de santé irresponsables. Car une fois que les cellules graisseuses se sont multipliées, le retour au poids initial est loin d'être garanti.

Pourtant, renoncer aux régimes n'est pas capituler devant l'obésité, bien au contraire ! Renoncer aux régimes, c'est s'ouvrir à d'autres approches, plus élaborées, plus respectueuses de la physiologie et de la psychologie des personnes. Les praticiens de notre association ont fait des propositions constructrices concernant la prévention de l'obésité. [...] Nous souhaitons que les moyens permettant de les évaluer scientifiquement soient mis en œuvre, afin qu'on puisse en généraliser la pratique.

Gérard Apfeldorfer, psychiatre, président d'honneur du Groupe de réflexion sur l'obésité et le surpoids (Gros), Jean-Philippe Zermati, nutritionniste, président d'honneur du Gros, Bernard Waysfeld, psychiatre, nutritionniste, président du Gros, *Le Monde*, 13 janvier 2011.

Répondez aux questions en cochant (X) la bonne réponse.

1 • **L'idée principale du chapeau est que :**
   a. ☐ il faut trouver une solution contre l'obésité qui progresse
   b. ☐ rien ne peut agir contre l'obésité
   c. ☐ les mesures actuelles ne sont efficaces qu'au plan théorique
   d. ☐ les mesures actuelles ne sont efficaces qu'au plan pratique

2 • **Le deuxième paragraphe révèle que le PNSS et l'Afssa :**
   a. ☐ ont des positions totalement opposées
   b. ☐ s'accordent en fait sur la nécessité de manger moins gras
   c. ☐ s'accordent sur le fait que le gras est la cause de l'obésité
   d. ☐ ont tous deux décidé de relever les apports conseillés en lipides

3 • **Le rapport de l'Anses démontre que les pratiques d'amaigrissement :**
   a. ☐ ne sont efficaces que dans certains cas
   b. ☐ sont toujours la cause de conséquences néfastes
   c. ☐ sont suivies par la presque totalité de la population
   d. ☐ sont non seulement inefficaces mais peuvent être dangereuses

4 • **Les quatrième et cinquième paragraphes mettent en évidence que :**
   a. ☐ la moins mauvaise solution contre l'obésité réside dans la diététique
   b. ☐ les médicaments peuvent constituer une solution contre l'obésité
   c. ☐ ni la diététique ni les médicaments ne sont des solutions contre l'obésité
   d. ☐ la diététique associée aux médicaments offre une solution contre l'obésité

5 • **Dans le sixième paragraphe, les auteurs manifestent leur mécontentement face :**
   a. ☐ aux mesures prises par les médecins et le gouvernement contre les régimes
      et leurs conséquences
   b. ☐ à l'inertie des médecins et du gouvernement qui ne dénoncent ni les régimes
      et leurs désastreuses conséquences ni les fausses solutions
   c. ☐ aux régimes qui entretiennent en fait l'obésité et génèrent des maladies
   d. ☐ aux médias qui continuent de vanter les solutions diététiques contre l'obésité

Répondez aux questions.

6 • **Que traduit l'avant-dernier paragraphe ? Répondez avec vos propres mots.**

....

7 • **Comment analysez-vous la conclusion apportée par le dernier paragraphe ?**

....

ACTIVITÉ 7

Lisez de nouveau le texte précédent.

   • **Relevez les expressions et les mots relatifs au domaine de l'obésité et des régimes.**

....

....

....

ACTIVITÉ 8

Des tweets et des lettres

Happés par le réseau social à la mode, les écrivains balancent entre séduction et détestation, dans une querelle revisitée des Anciens et des Modernes. Avis tranchés !

« Tweeter ou ne pas tweeter, telle est la question » : ce commentaire de David Foenkinos, posté le 3 juillet, résume le dilemme de l'écrivain français tenté à son tour de « gazouiller » – traduction en français de *to tweet* – sur le réseau de micro-blogging aux 383 millions d'utilisateurs dont 5,7 millions en France, créé en 2006 à San Francisco. D'emblée pris d'assaut par les auteurs étrangers les plus célèbres […], avec plus ou moins de bonheur, Twitter semble encore rebuter nos «gensdelettres». Comme s'ils craignaient d'y laisser leur plume. Comme s'ils flairaient quelque danger à s'exhiber dans cette vitrine, ô combien tentante, pour flatter facilement n'importe quel ego : annoncer la sortie de son prochain livre, la parution d'un article louangeur sur le précédent, un passage à la télévision, sa présence dans une librairie, une séance de dédicace… Bref, la moindre actualité du « moi ». C'est du reste l'usage qu'en font aussi bien Marc Lévy plus porté à poster des photos […] que Bernard-Henri Lévy qui n'a jamais tweeté. […] Plus étonnant, les jeunes écrivains Maxime Chattam ou Henri Loevenbruck, auteurs à succès de polars tendance « geek », sont peu présents sur Twitter. David Foenkinos, qui y fait ses premiers pas, se défend, quant à lui, de l'utiliser « comme un outil promotionnel » et ne jure que par les échanges avec ses *followers* (abonnés). […]

Tatiana de Rosnay a 20 000 tweets au compteur

La pionnière Tatiana de Rosnay, « connectée » dès 2009, est sur le même registre : « Twitter est une fenêtre sur le monde. Il faut juste savoir ce que l'on veut regarder et ce que l'on veut donner à voir de soi. » L'auteur du best-seller mondial *Elle s'appelait Sarah,* suivie par 7 000 followers, a signé à ce jour quelque 20 000 tweets. […] « *Ces 140 signes impartis par Twitter sont du sur mesure pour un écrivain, un exercice de style merveilleux. Nous, les Anglo-Saxons, y sommes plus à l'aise.* » […] Avec quelque 60 000 fidèles, Bernard Pivot, 77 ans, l'inoubliable animateur d'*Apostrophes,* est devenu la star française du réseau, témoignant d'un art de la conversation qui vaut à ses commentaires d'être régulièrement « retweetés », c'est-à-dire retransmis en l'état par ses abonnés. À commencer par le désormais fameux : « *Les tweets sont des télégrammes décachetés.* » Bernard Pivot goûte « la concision et la brièveté exigées par ce média », nous confie-t-il […] À ses yeux Twitter offre trois avantages. Il lui permet de s'exprimer – en mettant un point d'honneur à ne jamais écrire en abréviations […]. De se tenir informé de la vie de l'édition *via* des comptes spécialisés. De discuter avec des « twitteurs » et des « twitteuses » – Pivot préférant ce terme à celui de « twittos », retenu par l'édition 2012 du Larousse. Et, aussi, malgré tout, un peu de « promo » […]

Yann Moix dénonce du « vent commenté »

Mais s'exposer, c'est aussi offrir une cible. Nul n'est épargné. […] Telle est la nouvelle règle du jeu, sans pitié. Certains la refusent. L'écrivain et chroniqueur au *Figaro littéraire* Yann Moix a fini par fermer son compte. « Twitter ? Du vent commenté. Une manière d'être présent au monde sans y participer et d'entériner une société du caquetage, du commérage », fulmine-t-il. Frédéric Beigbeder est plus radical. Pas question de céder aux sirènes gazouilleuses. Alexandre Jardin, qui a cessé de tweeter, le temps d'écrire un nouveau roman, est partisan de la voie médiane : « *Twitter est un flux : cela n'a rien à voir avec l'écriture qui engage l'être. Mais c'est délicieux.* » Tatiana de Rosnay abonde dans ce sens. Positive, elle voit même dans certains tweets de « véritables haïkus ». […] Twitter peut se révéler comme un formidable « laboratoire littéraire ». C'est la thèse de Yann Leroux, auteur du blog Psy et geek : « *Voilà un espace à même de stimuler la fibre expérimentale des artistes. Je ne doute pas que les écrivains vont mélanger les codes théoriques de l'écriture et les codes numériques.* » […]

Alors, progrès ou régression ? Twitter ne serait-il pas à l'inverse, « un mode d'expression déculturé, sommaire, créant une classe moyenne universelle », comme l'affirme Marc Lambron ? Dans le landerneau littéraire, les positions sont tranchées. Radicales. Seule certitude : la nouvelle bataille d'Hernani passe par la technologie.

Delphine Peras, *L'Express,*
18 juillet 2012, pp 65 et 66.

D comme... DELF

//

Répondez aux questions. //

1 ● Le début du texte est un palimpseste, une reprise d'un célèbre dilemme littéraire.

Lequel ? ....

Quelle implication cela a-t-il pour les tweets ?

....

Répondez aux questions en cochant (X) la bonne réponse. ///

2 ● Dans le premier paragraphe il apparaît que les écrivains français :
   a. ☐ « tweetent » tous, sans retenue et avec enthousiasme
   b. ☐ se refusent, dans leur majorité, à « tweeter »
   c. ☐ hésitent encore, pour la plupart, à « tweeter »
   d. ☐ ne voient pas quel intérêt il y a à « tweeter »

3 ● Dans ce même paragraphe la raison qui en est donnée est que certains écrivains :
   a. ☐ ont peur, en twittant, de perdre leur identité d'écrivain
   b. ☐ ne voient dans Twitter qu'un outil de promotion
   c. ☐ ne souhaitent pas dévoiler leur personnalité, leur identité
   d. ☐ pensent que Twitter n'apporte rien de nouveau dans les échanges

4 ● Dans le deuxième paragraphe, Tatiana de Rosnay dit voir dans Twitter :
   a. ☐ un outil potentiellement dangereux quelle que soit son utilisation
   b. ☐ un moyen de communication où excellent les Français
   c. ☐ la possibilité d'échanger avec les abonnés sans pour autant se dévoiler
   d. ☐ une extraordinaire possibilité d'exercer son talent d'écrivain en peu de mots

5 ● Dans ce même paragraphe, Bernard Pivot, célèbre animateur d'une ancienne émission littéraire, apprécie dans Twitter :
   a. ☐ que ses « tweets » soient recopiés par les abonnés et retransmis entre eux
   b. ☐ le fait de devoir exprimer sa pensée en peu de mots
   c. ☐ surtout de pouvoir suivre la vie éditoriale grâce à certains comptes
   d. ☐ essentiellement de pouvoir continuer à avoir des échanges avec ses lecteurs

6 ● L'avant-dernier paragraphe exprime le point de vue presque unanime d'écrivains :
   a. ☐ L'écriture sur Twitter n'est pas une écriture à part entière.
   b. ☐ Écrire sur Twitter est un acte qui engage complètement l'auteur.
   c. ☐ Twitter favorise l'écriture de petits poèmes.
   d. ☐ Twitter peut être considéré comme un formidable creuset de création littéraire.

7 ● Selon vous, l'auteur du texte assimile-t-il Twitter à un progrès ou à une régression ?
   Pour appuyer votre réponse, reformulez avec vos propres mots la question posée en conclusion.

....

....

....

ACTIVITÉ 9

J'opine, donc je suis

L'opinion désigne un état moyen du savoir que Platon situait assez bas dans l'échelle des connaissances) et elle relève d'ailleurs de la moyenne : sa validité statistique tient à la majorité des voix, critère inacceptable en sciences où la démonstration irréfutable d'un seul savant peut lui donner raison contre tous. Représentation par définition impure, l'opinion semble le royaume des sophistes, ces gens qui mettent au vote la vérité – mais comment s'en passer là où la démonstration scientifique fait défaut ? Or, la plupart de nos raisons sensibles, pratiques ou provisoires, n'accèdent guère aux lumières de la science : préférez-vous la voiture au Vélib', le vin de Bordeaux au bourgogne, Bach à Beethoven ? Les goûts et les couleurs de l'opinion brassent des croyances, des désirs, des amours ou des choix moins sujets à démonstrations qu'à d'intenses discussions, à de fiévreuses argumentations. L'opinion ne dit pas la vérité du monde, mais elle renseigne sur ses partisans : une élection ne prouve rien sur la viabilité d'une politique ou d'un programme, elle indique en revanche aussi nettement qu'un théorème ce que les gens pensent ou préfèrent, et elle est, comme telle, incontestable. En démocratie, l'opinion est indépassable.

Il y a donc une vérité, autoréférentielle ou expressive plutôt que référentielle, de l'opinion, et cette « connaissance basse » jouit d'un grand pouvoir d'attraction. En situation d'incertitude en effet, comme remarque Descartes sur l'exemple de l'homme perdu dans la forêt, il est avantageux de suivre le passant ou l'opinion dominante. Nombre d'activités de même ont intérêt à coller à la moyenne, chaque fois qu'on a quelque chose à proposer au public, idée, marchandise ou croyance : les annonceurs publicitaires mais aussi les hommes politiques, les écrivains, les journalistes ne peuvent demeurer tout à fait insensibles aux caprices de la mode ou de la tendance. J'opine donc je suis (du verbe *suivre*). Et l'on me suivra.

Par nos passions, nos désirs ou nos songes, nous demeurons en effet des animaux éminemment influençables. Notre chétive existence ne se soutient pas seule, il lui faut le renfort des autres, et une succession sans faille de bonnes relations ? La reconnaissance d'autrui prime donc, pour chacun, les valeurs de la connaissance ; et une communication chaleureuse, pourvoyeuse de lien ou de communauté, aura toujours meilleur visage que l'information susceptible de fâcher et de diviser. Quel courage il faut pour choisir d'enquêter, et pour chercher la vérité, plutôt que d'épouser les valeurs autrement reposantes du consensus et de la chaleur relationnelle – ou de la rumeur ! *« Il n'y a pas de fumée sans feu »* argumente celle-ci sans voir qu'elle-même, ou ceux qui la colportent, constituent précisément cette fumée. La rumeur est autoréférentielle de deux façons : elle s'entretient et se vérifie par sa propre propagation, et elle n'éclaire jamais que sur les désirs ou les phobies de ses vecteurs. Craignons un monde où les médias, fenêtres ouvertes sur les autres, ne seraient plus que les miroirs de notre narcissisme, asservis à nos peurs et à nos envies !

Daniel Bougnoux,
L'Express, 18 juillet 2012.

Répondez aux questions en cochant (X) la bonne réponse.

1 • Selon le texte, la validité statistique de l'opinion :
- **a.** ☐ ne peut être démontrée scientifiquement
- **b.** ☐ est toujours vérifiable scientifiquement
- **c.** ☐ est acceptable scientifiquement
- **d.** ☐ est par définition irréfutable

2 • L'opinion s'exprime généralement sur des sujets :
- **a.** ☐ qui requièrent des démonstrations
- **b.** ☐ qui appellent l'argumentation
- **c.** ☐ qui provoquent seulement des discussions
- **d.** ☐ qui sont peu scientifiques

3 • **En démocratie, l'opinion :**
   a. ☐ ne peut être considérée que comme l'expression de la vérité
   b. ☐ ne représente très exactement que les goûts et les idées des gens
   c. ☐ ne peut qu'être contestée
   d. ☐ n'est pas incontournable

4 • **La plupart du temps :**
   a. ☐ la vérité, exprimée par l'opinion générale ne présente aucun attrait
   b. ☐ il est plus profitable de suivre l'opinion générale
   c. ☐ il n'y a guère d'intérêt à suivre l'opinion générale
   d. ☐ il est difficile de ne pas suivre l'opinion générale

5 • **Quelles que soient les personnes qui font une offre au public, elles :**
   a. ☐ lui proposent ce qu'elles savent correspondre à l'attente générale
   b. ☐ ne jugent pas utile, la plupart du temps, de suivre les modes du moment
   c. ☐ ne se préoccupent pratiquement ni de ses attentes ni de ses choix
   d. ☐ lui imposent de façon adroite ses propres choix

6 • **L'idée principale du dernier paragraphe est que la plupart d'entre nous :**
   a. ☐ n'hésitent pas à afficher leur propre opinion face à celle des autres
   b. ☐ ne se soucient pas d'être en marge d'une société dont ils n'épousent pas les idées
   c. ☐ cherchent à savoir ce qui est exact plutôt que de faire confiance à ce qui se dit
   d. ☐ par manque de courage et par peur de fâcher leur entourage préfèrent donner crédit aux idées que colporte la rumeur publique

Répondez aux questions avec vos propres mots.

7 • **L'auteur approuve-t-il ce comportement ? Que craint-il ?**

....

....

8 • **En fonction du texte, comment faut-il comprendre son titre ? Comme une reformulation, un synonyme de la phrase de Descartes (« *Je pense, donc je suis.* ») ou comme son contraire ?**

....

....

....

ACTIVITÉ 10

Les fleurs sont-elles inoffensives à table ?

Très prisées des chefs étoilés, les roses, capucines ou soucis... accompagnent de plus en plus de plats. Pour des raisons esthétiques et gustatives. Mais attention aux effets toxiques.

Foie gras aux bégonias, scones aux soucis, salade de primevères et violettes... Si nous avons l'habitude de consommer des produits dérivés de fleurs – comme l'eau de fleur d'oranger ou les bonbons à la violette –, la cuisine florale demeure confidentielle. Voici quelques années, leur usage se limitait à quelques recettes de grand-mère. *« Les beignets d'acacia, la confiture de pissenlits vosgienne ou les fleurs de courgette témoignent d'un usage populaire et local des fleurs, parfois depuis l'Antiquité »*, rappelle Sandrine Auda, responsable d'une exploitation maraîchère spécialisée à Nice. Mais depuis peu, surfant sur l'attrait du terroir et de la nouveauté, des chefs étoilés britanniques puis français ont remis certaines fleurs sur leur piano pour en faire les ingrédients phares d'une cuisine gastronomique se voulant audacieuse. Vantées pour leur esthétique et leur saveur parfois très – voire trop – subtile, les fleurs comestibles sont pourtant des habitantes très communes de nos jardins et campagnes. Violette, roses, capucines, soucis... sont ainsi à la portée de toutes les bourses et de toutes les papilles. Attention cependant, quelques précautions sont indispensables à prendre pour ne pas transformer une cuisine savoureuse en cuisine vénéneuse.

Elles offrent des saveurs variées, avec un réel intérêt gustatif, même si certaines fleurs comestibles ne sont utilisées que sur des critères esthétiques (rose trémière, pensée sauvage). Ainsi la bourrache et sa cousine la consoude possèdent un goût iodé, tandis que la fleur de capucine se distingue par une saveur poivrée très prononcée. [...]

Elles restent pauvres en nutriments, vitamines et minéraux, à l'exception de la capucine qui possède quelques dérivés soufrés et de la vitamine C. Les fleurs se composent en effet d'eau à plus de 90 %. Seules leurs couleurs varient, en fonction des insectes qu'elles doivent attirer pour être pollinisées. Les fleurs du bleu au mauve (bourrache, violette, mauve, ciboulette) contiennent un pigment nommé anthocyane (du grec *anthos*, « fleur » et *kuanos*, « bleu sombre »). Les fleurs jaunes et orange (pissenlit, souci, capucine) possèdent des flavonoïdes (du latin *flavus*, « jaune »). Ces pigments sont, certes, de puissants antioxydants mais leur concentration dans les pétales crus étant infime, leur apport est insuffisant pour avoir un effet reconnu.

Commercialisées, les fleurs à déguster sont soumises à la même règlementation que les fruits et les légumes. [...] Alors que les plantes vendues en tant que denrées doivent respecter des limites maximales de résidus de pesticides, définies par substance active et par denrée, les fleurs décoratives ne sont pas soumises aux mêmes normes de sécurité. Les fleurs doivent donc impérativement provenir de culture biologique ou de production maraîchère pour pouvoir être consommées.

Elles peuvent provoquer des allergies, en raison de leur pollen. Les étamines, organe mâle des végétaux supérieurs, se situent au cœur de la fleur et servent de réceptacle au pollen. Si ce dernier est surtout connu pour son potentiel allergène lors de son contact avec l'organisme par les voies aériennes, provoquant des rhinites et des conjonctivites, son ingestion par des personnes allergiques peut provoquer des réactions graves. [...]

Attention, des fleurs communes peuvent être de véritables poisons. En effet, si les plantes aromatiques utilisées en cuisine produisent des fleurs comestibles (fleurs de basilic, de ciboulette, de pissenlit), d'autres sont susceptibles de porter une fleur toxique. C'est notamment le cas des tomates, pommes de terre et aubergines qui possèdent un glycoalcaloïde nommé solanine, pouvant provoquer de graves troubles alimentaires. La dose toxique de solanine est évaluée, chez l'homme, entre 2 et 5 mg/kg et les fleurs de pommes de terre en contiennent de 200 à 500 mg pour 100 g.

Certaines confusions lors de la cueillette peuvent même être fatales ! Ainsi, la consoude ressemble fort à la digitale en raison de ses grappes de fleurs violettes et roses d'environ un mètre de haut. Or cette dernière contient un hétéroside nommé digitaline. Ce puissant cardio-toxique ralentit le cœur et quelques dizaines de milligrammes de ce poison suffisent à provoquer la mort par arrêt cardiaque. [...]

Mieux vaut donc se munir d'un livre imagé avant de se lancer dans la cueillette des fleurs sauvages ou cultivées.

Marie-Noëlle Delaby,
Sciences et avenir, juin 2012, pp. 42-43.

//

Répondez aux questions en cochant (X) la bonne réponse. //

1 ● **Dans le premier paragraphe, il apparaît que la cuisine aux fleurs :**
   a. ❑ est toute nouvelle mais très présente sur les tables
   b. ❑ bien que de plus en plus répandue, est encore assez peu présente sur les tables
   c. ❑ était pratiquement inconnue il y a peu
   d. ❑ ne se trouvait que dans quelques recettes de grands-mères

2 ● **Les fleurs sont surtout choisies :**
   a. ❑ pour leur valeur gustative
   b. ❑ pour leur valeur esthétique
   c. ❑ pour leur saveur et leur esthétique
   d. ❑ pour leur originalité

3 ● **Belles et de saveur délicate, les fleurs :**
   a. ❑ sont toutes comestibles
   b. ❑ sont, seulement pour un petit nombre, comestibles
   c. ❑ sont comestibles à condition de prendre quelques précautions
   d. ❑ ne sont jamais gravement vénéneuses

4 ● **Les fleurs sont constituées :**
   a. ❑ en quantités appréciables, d'éléments nutritifs et de minéraux
   b. ❑ d'eau pour environ les trois quarts de leur poids
   c. ❑ de dérivés soufrés et de vitamines
   d. ❑ d'antioxydants dont la faible concentration est sans effet sur l'organisme

5 ● **Les fleurs comestibles doivent :**
   a. ❑ être cultivées de façon biologique ou maraîchère
   b. ❑ respecter la même règlementation que les fruits et les légumes
   c. ❑ être consommées à peine cueillies
   d. ❑ ne présenter aucune trace de pesticides

6 ● **Il est possible de consommer sans véritables précautions :**
   a. ❑ les fleurs qui se ressemblent
   b. ❑ les fleurs des plantes aromatiques
   c. ❑ même les fleurs qui provoquent certaines allergies respiratoires
   d. ❑ les fleurs de tous les légumes

Répondez aux questions. //

7 ● **Quel intérêt l'auteure du texte semble-t-elle trouver à l'utilisation des fleurs dans la cuisine ?**

....

....

....

8 ● **Quelle importante recommandation donne-t-elle ?**

....

....

....

ACTIVITÉ 11

Vichy Val d'Allier
Communauté d'agglomération

Pôle Technique
Service de Gestion des Déchets Ménagers
Téléphone : 04 70 96 57 46
Nos réf. : CMo/CDy/D4521.

Objet : collecte sélective du verre.

Madame, Monsieur,

Vichy Val d'Allier a mis en place un dispositif de gestion raisonnée des déchets avec une étape majeure en 2002, qu'a été le démarrage de la collecte sélective auprès de tous les foyers de Bellerive-sur-Allier, Cusset et Vichy. Ensemble, en 2010 grâce à nos efforts, nous avons collecté et valorisé 1 357 T d'emballages en verre, soit 28.31 kg/hab/an.

Cependant, notre geste de tri peut et doit être encore amélioré. Afin d'encourager et de faciliter le transport de vos emballages en verre (bouteilles, pots et bocaux), à déposer dans l'une des 128 colonnes à verre de l'agglomération, nous avons le plaisir de vous offrir ce sac de pré-collecte pouvant contenir jusqu'à 9 bouteilles. Sur ce sac pour vous aider sont également rappelées les consignes de tri : dépôt uniquement des bouteilles et bocaux en verre (pas de couvercle, ni vaisselle ni ampoule).

De plus, pour encourager votre geste citoyen, Vichy Val d'Allier soutient la Ligue contre le Cancer. Grâce à la collecte du verre ménager, pour chaque tonne de verre collectée, elle reverse au Comité Départemental de la Ligue Nationale contre le Cancer la somme de 3,05 € par tonne collectée, soit plus de 4 000 €/an.

Réduire, recycler, réutiliser pour ne pas gaspiller est un véritable enjeu pour notre environnement. La participation quotidienne de chacun d'entre nous est indispensable pour diminuer le volume de déchets produit, favoriser leur recyclage et préserver ainsi les ressources naturelles pour les générations futures.

Comptant sur votre implication pour notre environnement et vous remerciant par avance, je vous prie de recevoir, Madame, Monsieur, mes salutations.

Ensemble, nous pouvons encore faire mieux !

Le Président,

Jean-Michel GUERRE

Mille sources d'énergie

9, place Charles-de-Gaulle - BP 2956 - 03209 Vichy Cedex - Tél. 04 70 96 57 00 - Fax 04 70 96 57 10
accueil@vichy-valallier.fr
www.agglo-vichyvaldallier.fr

D comme... DELF

Répondez aux questions en cochant (X) la bonne réponse.

1 • **Il s'agit d'une lettre :**
- **a.** ☐ personnelle
- **b.** ☐ de motivation
- **c.** ☐ circulaire
- **d.** ☐ de réclamation

2 • **La Communauté d'agglomération :**
- **a.** ☐ a organisé le tri sélectif du verre à Bellerive-sur-Allier en 2012
- **b.** ☐ a collecté 1 357 tonnes de déchets de toutes sortes en 2010
- **c.** ☐ a mis en place le tri sélectif dans les trois villes en 2002
- **d.** ☐ a collecté et valorisé près de 31 kg de verre par an et par habitant.

3 • **Dans le deuxième paragraphe de la lettre, il est dit que le sac joint à celle-ci :**
- **a.** ☐ est remis gratuitement pour transporter les objets en verre non recyclables
- **b.** ☐ est donné avec un livret sur le recyclage des emballages
- **c.** ☐ est prévu pour transporter les bouteilles en verre mais non les bocaux
- **d.** ☐ est offert pour transporter seulement les emballages en verre recyclables

4 • **Le Président d'agglomération encourage les habitants à pratiquer le tri sélectif :**
- **a.** ☐ en leur faisant remarquer qu'il y a trop de gaspillage
- **b.** ☐ en leur annonçant que le produit du recyclage vient en aide à une association
- **c.** ☐ en leur révélant qu'il va permettre de faire un don à la Ligue contre le cancer
- **d.** ☐ en leur demandant d'aider quotidiennement à la collecte

Répondez à la question. Formulez votre réponse avec vos propres mots.

5 • **Qu'attend le Président d'agglomération de la part de ses habitants ?**

ACTIVITÉ 12

Rousseau, le fondateur du monde moderne

En 1712, il y a tout juste trois siècles, naissait Jean-Jacques Rousseau. En 1762, il y a tout juste deux siècles et demi, il publiait *Du contrat social,* le livre fondateur de la pensée politique moderne. Je ne suis pas un maniaque des anniversaires, tant s'en faut, mais, dans ce cas particulier, je trouve qu'on aurait pu faire un effort. Rousseau est en effet avec Pascal le plus grand génie philosophique de la littérature française. Notre pays est ainsi fait que les plus grands philosophes y sont les écrivains. [...]
Qu'est-ce qu'un génie ? Un homme qui, s'emparant d'un problème rebattu depuis des siècles, en bouleverse les données et le renouvelle de fond en comble au point de le rendre méconnaissable. L'homme qui a inventé, pour le meilleur et pour le pire, l'adolescence, la pédagogie, la littérature du moi, les intellectuels et la démocratie, je parle de Rousseau bien entendu, n'est assurément pas un personnage ordinaire. Après *l'Émile* on n'a plus pu parler de l'éducation des enfants et des adolescents comme à l'époque de Mme de Maintenon. Avant Rousseau, on trouvait normal de passer directement de l'enfance à l'âge adulte sans faire d'histoires. Après Rousseau, il y a l'adolescence, cette catastrophe anthropologique [...] il y a, dis-je, ce royaume du faux-semblant, du déni de la réalité et de la complaisance à soi-même. Tout le problème moderne de l'école tient en cette question unique que se pose la société : que faire des adolescents ?
Et, comme tout se tient, c'est encore

Rousseau qui tout naturellement sur sa lancée a inventé dans *les Confessions* cette fausse valeur qui travestit tout, qui pourrit tout et qui prétend chez nos contemporains se substituer à la vérité elle-même, j'ai nommé la sincérité, l'hypocrite sincérité, avec son cortège d'hommes de lettres, de narcisses et d'imposteurs, qui a transformé notre littérature en un assommant strip-tease, d'une écœurante vulgarité. [...]
Et les intellectuels ? L'homme qui a écrit dans le deuxième discours : « *Commençons par écarter tous les faits* », peut sans contredit être tenu pour le père des intellectuels présents, passés et à venir. En un mot, Rousseau est un génie universel et une espèce de calamité de tous les instants.

Encore n'ai-je rien dit de son principal titre de gloire : il est l'inventeur de la démocratie moderne.
Avant lui, Hobbes, Jurieu et la plupart des légistes ont désigné le peuple comme le détenteur en dernier ressort de la souveraineté. Le coup d'éclat de Rousseau, son coup d'État, devrais-je dire, n'est donc pas d'avoir fait du peuple le souverain, mais d'avoir proclamé que personne n'avait le droit d'exercer cette souveraineté à sa place. Du coup, voilà tout le monde moderne placé en porte-à-faux, entre l'impossibilité de cette souveraineté collective par le peuple et l'illégitimité de quiconque prétend l'exercer à sa place. S'agissant de cette souveraineté populaire [...] les régimes successifs n'ont eu qu'un souci : comment s'en débarrasser ? [...]
Ainsi, Rousseau a jeté les fondements politiques du monde moderne, mais du même coup l'a rendu impossible – où vit-on jamais le peuple souverain ? Il a fini

par concéder que la démocratie ne convenait qu'à un peuple de dieux. Depuis, la politique démocratique est ce mélange de mauvaise conscience et de mauvaise foi, dont la moindre acrobatie n'est pas pour les gouvernements de tenter en permanence de faire croire au peuple que c'est lui qui gouverne : source de toutes les mystifications et de toutes les servitudes. Seuls les libéraux, comme Guizot, et les anarchistes, comme Proudhon, ont compris que la vraie condition de la liberté n'est pas dans l'attribution à Dieu, au roi ou au peuple de la souveraineté mais dans la liquidation une fois pour toutes de ce concept métaphysique radioactif et réactionnaire. Voyez les grands crimes du monde moderne, c'est au nom de la souveraineté de Dieu, du peuple ou de celle de la nation qu'ils sont commis.
Il serait injuste de faire de Rousseau le responsable de toutes les catastrophes qui se sont réclamées de lui. Son individualisme révolutionnaire et contractuel est à la base d'une double postérité, l'une libérale et démocratique, l'autre autoritaire, voire totalitaire. Obsédé comme Pascal par le problème de la chute, Rousseau a fourni d'avance le seul antidote à toutes les dérives du rousseauisme : le primat de la conscience morale, exprimé par le Vicaire savoyard : « *Conscience, conscience, instinct divin, immortelle et céleste voix ; guide assuré d'un être ignorant et borné, mais intelligent et libre [...], c'est toi qui fais l'excellence de sa nature et la moralité de ses actions.* »

Jacques Julliard, Éditorial,
Marianne, 21-27 juillet 2012.

D comme... DELF

Répondez aux questions en cochant (X) la bonne réponse.

1 • Le 300ᵉ anniversaire de la naissance de Jean-Jacques Rousseau est l'occasion de rappeler qu'il est considéré :
   a. ☐ comme un philosophe plutôt qu'un écrivain
   b. ☐ comme le père de la pensée politique moderne
   c. ☐ comme le plus grand génie philosophique littéraire après Pascal
   d. ☐ comme un écrivain plutôt qu'un philosophe

2 • Dans le deuxième paragraphe, Jean-Jacques Rousseau est présenté comme un génie pour avoir :
   a. ☐ fait de l'adolescence une étape de l'enfance
   b. ☐ révélé et résolu les problèmes de l'adolescence
   c. ☐ expliqué, sans en modifier les données, en quoi consiste l'adolescence
   d. ☐ reconsidéré et proposé de nouvelles formes d'éducation

3 • Les troisième et quatrième paragraphes font état d'autres facettes du génie de Rousseau :
   a. ☐ d'avoir inspiré, avec *Les Confessions*, nombre d'écrivains qui se livrent sans pudeur dans leurs écrits
   b. ☐ d'être l'inventeur de ce qui passe pour une qualité, que certains auteurs actuels assimilent à la vérité, c'est-à-dire la sincérité
   c. ☐ d'avoir, dès ses premiers discours, recommandé de mettre les faits au centre des récits
   d. ☐ d'être le père de la littérature intellectuelle, de la réflexion

4 • Pour l'auteur, Jean-Jacques Rousseau est l'inventeur de la démocratie moderne car :
   a. ☐ il est le premier à avoir dit que personne ne pouvait diriger à la place du peuple
   b. ☐ il a montré qu'il était impossible de penser que le peuple puisse exercer collectivement le pouvoir
   c. ☐ il a soutenu qu'il était possible de gouverner avec le peuple
   d. ☐ il a déclaré qu'il fallait offrir au peuple la possibilité de gouverner

5 • Depuis cette invention de la démocratie moderne :
   a. ☐ on a compris que l'on serait libre en confiant le pouvoir au peuple
   b. ☐ les dirigeants n'ont pas détrompé le peuple qui croit exercer le pouvoir
   c. ☐ on a rendu Rousseau responsable de nombreuses catastrophes
   d. ☐ le peuple n'a été rendu responsable d'aucun des crimes du monde moderne

Répondez à la question. Formulez votre réponse avec vos propres mots.

6 • Qu'est-ce que l'auteur du texte présente comme étant le plus important pour Rousseau, ce qui doit diriger nos actes ?

....

....

....

Combat pour l'emploi du mot « courriel »

Courriel, sacrebleu !

Il est difficile de croire, dans un monde dominé par le « Micromou » de M. Guillaume Desportes (alias Bill Gates), que l'ordinateur personnel est dû à un Français, d'origine vietnamienne d'ailleurs. Tel est le prestige de la force brute. La Toile, elle, s'est bien développée pour répondre aux besoins de l'armée américaine. De mauvais esprits pourraient certes prétendre que son usage civil a d'abord été le fait d'individus peu sociables, vissés devant leur écran pour ne point sortir de chez eux. Qu'un pays sans cafés préfère, aux contacts humains directs, une « communication » désincarnée. Cependant, il n'est pas niable que la messagerie électronique représente aujourd'hui un outil commode, rapide et relativement fiable, sinon toujours synonyme de confidentialité.

Mais comment désigner ces messages que nous échangeons à foison, au point d'en inonder nos connaissances, et jusqu'à nous y perdre nous-mêmes ? L'anglais « e-mail », abréviation de « electronic mail », suivant une logique (déterminant-déterminé) inverse de la nôtre, une terminologie française s'impose. Or c'est dans une telle situation, lorsqu'un terme étranger, soutenu par une logistique commerciale agressive, tend à inonder les murs et les oreilles, que se manifeste l'intérêt d'une politique linguistique du français, appuyée sur une idée claire du but à atteindre, et sur un plan efficace pour y parvenir. En l'occurrence, il faut bien dire que nous avons assisté à un ratage, certes rattrapable, mais dû, il faut bien le voir, à une absence de sens stratégique. Nous ne sommes plus au temps où l'on pouvait mettre en circulation « ordinateur » sans craindre « computer ». La publicité, les médias, nous bombardent quotidiennement d'anglo-américain mal digéré ou mal traduit. Un snobisme irréfléchi, détournant de façon perverse le sens de la mode et l'esprit frondeur, pousse à capituler, à se couler dans un moule avant d'avoir compris ce qui était en jeu. Il faut dire également que les compétences et la réactivité nécessaires ne sont pas faciles à réunir, entre ceux qui ne voient pas, ou feignent de ne pas voir, le pouvoir des mots, et ceux des linguistes qui nous expliquent qu'on parle tout sauf français en France. Toujours est-il qu'en l'occurrence, la Commission ministérielle de terminologie de l'électronique a cru bon de recommander l'emploi de « mél », abréviation supposée de « messagerie électronique ».

Certains objecteront que ce n'est pas ainsi que se forment les abréviations dans notre langue. Là n'est pas le plus grave. « Mél », certes, est monosyllabique, alors que la forme canon en français est bi-syllabique (*métro, boulot, dodo, télé, ciné*). Mais surtout, le terme étant nouveau, il se passe ceci : l'interlocuteur demande de répéter, puis comprend, et s'écrie « Mél ? Ah, oui, ii-mél ! ». Résultat : un coup pour rien. Moins drôle encore : qui ne se souvient du mail de la ville de son enfance, de l'automne où l'on ramassait les marrons, de la foire-exposition, avec ses bâtons de réglisse et ses petits pains d'épices… Eh bien, aujourd'hui, dans la ville nouvelle de Cergy-Pontoise, certains prononcent « mé-ile ». Plus colonisé, tu meurs !

Or nos amis québécois, plus grands et plus précoces utilisateurs de la Toile que les Français, ont trouvé dès le début le terme qui convient : *courriel*. Le mot est bien formé, rime avec *ciel, Gabriel*… et se prête à la formation de dérivés, comme « courrielleur ». Pourquoi diable chercher plus loin ? Pourquoi, surtout, diviser nos forces, alors qu'il s'agit déjà, au départ, de lutter à contre-pente, de remonter le courant ? À croire qu'au pays de Descartes, le bon sens n'est pas la chose du monde la mieux partagée. Alors qu'il est ici la première qualité nécessaire, à mettre au service d'une **volonté**.

Qu'on nous comprenne bien : il n'y a ici ni fermeture, ni « crispation ». Toute langue, et la nôtre éminemment, vit d'emprunts, à condition qu'ils apportent quelque chose d'utile, et ne brident pas sa créativité propre, en répandant, de façon peu innocente, l'idée selon laquelle seul l'anglais serait capable de désigner les réalités nouvelles et d'exprimer la modernité.

Mais les francophones, comme les autres, doivent garder la maîtrise de leur découpage du réel, de leur choix des concepts, et de la manière de les exprimer.

Denis Griesmar, http://www.francophonie-avenir.com

Répondez aux questions en cochant (X) la bonne réponse.

1 • **Le titre, le sous-titre et le premier paragraphe annoncent le sujet du texte. L'annonce du sujet,**
   a. ☐ l'existence des messages électroniques, est faite de façon agressive
   b. ☐ le côté pratique des messages électroniques, est faite de façon neutre
   c. ☐ les messages électroniques et la place du français sur la Toile, est faite avec ironie
   d. ☐ l'utilisation par les Américains de la Toile et des messages électroniques, est faite de façon assez critique

2 • **L'idée du deuxième paragraphe est que, pour désigner les messages électroniques :**
   a. ☐ la terminologie française déterminant-déterminé pourrait être appliquée
   b. ☐ la politique linguistique du français a échoué par manque de stratégie
   c. ☐ l'échec de la terminologie française pourra difficilement être corrigé
   d. ☐ il est impossible de lutter contre l'agressivité commerciale américaine

3 • **Dans ce même paragraphe, l'auteur attire l'attention sur le fait que :**
   a. ☐ les gens ont tendance, devant les mots étrangers, à renoncer au français sans mesurer les conséquences de cet acte
   b. ☐ les gens utilisent les mots anglo-américains pour des raisons pratiques
   c. ☐ les mots étrangers sont utilisés car ils sont bien traduits
   d. ☐ les mots étrangers sont utilisés en dépit de la réaction négative des utilisateurs

4 • **Le paragraphe suivant explique que le mot « mél » :**
   a. ☐ est le résultat de la contraction entre les mots « message » et « électronique »
   b. ☐ ne comporte qu'une syllabe et non deux comme il serait préférable en français
   c. ☐ présente des problèmes de prononciation, de confusion avec l'anglais
   d. ☐ a été imposé par la Commission ministérielle de terminologie de l'électronique

5 • **Dans le cinquième paragraphe, l'auteur propose l'utilisation du mot « courriel » :**
   a. ☐ parce qu'il le trouve plus harmonieux, poétique
   b. ☐ parce qu'il comporte deux syllabes
   c. ☐ pour faire comme les Québécois, ne pas chercher davantage
   d. ☐ parce que le mot convient parfaitement aussi bien pour sa formation que pour les possibilités qu'il offre

Répondez aux questions avec vos propres mots.

6 • **De quoi se défend l'auteur ? Quelle explication donne-t-il ?**

....

7 • **Quelle recommandation l'auteur fait-il en conclusion ?**

....

ACTIVITÉ 14

Mademoiselle, la case en trop !

[...] La distinction madame/mademoiselle paraît en apparence bien anodine. On va encore dire que les féministes chipotent... Et bien non! Le diable se cache toujours dans les détails, et l'usage de la civilité « Mademoiselle » n'est rien de moins qu'un marque de sexisme. Un sexisme diffus, accepté. Un sexisme ordinaire. Malheureusement parfois même revendiqué...

Certaines femmes apprécient en effet de se faire appeler « mademoiselle » : c'est flatteur, ça renvoie l'image de la jeune femme jolie, fraîche, séduisante, et d'aucunes apprécient ce qu'elles considèrent comme une marque de politesse et de galanterie de la part de leur interlocuteur.

Qu'y a-t-il de poli en vérité à nous montrer qu'on connaît tout de notre vie privée et à nous laisser entendre qu'on est à moitié finie parce qu'on n'a pas de mari et qu'on ne bénéficie pas ainsi de vrai statut dans la société ? Parce que c'est bien de cela dont il est question dans le fond : le statut des femmes dans la société.

La double appellation « madame » / « mademoiselle » est une civilité différenciée – car elle est uniquement utilisée pour les femmes, et liée au fait d'être mariée ou non. Appelons un chat, un chat, une inégalité est une inégalité. Les hommes, eux, sont appelés « monsieur » toute leur vie, sans distinction et quel que soit leur statut marital, qui n'interfère en rien sur leur vie professionnelle ou sociale. Il n'existe pas de pendant masculin pour « mademoiselle », pas de « damoiseau » dans notre société. Dans notre société, c'est le fait de se marier qui permet à une femme de se faire appeler « Madame ». Autant

dire qu'il s'agit là d'un signe de supériorité, d'un gage de respectabilité. Une femme non mariée ne serait pas « complète », pas « finie », pas accomplie. Mais plutôt dans l'attente du bonheur infini et de l'accomplissement suprême : trouver un mari. Il semble bien que seul le mariage, et donc le mari, puisse conférer la véritable légitimité sociale. Relevons au passage le paradoxe : être appelée « mademoiselle rassure sur le fait d'être soit jeune et jolie, alors qu'être appelée « madame » ferait se faire sentir vieille et moche... Cela en dit long sur la représentation du mariage...

Une civilité intrusive et condescendante

Et puis en quoi est-il indispensable que le fait d'être mariée ou pas soit une information rendue publique et connue de tous ? Le terme « demoiselle » vient du Moyen-Âge et signfie jeune fille noble, puis à partir du XVIIIe siècle jeune fille vierge, non mariée. Faudrait-il informer le moindre homme qui se trouverait dans un rayon de dix kilomètres à la ronde de ce qu'on est une « demoiselle », peut-être plus vierge certes, mais du moins célibataire, disponible, en un mot « draguable » ? Alors à vos clignotants ! En revanche, pas de possibilité de repérer les hommes célibataires... Et puis, c'est tout de même difficile de gagner en crédibilité dans notre vie professionnelle, quand on est appelée « mademoiselle ». Bizarrement, on appelle systématiquement une femme « madame » quand elle est plutôt en responsabilités. Et Mademoiselle est plutôt attribuée aux « jeunes premières » ou moins expérimentées dans leur

domaine et revêt un caractère souvent condescendant. Et le pire, c'est que cela n'a rien d'obligatoire ! Enfin, l'obligation pour les femmes d'utiliser la civilité « madame » ou « mademoiselle » selon qu'elles sont mariées ou non n'a jamais été inscrite dans le marbre de la loi ! L'usage est très ancré dans les mœurs mais n'est pas obligatoire. Il n'est fondé sur aucun texte législatif, et une femme, quel que soit son âge ou son statut – mariée, célibataire, avec ou sans enfant, peut, de son plein droit, se faire appeler « madame ».

Par ailleurs, l'exigence de préciser la civilité dans les relations avec les administrations ou les entreprises n'a pas d'utilité particulière. Le statut marital n'a bien souvent que peu d'importance pour le service demandé. Prenez l'exemple d'une réservation de train ou d'un abonnement internet... Quant aux services des impôts ou de la Sécurité sociale, la question du statut marital est de toute façon posée dans les formulaires, puisqu'il est rattaché à des droits en cas de mariage, de pacs, de concubinage, d'union libre, etc.

Si l'on veut résumer, la civilité « Mademoiselle » perpétue la domination masculine : une femme est ainsi désignée dans sa valeur d'objet, objet « sexuel » ou « ventre porteur », obligatoirement en attente d'un homme pour « accéder à la vraie vie ».

D'où l'importance d'être appelée et de se faire appeler « madame ». Ça ne fait pas de toute femme une femme mariée, une femme vieille ou moche, dont la vie serait toute tracée ou pour l'essentiel derrière elle. C'est pour toute femme l'occasion d'affirmer sa liberté. Tout simplement...

Le Magazine, n°5,
avril/mai/juin 2012, pp. 4-6.

Répondez aux questions en cochant (X) la bonne réponse.

1 • L'idée du premier paragraphe est que la distinction madame / mademoiselle :
   a. ☐ est sans importance en vérité
   b. ☐ n'est qu'une manifestation de sexisme
   c. ☐ n'est qu'une ridicule revendication des féministes
   d. ☐ doit être revendiqué par les femmes

2 • Le deuxième paragraphe montre que pour certaines femmes, être appelée « mademoiselle » :
   a. ☐ est une galanterie, l'expression de la politesse
   b. ☐ est en fait une grossièreté
   c. ☐ n'a rien de poli, n'a rien de flatteur
   d. ☐ révèle par trop leur âge

3 • Dans le troisième paragraphe, l'auteur avance que l'appellation « mademoiselle » :
   a. ☐ n'est pas à considérer comme une intrusion dans la vie privée
   b. ☐ n'a rien de péjoratif par rapport au fait qu'elle révèle une « absence de mari »
   c. ☐ ne nie pas à la femme un statut dans la société
   d. ☐ pose la question fondamentale de la place et du rôle des femmes dans la société

4 • Dans le paragraphe suivant, l'accent est mis sur le fait que :
   a. ☐ la double appellation madame / mademoiselle est une distinction utile
   b. ☐ la distinction madame / mademoiselle n'a aucune incidence dans la vie professionnelle
   c. ☐ il est inique de faire une différence entre les femmes et les hommes car pour ceux-ci
      il n'y a aucune référence à leur situation
   d. ☐ le fait qu'il est normal de ne pas faire de distinction marié / ou non marié pour les hommes

5 • Dans ce même paragraphe, l'auteur développe l'argument que, dans notre société, l'appellation « madame » implique que :
   a. ☐ une femme non mariée n'a pas de place légitime
   b. ☐ une femme ne doit pas nécessairement être mariée pour être respectée
   c. ☐ on ne peut pas associer la jeunesse et la beauté uniquement aux femmes non mariées
   d. ☐ pour être heureuse une femme doit accepter de se sentir vieille et laide

6 • Dans le cinquième paragraphe, c'est un argument capital qui est avancé :
   a. ☐ l'appellation « madame » ou « mademoiselle » est imposée par les administrations
   b. ☐ l'usage qui fait la différence entre « madame » et « mademoiselle » doit être maintenu, respecté
   c. ☐ une femme non mariée n'a le droit de se faire appeler « madame » que dans le cadre professionnel
   d. ☐ la loi n'oblige pas les femmes à se faire appeler madame ou mademoiselle en fonction
      du fait qu'elles sont mariées ou non

Répondez aux questions avec vos propres mots.

7 • Selon l'auteur que traduit l'appellation « mademoiselle » ?

....

8 • Que recommande-t-il aux femmes de faire ?

....

ÉDITORIAL

LA SANTÉ, QUEL BILAN ?
Les dimensions de la santé

Dans les pays occidentaux, depuis la fin de la Seconde Guerre mondiale, la protection de la santé représente une composante essentielle de l'État-providence et les progrès ont été considérables, dus tout à la fois au développement de la prévention, aux transformations de la médecine, à la rénovation des hôpitaux, au nombre des praticiens, également à l'amélioration des conditions de vie. Pour la France, comme l'attestent les comparaisons internationales et conformément au sentiment des Français exprimé dans les enquêtes d'opinion, le bilan est, d'une manière générale, positif. Mais, eu égard à ce qu'elles représentent pour les individus, les questions de santé se traduisent aussi, plus sans doute que dans tout autre domaine, par de fortes exigences et des attentes toujours plus grandes. Elles nourrissent des déceptions, des craintes, en même temps que leur dimension économique suscite des interrogations récurrentes concernant le financement des dépenses.

La hausse de ces dernières constitue en effet un défi pour les pouvoirs publics et la part très majoritaire des dépenses publiques de santé par rapport aux dépenses privées singularise la France, avec quelques autres États, au sein de l'OCDE. À partir des années 1990, la plupart des pays occidentaux ont réformé leur système de santé, y introduisant davantage de concurrence sans cependant abandonner le cadre d'un financement socialisé. C'est le souci d'une meilleure rationalité budgétaire qui explique le vote de la loi du 21 juillet 2008, laquelle, outre l'instauration d'une nouvelle gouvernance des hôpitaux, a également créé les agences territoriales de santé chargées d'organiser l'offre de soins dans les territoires.

En dépit des réalisations accomplies et du montant des budgets engagés, l'appareil de santé français n'est pas à l'abri de dysfonctionnements graves comme l'ont montré, ces dernières années, plusieurs crises sanitaires. De même constate-t-on d'indéniables inégalités de santé, inégalités sociales autant que territoriales, la répartition des professionnels de santé dans l'Hexagone accusant d'importants déséquilibres. Et si les troubles psychosociaux sont désormais reconnus parmi les risques liés au travail, la prise en compte des maladies professionnelles demeure globalement insuffisante.

La loi du 11 février 2005 a refondé les politiques du handicap et a notamment fait, d'ici 2015, de l'adaptation de l'environnement aux personnes souffrant d'un handicap un impératif de santé publique. Autre enjeu majeur, celui du financement de la dépendance des personnes âgées et des débats autour de la création d'un « cinquième risque ». Initialement prévue en 2011, la réforme de la dépendance a été reportée pour des motifs financiers. Ira-t-on vers un véritable système assurantiel ou édifiera-t-on un système mixte associant familles, secteur public et secteur privé ? Dans le domaine de la psychiatrie, la politique de sectorisation se voit remise en cause et la place de choix longtemps occupée par la psychanalyse est fortement contestée par le développement des neurosciences.

Les préoccupations des Occidentaux pour leur santé ne cessent de croître jusqu'à menacer parfois de devenir obsessionnelles. Le droit, la morale, le religieux même s'en trouvent questionnés et alors qu'une utopie scientiste annonce la venue d'une cyberhumanité censée triompher de notre finitude, le salut réside au contraire pour une certaine pensée écologiste dans un rejet radical des technologies modernes et le retour à un ascétisme des premiers âges.

Philippe Tronquoy, *Cahiers Français*, n°369, juillet-août 2012, éditorial, p. 1.

Répondez aux questions en cochant (X) la bonne réponse.

1 • L'idée principale du premier paragraphe est que, en matière de protection de la santé, selon les Français eux-mêmes, la situation :
   a. ☐ pourrait encore être améliorée
   b. ☐ est plutôt satisfaisante
   c. ☐ est en progrès sensibles
   d. ☐ est satisfaisante, en comparaison également avec les autres pays

2 • Dans ce même paragraphe, il apparaît que les questions de santé provoquent :
   a. ☐ rarement le mécontentement des Français
   b. ☐ certaines inquiétudes pour la protection sanitaire mais aussi son financement
   c. ☐ assez peu de demandes inconsidérées
   d. ☐ moins de réactions que tout autre domaine de la vie

3 • Le troisième paragraphe révèle que, pour ce qui est du financement des dépenses de santé :
   a. ☐ le pourcentage des dépenses publiques est nettement supérieur à celui des dépenses qui incombent aux individus
   b. ☐ la France envisage de mettre en place une nouvelle gestion des hôpitaux
   c. ☐ il sera peut-être nécessaire de réduire sensiblement le financement public
   d. ☐ l'offre de soins devra être revue et organisée dans les différentes régions

4 • Le paragraphe suivant fait le constat que, malgré les progrès réalisés :
   a. ☐ le système sanitaire français rencontre quelques problèmes sans gravité
   b. ☐ la prise en compte des pathologies psychologiques ayant un lien avec le travail n'est pas encore effective
   c. ☐ les différentes régions ne sont égales ni au plan social ni au plan du nombre de médecins
   d. ☐ les crises sanitaires qui se sont produites ont entraîné des difficultés, toutefois assez vite résolues

5 • Le quatrième paragraphe mentionne que :
   a. ☐ en 2015 l'environnement aura dû être adapté aux personnes handicapées
   b. ☐ la réforme de la dépendance devrait être étudiée dans un proche avenir
   c. ☐ les familles devraient être beaucoup plus impliquées financièrement dans la résolution des problèmes de dépendance
   d. ☐ les problèmes de dépendance pourraient être complètement couverts par des assurances

6 • En réponse aux préoccupations des Occidentaux pour leur santé, le dernier paragraphe leur propose :
   a. ☐ de faire confiance aux nouvelles technologies médicales
   b. ☐ de se tourner vers l'écologie
   c. ☐ d'espérer la création d'une nouvelle humanité cybernétique
   d. ☐ de rejeter toute forme de vie trop austère, rigoriste

QUAND LES MOUSQUETAIRES S'ENGAGENT POUR UNE PÊCHE RESPONSABLE, CE N'EST PAS UN COUP D'ÉPÉE DANS L'EAU.

Le groupement des Mousquetaires est aujourd'hui le 1er armateur français de pêche fraîche. Mais pourquoi posséder sa propre flotte ? Pour nous permettre de maîtriser notre approvisionnement et de contrôler la qualité et les prix de nos poissons. Mais également pour pouvoir jouer un rôle déterminant dans le maintien durable de la pêche en France, qui passe par la préservation et le renouvellement des ressources marines.

Ainsi, nous avons choisi d'aller au-delà des usages ou de la réglementation, en nous engageant au quotidien en faveur du développement d'une pêche responsable, raisonnée et maîtrisée qui respecte durablement la nature et les hommes. Soumis à la reconnaissance d'un organisme indépendant reconnu dans la certification, nous nous imposons un cahier des charges reposant sur 4 axes, les 4 « respects cardinaux » :

- respect des ressources naturelles : pêches effectuées sur des stocks de poissons gérés, protection de la faune marine, partenariats volontaristes avec les scientifiques.
- respect de l'environnement : utilisation de bateaux récents, réduction des rejets et déchets, choix de consommables biodégradables ou peu polluants et réduction de l'empreinte carbone liée au transport du poisson.
- respect des équipages et de leur sécurité : amélioration de l'ergonomie des bateaux et des conditions de nos marins, formation à la sécurité en mer et prévention des risques d'accidents.
- respect des consommateurs : garantie d'origine, totale traçabilité, fraîcheur tout au long de la filière et livraisons quotidiennes des magasins.

Grâce à cette dynamique les Mousquetaires ont obtenu la reconnaissance « pêche responsable » pour la légine dès 2006, puis pour le lieu noir, la lingue bleue, la baudroie, le sabre noir, le merlu et le tourteau entre 2007 et 2010. Mobilisés chaque jour pour que de nouvelles espèces soient reconnues, nous maintenons notre engagement militant en faveur d'une pêche responsable, en constants progrès.

Les Mousquetaires sont dans la réalité de la vie économique et sociale de nos littoraux, acteurs d'un métier noble, qui se déroule chaque jour dans un environnement dur, exigeant, riche et fragile.
Parce que la mer est notre patrimoine commun et qu'il faut l'exploiter avec prudence et mesure, nous vous donnons l'assurance de trouver chaque jour dans nos rayons, un poisson d'une qualité irréprochable, à savourer sans l'ombre d'un doute... et pour longtemps encore !

« Les Mousquetaires » désignent une chaîne d'hypermarchés.

D comme... DELF

//

Répondez aux questions en cochant (X) la bonne réponse. //

1 ● **D'après le titre et le premier paragraphe, quelle serait la principale raison pour laquelle les Mousquetaires ont leur propre flotte de bateaux de pêche ?**
   a. ☐ pour protéger la pêche en France, pratiquer une pêche responsable
   b. ☐ pour assurer le meilleur prix à leurs clients
   c. ☐ pour approvisionner abondamment leurs étals
   d. ☐ pour être sûrs de la qualité des poissons vendus

2 ● **En s'engageant de la sorte, les Mousquetaires ont pour objectif :**
   a. ☐ que l'homme soit respecté à jamais
   b. ☐ surtout de respecter la législation en vigueur
   c. ☐ que l'homme et la nature soient respectés
   d. ☐ que les usages actuels perdurent

3 ● **Le premier axe de leur engagement, le respect des ressources naturelles, implique :**
   a. ☐ de stocker les poissons pêchés
   b. ☐ d'étudier la faune marine
   c. ☐ de travailler en collaboration avec les scientifiques
   d. ☐ de pêcher seulement certains poissons désignés par les scientifiques

4 ● **Le deuxième axe de leur engagement, le respect de l'environnement, implique :**
   a. ☐ de recycler les déchets
   b. ☐ de ne rejeter que dans certaines zones
   c. ☐ de transporter les poissons le plus rapidement possible
   d. ☐ d'avoir des bateaux de pêche qui ne soient pas vieux

5 ● **Le troisième axe de leur engagement, le respect des équipages, implique :**
   a. ☐ de conserver aux bateaux leur aspect traditionnel
   b. ☐ de proposer de meilleures conditions de travail aux marins
   c. ☐ de disposer d'une équipe de sécurité sur les bateaux
   d. ☐ d'informer les marins sur les risques qu'ils courent en haute mer

6 ● **Le quatrième axe de leur engagement, le respect des consommateurs, implique :**
   a. ☐ que les poissons soient livrés tous les jours dans les magasins
   b. ☐ que les poissons soient toujours dans la glace
   c. ☐ que l'on recherche l'origine du poisson
   d. ☐ que l'on puisse suivre le transport du poisson à tout moment

Répondez aux questions avec vos propres mots. //

7 ● **Qu'est-ce que leur pêche a permis aux Mousquetaires ?**
   ....
   ....
   ....

8 ● **En quoi le travail effectué par les Mousquetaires légitime leur nom ?**
   ....
   ....
   ....

ACTIVITÉ 17

Une certaine idée de la cuisine française

La scène se passe en mars 1997, au restaurant Greuze, à Tournus, chez Jean Ducloux, en présence de Paul Bocuse, Georges Blanc et Bernard Loiseau. Une crise identitaire divise alors la haute restauration, les uns considérant que la mondialisation est un phénomène qu'il convient d'accompagner, les autres estimant plus urgent de préserver la spécificité culinaire française, composante de notre exception culturelle. […]

Plus Français que ça, tu meurs : escargots au beurre d'ail, omelette aux queux d'écrevisse, cuisses de grenouilles sautées persillade, chablis. À l'issue du festin, l'assemblée félicite le chef pour l'authenticité de sa prestation. Jean Ducloux se lève aussitôt et, formant avec ses bras le V de la victoire, s'exclame : *« Les écrevisses viennent de Pologne, les escargots de Bulgarie, les grenouilles de Turquie. Et vive la cuisine française ! »* S'ensuit le plus long fou rire que Tournus ait jamais entendu…

Défendre une certaine idée de la cuisine française n'est point faire preuve de patriotisme cocardier confit dans un chauvinisme xénophobe – même si la patrie c'est beau, et la table, c'est bon –, mais tout simplement considérer que la suprématie culinaire de la France ne provient pas du génie supposé de ses cuisiniers sinon de sa géographie.

Entendons-nous bien : c'est parce que la France bénéficie d'une configuration géoclimatique particulière, elle-même génératrice d'une agriculture d'exception, par ses terroirs et ses paysages, que notre pays a pu cumuler un trésor alimentaire d'une diversité et d'une richesse incomparables. L'ensemble de ces produits a favorisé l'essor d'une culture culinaire régionale, puis nationale, au travers d'un répertoire inouï de recettes et de traditions.

En aucun cas, le cuisinier français n'est supérieur aux autres parce qu'il est Français mais parce que des campagnes, des forêts, des prairies, des vallées, des rivières, des côtes lui fournissent depuis des siècles, par l'entremise de la paysannerie, de merveilleuses denrées. […]

Si la France est une grande puissance gastronomique, c'est à son patrimoine agricole qu'elle le doit. Tout le reste est hypothèse. Comme l'a montré Montesquieu, c'est l'environnement qui façonne les sociétés et non le contraire. La gastronomie est affaire de paysage et non de « race ». Beaucoup de gastronomes ont tendance à l'oublier.

La preuve : jamais notre époque n'a compté autant de grands cuisiniers de toutes nationalités à travers le monde. On ne devient pas un grand chef parce que l'on fait de la « cuisine française », mais lorsque l'on sait mettre en valeur les produits de l'endroit, quel que soit le coin de la planète où l'on se trouve. Le prétendu génie culinaire français est un phénomène culturel que nombre de cuisiniers étrangers incarnent désormais mieux ailleurs qu'en France. Il n'empêche, l'école française reste la meilleure du monde, celle qui apprend à lire la géographie des saveurs, à repérer ce qu'il y a de meilleur dans une agriculture afin d'en révéler l'excellence. Qu'importe que l'escargot soit turc ou bulgare pourvu qu'il soit préparé comme à Tournus.

Pour qu'il y ait cuisine française il faut qu'il y ait produit. Or, sans paysan, pas de produit. Et sans produit, pas de cuisinier. Donc, sans paysan, pas de cuisinier. C'est pourquoi l'industrie agroalimentaire européenne a mis au point la « cuisine moléculaire » en prévision du jour où la nature, faute d'être cultivée par des humains, ne pourra plus fournir d'aliments. Ce projet a pour nom Inicon. Son chef, l'Espagnol Ferran Adria est subventionné pour ériger cette chimie en gastronomie. Nous combattrons toujours cette forfaiture car c'est au marché que l'on fait son menu, pas dans un laboratoire.

Une certaine idée de la cuisine française n'est donc pas une réaction franchouillarde pour défenseurs de l'identité nationale ni un concept barrésien de protection d'un terroir qui, lui, ne mentirait pas, mais l'exigence de cuisiner des produits dans le respect de leur origine, une idée qui défend et promeut le goût de la France à travers ses paysages.

Est-ce une honte que de vouloir la perpétuer ? Ce document prétend seulement démontrer qu'elle est encore vivante. Et toujours exquise !

Marianne, Hors-série, mars-avril 2010, pp. 4-5.

//

Répondez aux questions en cochant (X) la bonne réponse. //

1 ● **Ce que le Chef Jean Ducloux a voulu prouver est que la bonne cuisine française :**
   a. ☐ peut être faite avec de bons produits étrangers
   b. ☐ ne peut être faite qu'avec des produits français
   c. ☐ doit intégrer la mondialisation
   d. ☐ doit être protégée de l'influence de la mondialisation

2 ● **L'idée des deux paragraphes suivants est que la supériorité de la cuisine française :**
   a. ☐ est due aux qualités exceptionnelles dont font preuve ses cuisiniers
   b. ☐ ne repose que sur les louanges partisanes qu'en font les Français
   c. ☐ a pour origine la géographie de la France, son excellente agriculture et donc la variété et la qualité de ses produits
   d. ☐ à la grande variété de ses recettes qu'elles soient régionales ou nationales

3 ● **Les quatrième et cinquième paragraphes confirment que, si le cuisinier français est supérieur aux autres, la raison tient :**
   a. ☐ à sa connaissance des terroirs et produits français
   b. ☐ à sa nationalité, au fait qu'il est né en France
   c. ☐ à l'excellence de sa formation
   d. ☐ au sol de France, à ses paysages d'une grande variété et à ses paysans

4 ● **Dans le paragraphe suivant, l'auteur affirme que l'on devient un grand cuisinier quand :**
   a. ☐ on a appris, quel que soit le produit, à le préparer comme en France
   b. ☐ on est en mesure de préparer avec les techniques françaises de bons produits de son propre terroir, de son pays
   c. ☐ on réalise avec précision des recettes françaises
   d. ☐ on sait appliquer à sa propre cuisine les techniques de l'école française

5 ● **Dans le septième paragraphe, l'auteur exprime son opposition à la cuisine moléculaire car :**
   a. ☐ elle transforme les bons produits en une cuisine « chimique »
   b. ☐ elle fera concurrence à la cuisine gastronomique française
   c. ☐ on se procure les produits du menu au marché et non dans un laboratoire de chimie
   d. ☐ elle ne nécessite pas de vrais cuisiniers, mais des sortes de chimistes

Répondez aux questions avec vos propres mots. //

6 ● **Quelle est donc cette « certaine idée de la cuisine française » et ce qu'elle ne saurait être ?**

....

....

7 ● **Quel est donc l'objectif de ce texte ?**

....

....

Doit-on abolir la mixité à l'école ?

Les garçons et les filles ont un rapport très différent à l'école et cela se traduit dans nombre d'enquêtes. Ainsi, si on analyse les résultats scolaires et les performances des élèves, Pisa 2006 démontre que les garçons se débrouillent bien en maths alors que les filles leur dament le pion en français et plus particulièrement en lecture. Et au rayon des sciences dures, elles sont de plus en plus nombreuses à entreprendre des études de chimie, biologie, etc. Ajoutons encore que les filles sont, de manière générale, plus nombreuses à entreprendre des études supérieures (elles représentent 53,2 % de la population universitaire francophone de Belgique) et que près de 56 % des filles terminent leurs études « à l'heure » (sans rater une année) contre 44 % des garçons, et voilà comment la mixité scolaire est remise en question.

Séparer les filles et les garçons... pour laisser les premières s'épanouir et suivre davantage les seconds ? La question ne se pose pas encore en Belgique mais suscite un véritable engouement aux États-Unis où, depuis 2002, le nombre d'écoles publiques ne mélangeant pas les deux sexes serait passé de 11 à 440, selon la Nasspe, une association qui milite en faveur de la non-mixité.

Pour cette association, les filles obtiennent de meilleurs résultats – bien meilleurs que ceux des garçons – lorsqu'elles se retrouvent entre elles. Mais les résultats sont-ils vraiment si importants ? Professeur en science de l'éducation à l'Université de Liège, Dominique Lafontaine estime que l'argument de la réussite en cache d'autres, plus élitistes voire féministes.

Il n'y a pas que les résultats scolaires qui comptent. Il y a aussi la vie en société.

Un point de vue que ne partage pas le Français Michel Fize, sociologue et chercheur au CNRS. Dans son livre « Pièges de la mixité scolaire », il rappelle que la mixité a été imposée, dans l'enseignement, en 1975... davantage à cause d'un manque de places dans les écoles que pour des motifs pédagogiques. La mixité ? Un simple outil pédagogique servant l'égalité des chances... mais comme tout outil, il n'est pas toujours adapté ni toujours bien utilisé. Et Michel Fize de servir deux arguments en faveur de la séparation des sexes. D'abord, le décalage de la puberté entre les filles et les garçons. Les filles de 12 ans, par exemple, sont plus matures que les garçons du même âge et souffrent parfois de devoir subir ces « gamins » toute la journée. Ensuite, la présence des filles perturberait les garçons, et *vice versa*. Ces deux observations suffisent-elles à instaurer la non-mixité à l'école ? Non... sauf si les filles devaient être victimes de violence de la part des garçons. Michel Fize estime alors que le principe de précaution doit prévaloir...

pour autant que la séparation soit librement acceptée par les élèves eux-mêmes. L'homme ne prône donc pas un retour à un schéma scolaire traditionnel... et s'inquiète d'un texte récemment adopté par le parlement français qui interdit, entre autre, toute discrimination fondée sur le sexe en matière d'accès aux biens et services et de fourniture de biens et services. Ce principe, qui ne fait pas obstacle à l'organisation d'enseignements par regroupement d'élèves en fonction de leur sexe, peut, selon M. Fize, remettre en cause la mixité. Alors que cette directive souhaite mettre en œuvre le principe de l'égalité de traitement entre les femmes et les hommes dans l'accès à des services [...], elle exclut de son champ d'application le contenu des médias, la publicité et... l'enseignement. La porte ouverte à un retour en arrière ?

Léonard Sax, président de la Nasspe, ne se pose même pas la question. Il est d'avis que tous les parents devraient avoir le choix de mettre leurs enfants dans une école mixte ou pas. Et au vu des résultats impressionnants des écoles 100 % filles et 100 % garçons (soumis à un test de compréhension, 37 % des garçons de la Woodwart Avenue Elementary, étudiant avec des filles, l'ont réussi. Une fois séparés de ces demoiselles, 86 % des garçons réussirent le même test), il y a fort à parier que la mode traversera bientôt l'Atlantique pour venir chez nous.

http://www.enseignons.be

///

Répondez aux questions en cochant (X) la bonne réponse. //////////////////////////////////////

1 ● Le premier paragraphe a pour but d'expliquer que la mixité à l'école est de nouveau envisagée parce que :
   a. ☐ les résultats des filles et des garçons sont trop semblables en tout
   b. ☐ les bons résultats des filles en tout empêchent les garçons de progresser
   c. ☐ les résultats des filles et des garçons sont très différents dans toutes les matières, qu'elles réussissent mieux dans leurs études
   d. ☐ les garçons auraient de meilleurs résultats seuls

2 ● Aux États-Unis, la raison donnée à la séparation entre les filles et les garçons est :
   a. ☐ de donner la possibilité aux filles de se sentir plus à l'aise et de mieux suivre
   b. ☐ d'offrir aux garçons l'occasion de s'affirmer davantage
   c. ☐ de renforcer, d'accentuer l'importance des résultats dans les études
   d. ☐ de satisfaire la demande des féministes

3 ● Dans le quatrième paragraphe, le sociologue Michel Fize rappelle que la mixité :
   a. ☐ avait été mise en place en 1975 uniquement pour des raisons pédagogiques
   b. ☐ ne permet pas d'offrir les mêmes chances aux filles et aux garçons
   c. ☐ avait été proposée et non rendue obligatoire en 1975
   d. ☐ était apparue en 1975 parce qu'il n'y avait pas assez de classes dans les écoles

4 ● Dans ce même paragraphe, Michel Fize pense que la séparation se justifie par :
   a. ☐ les fréquentes manifestations de violence des garçons envers les filles
   b. ☐ la différence de maturité entre les filles et les garçons au même âge
   c. ☐ la trop grande rivalité entre les filles et les garçons
   d. ☐ le manque d'émulation entre les filles et les garçons

5 ● Ne souhaitant pas la séparation entre les filles et les garçons, Michel Fize s'inquiète :
   a. ☐ d'un texte interdisant la discrimination sexuelle dans l'accès aux biens et services qui ne prend pas en compte l'enseignement
   b. ☐ du risque que la mixité ne soit plus possible sous prétexte de protéger les filles aussi bien que les garçons
   c. ☐ du risque que les élèves n'aient pas la possibilité de choisir la mixité ou non
   d. ☐ du risque que la séparation ne soit imposée sans consulter les élèves

6 ● Le président de l'association américaine préconisant la séparation pense que les résultats, dans les écoles non mixtes :
   a. ☐ est la preuve de l'échec de ce système
   b. ☐ vont convaincre les parents de choisir la mixité pour leurs enfants
   c. ☐ sont trop différents pour permettre un choix raisonnable
   d. ☐ encourageront les parents à ne pas choisir la mixité pour leurs enfants

7 ● Selon vous, l'auteur du texte croit-il que la mixité est en danger en France ? Quelle expression permet de le supposer ?

   ....

   ....

   ....

ACTIVITÉ 19

Vive le vote obligatoire !

L'abstention témoigne toujours des carences et des limites de la démocratie. Elle est d'autant plus préoccupante, en France, qu'elle s'accroît de manière soutenue. [...] Les enquêtes le disent bien : ce sont surtout les plus défavorisés qui s'abstiennent. Ils ne votent pas parce qu'ils n'attendent rien de la politique. Ils pensent que les acteurs politiques ne s'intéressent pas à eux ; et les politiques s'intéressent peu à eux parce qu'ils savent qu'ils ne votent pas. Il faut sortir de ce cercle vicieux. [...]

Si le peuple dans son ensemble s'exprimait davantage, si les plus pauvres votaient en masse, les programmes politiques s'en trouveraient sans doute infléchis en un sens plus social. En tout cas, ils gagneraient en légitimité, quels qu'ils soient. C'est l'inverse que nous observons. [...] Reflux des politiques sociales, montée de l'extrême-droite, démission des politiques au profit des experts financiers et technocratiques : voilà des maux qui caractérisent notre temps et que l'abstention vient exacerber. Avec la crise, ces phénomènes se trouvent évidemment renforcés.

Surreprésentés parmi les populations défavorisées, en plus d'être la cible privilégiée du racisme et des discriminations, les Noirs de France sont doublement concernés par cette déréliction sociale et citoyenne. Mais ils ne sont pas les seuls, le problème concerne les jeunes de banlieue, dont on ne parle que sur un mode négatif, ceux du monde rural, dont on ne parle jamais, les ouvriers, qui ont comme disparu de nos médias et de notre imaginaire collectif, les personnes âgées, trop souvent isolées, etc. Au bout du compte, la question concerne tous les Français qui croient encore à la démocratie et à l'égalité. [...]

Il est temps d'enrayer cette déliquescence de la démocratie. Une mesure simple, même si elle ne prétend évidemment pas résoudre tous les maux, pourrait mettre fin à l'abstention : le vote obligatoire.

Le concept n'est pas nouveau. Sa première application remonte à 1862. Il est pratiqué dans plusieurs pays [...]. Par ailleurs, il a déjà fait l'objet de propositions de loi qui sont restées sans suite. Et on l'ignore souvent, mais il existe aussi en France... pour les sénatoriales. [...] Depuis peu, l'inscription sur les listes électorales est une obligation. Il faut aller plus loin : le vote, lui aussi, doit devenir une obligation.

Évidemment, nous entendons d'ici les objections : le droit de vote est une liberté, dont on peut user, ou non. Pourquoi transformer la liberté en contrainte ? N'avons-nous pas assez d'obligations tous les jours, sans en ajouter une de plus ? Nous répondons ici : le vote est un droit, c'est aussi un devoir. Y renoncer, se résigner à l'abstention et, actuellement, à sa montée, c'est contribuer à une régression. Par ailleurs, l'obligation n'est pas forcément contraire à la liberté. Depuis les débuts de la Troisième République en France, l'école est obligatoire. [...] L'école contribue à la formation du citoyen, elle est obligatoire. Pourquoi le vote,

qui constitue l'expression du citoyen, ne pourrait-il l'être lui aussi ? Bref, le vote obligatoire, c'est comme l'école obligatoire : c'est la République.

S'y opposer, c'est rester prisonnier d'une vision libérale qui se contente d'une citoyenneté formelle où tous les citoyens sont officiellement égaux devant le droit de vote. Mais il ne suffit pas d'inscrire un principe dans la loi pour qu'il devienne une réalité. Si nous souhaitons que le peuple, dans son ensemble, retrouve le chemin des urnes et, de là, puisse peser démocratiquement sur les politiques sociales, si nous souhaitons passer des droits civiques théoriques à la citoyenne réelle, nous devons mettre en place le vote obligatoire.

En même temps que l'on fera du vote une obligation, il convient que les autorités prennent les mesures pour en faciliter l'exercice. [...] En rouvrant ce débat, qui pourrait être l'occasion de faire œuvre de pédagogie, nous rouvrons en même temps celui sur la prise en compte du vote blanc, car si les citoyens prennent la décision de s'exprimer de cette façon, il faut que leur choix soit comptabilisé, et non pas laissé de côté ou confondu avec les votes nuls.

Qui dit obligation dit sanctions. Selon nous, celles-ci doivent être légères, raisonnables et pédagogiques. [...] S'il faut des sanctions, leur forme reste à définir, ce qui appelle réflexion et débat.

La gauche promet depuis trente ans le droit de vote aux élections locales pour les étrangers et semble décidée à le mettre en place si elle parvient à remporter les prochaines élections : il faut souhaiter aussi que le principe du vote obligatoire soit rapidement adopté et se transcrive dans de meilleurs délais en une réalité concrète.

Louis-Georges Tin, président du CRAN, et Michel Wieviorka, président du Conseil scientifique du CRAN, http://www.lemonde.fr

D comme... DELF

///

Répondez aux questions en cochant (X) la bonne réponse. ///

1 • **L'idée des deux premiers paragraphes est que, en France, l'abstention :**
   a. ☐ régresse de plus en plus parmi les personnes les plus pauvres
   b. ☐ touche toutes les couches de la société
   c. ☐ reste stable grâce aux réponses des politiques
   d. ☐ devient de plus en plus forte et les actions politiques perdent en légitimité

2 • **Les troisième et quatrième paragraphes montrent qu'il est urgent d'arrêter cette tendance qui :**
   a. ☐ est toutefois moins marquée chez les ouvriers et les personnes âgées
   b. ☐ est une grave menace contre la démocratie et l'égalité entre les citoyens.
   c. ☐ cependant ne constitue pas en elle-même une attaque des institutions
   d. ☐ est la preuve que les personnes défavorisées ne connaissent pas leurs droits

3 • **La solution proposée dans le cinquième paragraphe est de rendre le vote obligatoire :**
   a. ☐ contrairement à ce qui se fait dans de nombreux pays depuis 1862
   b. ☐ alors qu'il n'existe dans aucune institution en France
   c. ☐ comme c'est le cas pour l'inscription sur les listes électorales
   d. ☐ ce qui n'a jamais été envisagé en France

4 • **Dans le sixième paragraphe, l'argument essentiel donné par l'auteur est que le vote :**
   a. ☐ participe à la formation citoyenne de la population
   b. ☐ est un droit mais aussi un devoir qui n'est en rien une atteinte à la liberté individuelle, ainsi qu'il en est pour l'éducation
   c. ☐ exprime les idées du peuple qui a donc le devoir de s'engager, même contraint
   d. ☐ est un droit mais aussi un devoir sans relation avec les idées républicaines

5 • **Dans le paragraphe suivant, l'accent est mis sur la nécessité de rendre le vote obligatoire afin :**
   a. ☐ que la citoyenneté soit réelle et non formelle et puisse ainsi influer sur les décisions politiques
   b. ☐ d'offrir aux citoyens plus de libéralité dans l'exercice de leurs droits
   c. ☐ de renforcer les droits civiques des citoyens de façon formelle
   d. ☐ de donner aux citoyens la possibilité de se rendre aux urnes

6 • **L'auteur du texte propose par ailleurs que l'obligation du vote :**
   a. ☐ soit accompagnée par une reconnaissance du vote blanc
   b. ☐ permette d'annuler les votes blancs
   c. ☐ entraîne moins de votes nuls
   d. ☐ soit l'occasion d'assimiler les votes blancs et les votes nuls

7 • **Si le vote devient obligatoire, que faudra-t-il prévoir ? Répondez avec vos propres mots.**

....

....

Les médicaments génériques sont-ils dangereux ?

[…] Alors qu'en Allemagne et aux États-Unis, la part des prescriptions de médicaments génériques atteint 40 %, en France, ils peinent encore à se faire une place dans les armoires à pharmacie des particuliers. En effet, dix ans après l'autorisation pour les pharmaciens de remplacer un médicament original par son générique, ce dernier est encore diabolisé par une large partie de la population française. Dans sa ligne de mire, l'efficacité et la dangerosité de ces copies.

Et si les patients sont divisés, il en va de même pour les professionnels de santé. Certains y voient une manœuvre visant à réduire le déficit de la Sécurité Sociale au détriment des malades tandis que les autres cherchent encore la cause de toute cette polémique.

Et vous, vous méfiez-vous des médicaments génériques ? Valérie N'Guyen, pharmacienne et Patrick Dorffer, médecin généraliste, nous ont donné leur avis…

Pour : Valérie N'Guyen, pharmacienne

« Les médicaments génériques sont sans aucun risque pour la santé. En France, les normes sanitaires sont très strictes. Les autorités ne permettraient donc jamais qu'un produit dangereux, de qualité médiocre ou une "contrefaçon", comme j'ai déjà pu l'entendre, soit introduit sur le marché pharmaceutique national.

En effet, un médicament générique n'est ni une sous-marque ni un produit de second choix. Sa fabrication est rendue possible suite à l'expiration d'un brevet (d'une durée de 20 ans) accordé à un laboratoire pour exploiter une molécule précise. Une fois cette dernière dans le domaine public, les concurrents peuvent l'exploiter à leur tour et copier la formule dont elle est la base, donnant ainsi naissance au médicament générique. Ainsi, pour différencier les deux versions, il a été décidé que le médicament d'origine (le princeps) serait vendu sous son nom commercial et le générique sous son appellation scientifique (ou dénomination commune internationale). Mais bien qu'il s'agisse d'une copie, le médicament générique est identique sur des points essentiels au princeps. Au même dosage, il remplit donc les mêmes critères de sécurité et d'efficacité que l'original. Les détracteurs des génériques leur reprochent de ne pas être absolument identiques au médicament d'origine. Ils n'ont pas complètement tort, et c'est là leur seule faille. Effectivement, la diffusion de leurs principes actifs est parfois différente de celle du princeps. […] Enfin, de nombreux médicaments génériques, sont fabriqués dans les mêmes laboratoires que les princeps. Les deux versions sont alors identiques à 100 %.

Dans la plupart des cas, pour la grande majorité des médicaments consommés par les Français, la substitution du princeps par le générique est donc absolument sans danger. »

Contre : Docteur Patrick Dorffer, médecin généraliste

« La prescription de médicaments génériques est dangereuse à plusieurs égards. Il faut d'abord savoir qu'une partie des sommes dépensées par les Français lors de l'achat de médicaments sert à financer les recherches pour trouver de nouveaux traitements. Or, si tous les patients se mettent à acheter des médicaments à moindre coût, qu'en sera-t-il du budget des laboratoires ? Par ailleurs, les patients, et notamment les personnes âgées, sont perdus lorsque leur pharmacien substitue un générique au médicament original. Je le constate régulièrement. En effet, les seniors se fient à l'emballage, à la couleur ou à la forme des médicaments pour suivre leurs traitements ; des détails qui varient entre un générique et un princeps, et même entre deux génériques. Malheureusement, pour cette catégorie de la population, ces différences peuvent provoquer des erreurs de posologie avec de graves conséquences (somnolence, chutes, etc.).

Par ailleurs, on tente de nous convaincre qu'un médicament générique est identique au princeps. C'est faux ! […] Ainsi, pour certains patients souffrant de tension artérielle, il m'a par exemple fallu doubler le dosage quand un seul comprimé princeps suffisait. De plus, certains patients souffrant d'allergies respiratoires ont vu leur asthme redoubler d'intensité après que leur pharmacien ait remplacé le traitement d'origine par des comprimés génériques. Enfin, des cas d'allergies à des excipients présents dans les génériques, mais absents de la composition originale, ont été enregistrés.

Souvent moins chers, les médicaments génériques servent davantage, selon moi, à soigner les colonnes comptables de la Sécurité Sociale plutôt que la santé des malades. Or, pour boucher le trou de la Sécurité Sociale, le gouvernement aurait mieux fait de baisser les prix des médicaments puisque c'est lui qui les fixe. »

http://www.terrafemina.com

D comme... DELF

Répondez aux questions en cochant (X) la bonne réponse.

1 ● **Le premier paragraphe mentionne que :**
   a. ❑ près de la moitié des Français font confiance aux médicaments génériques
   b. ❑ un grand nombre de Français ne font toujours pas confiance aux médicaments
   c. ❑ les Français, comme les Allemands, préfèrent les médicaments originaux
   d. ❑ depuis dix ans, les pharmaciens remplacent toujours les médicaments originaux par les génériques

2 ● **Le paragraphe suivant indique que les professionnels de santé :**
   a. ❑ sont unanimes sur le bien-fondé des médicaments génériques
   b. ❑ s'accordent à voir dans le choix des génériques une manœuvre pour sauver la Sécurité Sociale
   c. ❑ sont partagés sur la raison de la mise en place des médicaments génériques
   d. ❑ ne comprennent pas les réticences des Français face aux génériques

3 ● **Pour Valérie N'Guyen, les médicaments génériques ne sont pas dangereux car :**
   a. ❑ leur fabrication se fait dans les mêmes conditions que les originaux
   b. ❑ les contrefaçons ne sont pas vendues en pharmacie
   c. ❑ les deux versions d'un même médicament sont pratiquement identiques
   d. ❑ les seuls médicaments contrefaits viennent de l'étranger

4 ● **Valérie N'Guyen explique qu'un générique :**
   a. ❑ peut être vendu sous le nom du médicament original quand celui-ci a plus de vingt ans
   b. ❑ ne copie pas toujours les principes essentiels du médicament original
   c. ❑ peut être fabriqué par différents laboratoires puis vendu sous son nom scientifique
   d. ❑ est identique au princeps pour la diffusion des principes actifs de la molécule

5 ● **Le docteur Patrick Dorffer, au contraire, juge les génériques dangereux car :**
   a. ❑ les laboratoires ne jugent plus utile de chercher de nouveaux médicaments
   b. ❑ la recherche de médicaments, financée par la vente des princeps s'en trouve alors affectée, menacée
   c. ❑ les laboratoires arrêtent de fabriquer les princeps, devenus trop chers
   d. ❑ les laboratoires qui les fabriquent ne veulent faire aucune recherche

6 ● **Ce médecin juge aussi que la dangerosité des génériques réside essentiellement :**
   a. ❑ dans une présentation identique des emballages mais avec des effets différents
   b. ❑ dans le fait qu'il faut parfois doubler la prise sans pour autant avoir les mêmes effets curatifs
   c. ❑ dans le fait que la plupart n'ont pas les mêmes composants que les princeps
   d. ❑ dans l'effet de leurs excipients ou le dosage de leurs principes actifs

7 ● **Les arguments avancés par les deux professionnels de santé portent-ils sur les mêmes points ? Se complètent-ils ? Répondez avec vos propres mots.**

....

....

ACTIVITÉ 21

Lisez de nouveau le texte précédent.

1 • Quel adjectif s'oppose à « générique » pour un médicament ?

....

2 • Quel synonyme est donné au médicament générique ?

....

3 • Quel adjectif « rapproche » les deux sortes de médicaments ?

....

4 • Relevez dans le texte les mots relatifs au domaine des médicaments.

....

....

ACTIVITÉ 22

Lisez de nouveau le texte de l'activité 20.

1 • Relevez les articulateurs utilisés par Madame N'Guyen d'une part, et par le docteur Dorffer
   d'autre part.

....

....

2 • Que révèle, sur leur argumentation, la comparaison de l'ordre et du type de mots choisis
   par chaque spécialiste ?

....

....

Moins d'élèves, moins d'échecs ?

Pour réduire les échecs scolaires, il semble évident qu'une réduction de la taille des classes serait un levier efficace. Pourtant, les comparaisons internationales montrent que dans des pays comme la Corée ou le Japon, les élèves ont des performances élevées alors que les classes sont très chargées, tandis que dans nombre de pays comme le Luxembourg ou la Grèce, les performances sont médiocres malgré des classes petites, la France étant comme souvent dans une position moyenne. Il faut donc manier avec précaution ces comparaisons : les phénomènes éducatifs s'inscrivent dans un contexte global et en l'occurrence, c'est toute une conception du savoir et de l'autorité qui permet un enseignement efficace dans de très grandes classes dans certains pays d'Asie. La recherche en éducation apporte des éléments plus précis. Certes, elle s'en est longtemps tenue au constat selon lequel la taille de la classe n'affectait guère les acquisitions des élèves. Mais depuis quelques années, les recherches apportent d'importantes nuances.

De l'expérience de l'enseignant

D'abord, le niveau d'études n'est pas anodin : au niveau primaire, on observe de meilleures progressions quand la classe est de petite taille, notamment en lecture, et ceci vaut particulièrement pour les enfants de milieu défavorisé. Dans une étude de 2006, les économistes Thomas Piketty et Mathieu Valdenaire concluaient qu'une forte politique de ciblage, avec une réduction supplémentaire de 5 élèves dans les classes de ZEP[1], permettrait de réduire d'environ 50 % les inégalités de performance avec les classes non ZEP ; les effets d'une politique de ce type dans le secondaire sont moins marqués. Dans

l'étude qu'il vient de publier (avec Laurent Lima), le chercheur Pascal Bressoux montre que cet effet bénéfique d'une réduction de la taille des classes ne s'observe pas seulement si l'on met en œuvre une baisse très marquée, mais est notable d'emblée. Cet effet de la réduction des classes était jusqu'alors sous-estimé car l'on ne tenait pas compte des caractéristiques des maîtres affectés aux classes de petite taille (souvent moins expérimentés). Or la capacité des maîtres à faire progresser les élèves, notamment les plus faibles, est aussi liée à leur ancienneté : « *Deux années d'expérience supplémentaires de leur enseignant au CP dépassent l'effet d'un élève en moins par classe.* » L'affectation des maîtres les plus expérimentés aux élèves les plus faibles est donc une voie sans doute moins coûteuse et plus efficace que la réduction de la taille des classes pour améliorer les progrès des élèves.

On peut bien sûr chercher à augmenter l'efficacité des débutants, et d'autres travaux de P. Bressoux montrent à cet égard l'importance d'une formation initiale : former des enseignants débutants équivaut à une réduction de la taille des classes de 10 élèves (en mathématiques).

Une chose est sûre, on n'a pas tout essayé pour réduire l'échec scolaire et ces recherches montrent les impasses d'une politique qui à la fois supprime toute formation et affirme tranquillement qu'il est possible d'augmenter la taille des classes sans dommages pour les élèves…

Marie Duru-Bellay,
Sciences Humaines, n°235, mars 2012, p. 12.

_____

1. ZEP = Zone d'éducation prioritaire.

Répondez aux questions en cochant (X) la bonne réponse.

1 • **Les résultats des élèves de différents pays en Europe et en Asie révèlent :**
   a. ☐ qu'ils sont toujours fonction du nombre d'élèves dans les classes
   b. ☐ qu'ils ne sont pas fonction du nombre d'élèves dans les classes
   c. ☐ qu'ils sont parfois fonction du nombre d'élèves dans les classes
   d. ☐ qu'ils peuvent souvent être fonction du nombre d'élèves dans les classes

2 • **La comparaison entre les pays :**
   a. ☐ est inutile car les systèmes éducatifs sont différents
   b. ☐ peut apporter des informations utiles sur les raisons des échecs
   c. ☐ doit être menée avec prudence car il faut examiner les échecs ou les réussites dans l'ensemble d'un système éducatif
   d. ☐ ne constitue qu'une simple information

3 • **Le début du deuxième paragraphe précise que le niveau d'enseignement, associé à la taille de la classe a une influence sur les échecs des élèves.**
   a. ☐ Au niveau primaire, moins d'élèves dans une classe, notamment dans les classes de ZEP, permet d'améliorer de façon très nette les résultats des élèves.
   b. ☐ Au niveau secondaire une réduction semblable des effectifs a les mêmes effets.
   c. ☐ Au niveau secondaire, la réduction des effectifs n'a aucune influence sur les résultats des élèves.
   d. ☐ Dans les classes de ZEP, il faut une réduction importante des effectifs pour obtenir de meilleurs résultats chez les élèves.

4 • **Dans ce même paragraphe, il est fait mention que :**
   a. ☐ le niveau des maîtres n'a aucune influence sur les résultats des élèves dans une classe réduite
   b. ☐ au niveau primaire, si l'enseignant a deux ans d'expérience, celle-ci joue le même rôle que cinq élèves en moins dans la classe
   c. ☐ au niveau secondaire, l'expérience des enseignants n'a que peu d'influence
   d. ☐ plus les enseignants ont de l'expérience, meilleurs sont les résultats des élèves

5 • **Le dernier paragraphe précise que, selon les travaux du chercheur Pascal Bressoux :**
   a. ☐ donner une bonne formation initiale à tout enseignant revient à réduire de dix élèves la taille d'une classe
   b. ☐ donner une bonne formation initiale à un professeur de mathématiques revient à réduire de dix élèves la taille d'une classe
   c. ☐ donner une bonne formation initiale aux enseignants modifie peu les résultats des élèves
   d. ☐ la seule formation initiale des enseignants, si elle n'est pas associée à la réduction des effectifs, ne permet pas une amélioration des résultats.

6 • **Quels sont les aspects négatifs de la politique scolaire actuelle ? Est-il toutefois possible d'être optimiste ? Répondez avec vos propres mots.**

   ....

   ....

ACTIVITÉ 24

Le culte du moi me laisse sans voix

Aucune époque n'a été aussi narcissique que la nôtre. On se souvient qu'Andy Warhol avait parlé du quart d'heure de célébrité de chacun, mais aurait-il pu prévoir ce qui se passe aujourd'hui ? Certes, on ne peut pas parler de célébrité au sens propre, même si certains accèdent à une forme de notoriété en faisant des vidéos vues par des milliers de personnes, mais de plus en plus de gens mettent en scène leur propre vie sur Internet. C'est comme si tout le monde voulait crier : « J'existe ! » Les psychanalystes n'ont qu'à aller sur la page Facebook de leur patient, ils gagneront du temps. Tout y est ! On est dans le culte du moi. Nous devenons les dictateurs de notre propre royaume. On peut montrer ses photos, sa vie, ses enfants ; ou encore : exposer ses goûts et ses dégoûts ; ou encore : donner son point de vue sur le moindre événement. On commence à avoir l'impression que les gens vivent leur vie uniquement pour la transformer en commentaires sur les réseaux sociaux. Il y a dix ans naissait la télé-réalité, et des inconnus devenaient vedettes. Mais maintenant, nous sommes dans une nouvelle ère : les stars... c'est nous ! Si ça continue, ça va devenir une tare d'être anonyme... et alors il faudra se soigner en allant aux Anonymes anonymes ! Je suis loin de critiquer les passages de chacun, et c'est assez beau de partager ce que l'on vit, mais on frise parfois l'étalage. Et surtout : est-ce toujours intéressant ? Et plus ça va, plus ça s'aggrave. On « twitte » ! Pour aller encore plus vite. On a à peine fini de vivre l'événement qu'il faut le partager. D'où vient ce goût immodéré de la transmission du présent ? L'immédiateté devient le cœur de nos échanges. Il n'y a plus de distance : on raconte les choses en même temps qu'on les vit. Un peu comme si mes lecteurs pouvaient lire mes romans pendant que je les écris. Ce manque de recul provoque forcément parfois la futilité. Il n'est plus rare de partager... du rien ! Dans ces conditions, cela devient difficile d'établir une hiérarchie dans les événements. Un baiser est-il plus important qu'un tsunami ? Une bataille de polochons mérite-t-elle autant que la guerre en Afghanistan ? On se perd un peu en ce moment. Le monde devient une cacophonie d'opinions. Nous progressons vers l'overdose de l'exhibition. Mais ça ne durera pas, on change sans cesse sa manière de communiquer. Je suis à peu près certain que la prochaine tendance sera de ne plus rien dire. Le summum du choc sera de ne plus rien commenter, de ne pas faire connaître son opinion. C'est forcément la prochaine étape : le retour au mystère. Chut, chut, je ne suis pas là...

David Foenkinos[1], *Psychologies magazine,* n°319, juin 2012, p. 98.

1. Écrivain. Dernier roman paru : *Les souvenirs* (Gallimard, 2011).

Répondez aux questions en cochant (X) la bonne réponse.

1 • **David Foenkinos estime qu'à notre époque les gens :**
   a. ☐ ne font pas preuve d'auto-admiration
   b. ☐ font davantage preuve d'auto-admiration qu'à une autre époque
   c. ☐ font autant preuve d'auto-admiration qu'à une autre époque
   d. ☐ font moins preuve d'auto-admiration qu'à une autre époque

2 • **D'après lui, il semble qu'en réalité :**
   a. ☐ les gens ne désirent que se montrer et devenir célèbres grâce à Internet
   b. ☐ les gens veulent se prouver à eux-mêmes qu'ils existent
   c. ☐ moins que la recherche de la célébrité, les gens veulent montrer qu'ils sont là.
   d. ☐ les gens n'hésitent pas à se dévoiler, se « mettre à nu » pour atteindre la célébrité.

///

3 • Selon l'auteur, il s'agit bien d'auto-admiration dans la mesure où les gens :
  a. ☐ s'exposent sur Internet sans aucune gêne ni pudeur
  b. ☐ montrent tout de leur vie, de leur quotidien, pour le seul plaisir de se montrer
  c. ☐ utilisent la vitrine des réseaux sociaux pour se montrer
  d. ☐ ne cachent rien d'eux-mêmes ni de leurs pensées sur les réseaux sociaux dans la seule
      attente, semble-t-il, des réactions qu'ils susciteront

4 • Pour David Foenkinos, afin de devenir une star :
  a. ☐ il ne faut surtout pas rester anonyme mais se montrer, même si cela ne présente aucun intérêt
  b. ☐ il faut savoir partager avec les autres ce que l'on vit
  c. ☐ il faut montrer tout l'intérêt que présente notre vie
  d. ☐ il faut essayer d'être le plus discret possible

5 • Par ailleurs, Twitter aggrave le phénomène car :
  a. ☐ pour être reconnu, il est important de communiquer les événements avant que d'autres
      ne le fassent
  b. ☐ les gens transmettent et veulent connaître ce qui se passe dans l'instant même
  c. ☐ il faut faire vivre aux autres ce que l'on pense que l'on vivra plus tard
  d. ☐ les gens sont impatients de savoir ce qui s'est passé

6 • Le dernier argument de David Foenkinos montre combien il apprécie peu cet « étalage » de soi-même :
  a. ☐ l'immédiateté de l'information banalise l'importance de n'importe quel événement,
      il n'y a plus d'échelle de valeur
  b. ☐ ce qui est montré, échangé, se doit d'être de plus en plus extraordinaire pour étonner,
      faire de soi une star
  c. ☐ à montrer un événement en même temps qu'on le vit, c'est comme si quelqu'un d'autre le vivait
  d. ☐ dans cette course à l'échange, à l'étalage de ce que l'on vit, on finit par ne plus être soi-même

7 • De quoi David Foenkinos est-il sûr ? Qu'est-ce qui le réconforte ? Répondez avec vos propres mots.

....

....

ACTIVITÉ 25

Lisez de nouveau le texte précédent. Répondez aux questions. ///

1 • Quels sont les mots de la première et de la deuxième phrase qui sont au centre du texte ?

....

....

2 • Relevez les expressions et mots servant à l'argumentation qui articulent le texte.

....

....

3 • Comment, dans ces expressions, apparaît nettement l'auteur ?

....

....

Production ORALE

A comme... aborder la production orale ///

Description de l'épreuve

L'oral du DELF B2 consiste en une seule épreuve de 50 minutes au total :
- **30 minutes de préparation** d'un sujet tiré au sort ;
- **20 minutes de passation**.

Lors de cette passation, il s'agit :
- à partir d'un court document déclencheur de présenter, défendre un point de vue construit et argumenté ;
- débattre, discuter, dialoguer avec l'examinateur.

Pour vous aider... ....

Lors de la préparation :
- Prenez le temps de lire attentivement le document afin d'en dégager le sujet et de prendre position, pour ou contre.
- Établissez **un plan** précis de votre exposé comportant :
  - une introduction indiquant le problème soulevé dans le document, et, éventuellement, le plan que vous allez suivre ;
  - un argumentaire construit pour défendre votre position ;
  - une conclusion réaffirmant clairement votre position, justifiée par ce qui précède.
- Ne rédigez pas votre exposé, notez seulement les arguments qui sont les vôtres, en les classant et en terminant par celui qui vous paraît le plus convaincant.
- Essayez de prévoir les objections et les questions du jury.

Lors de la passation :
- *Qu'il s'agisse de votre exposé ou de l'entretien :*
  - essayez de vous détendre, souriez, regardez l'examinateur, cela permet en général de vérifier comment il « accueille » ce que vous dites ;
  - parlez suffisamment fort et articulez : l'examinateur doit pouvoir vous entendre et comprendre sans avoir à vous demander de répéter ;
  - enfin, faites-vous confiance : hésiter, reprendre une formulation est normal. Si certains mots vous manquent, ne vous « bloquez » pas, essayez de trouver une solution (Voir partie « Petits plus : lexique »)
- *Lors de votre exposé :*
  - consultez le plan et les arguments notés pendant la préparation mais ne les lisez pas ! Votre expression sera plus souple et plus efficace ;
  - vous pouvez choisir d'exprimer votre opinion de manière prudente, neutre ou engagée.
- *Lors de l'entretien :*
  - écoutez attentivement les questions qui vous sont posées ou les objections qui vous sont faites afin de réagir de façon adéquate ;
  - adoptez une intonation conforme à la manière choisie pour exprimer votre opinion :
    - calme, voire hésitante pour exprimer votre « prudence »,
    - neutre, normale, dans le deuxième cas,
    - ferme et affirmée pour exprimer votre certitude.

Pour vous préparer à l'épreuve de production orale, réalisez l'activité suivante. Si possible, enregistrez-vous.

ACTIVITÉ 1

Vous dégagerez le problème soulevé par le document ci-dessous.

Vous présenterez votre opinion sur le sujet de manière argumentée et vous la défendrez si nécessaire.

L'emploi des seniors et la transmission des savoirs

Le dictionnaire les définit comme des personnes de plus de 50 ans.

L'Union européenne considère que l'on est senior à partir de 45 ans.

Quel que soit l'âge retenu, à partir de 45 ans et au-delà de 50 ans, l'opinion communément admise est qu'un salarié devient moins compétitif et par conséquent moins « employable ».

Pourtant, si l'on considère l'allongement de la durée des études ainsi que le recul envisageable de l'âge de la retraite, un senior est surtout un collaborateur au milieu de sa carrière professionnelle.

Un collaborateur riche d'une expérience irremplaçable, prêt à transmettre ses savoirs aux jeunes générations et à faire valoir ses nombreux atouts pour le développement de son entreprise, dont il est, le plus souvent, un des plus ardents défenseurs.

www.agefos-pme.com

Évaluez vos réponses dans les pages suivantes.

Grilles de correction

La production orale est notée sur **25 points** :
- Les **activités** elles-mêmes sont notées sur **13 points** :
  - le monologue suivi – défense d'un point de vue argumenté – est noté sur **7 points**,
  - l'exercice en interaction – débat – est noté sur **5 points**,
- **Pour l'ensemble des trois parties** de l'épreuve :
  - le lexique est noté sur **4 points**,
  - la morphosyntaxe est notée sur **5 points**,
  - la maîtrise du système phonologique est notée sur **3 points**.

Écoutez vos enregistrements et évaluez-vous à l'aide des grilles dont dispose l'examinateur.

////////////// **I** **Monologue suivi : défense d'un point de vue argumenté** //

Peut dégager le thème de réflexion et introduire le débat.	0	0,5	1	1,5			
Peut présenter un point de vue en mettant en évidence des éléments significatifs et/ou des exemples pertinents.	0	0,5	1	1,5	2	2,5	3
Peut marquer clairement les relations entre les idées.	0	0,5	1	1,5	2	2,5	

////////////// **II** **Exercice en interaction : débat** //

Peut confirmer et nuancer ses idées et ses opinions, apporter des précisions.	0	0,5	1	1,5	2	2,5	3
Peut réagir aux arguments et déclarations d'autrui pour défendre sa position.	0	0,5	1	1,5	2	2,5	3

LEXIQUE, MORPHOSYNTAXE ET MAÎTRISE DU SYSTÈME PHONOLOGIQUE

Lexique (étendue et maîtrise) Possède une bonne variété de vocabulaire pour varier sa formulation et éviter des répétitions ; le vocabulaire est précis mais des lacunes et des confusions subsistent.	0	0,5	1	1,5	2	2,5	3	3,5	4	
Morphosyntaxe A un bon contrôle grammatical, malgré de petites fautes syntaxiques.	0	0,5	1	1,5	2	2,5	3	3,5	4	4,5	5
Maîtrise du système phonologique A acquis une prononciation et une intonation claires et naturelles.	0	0,5	1	1,5	2	2,5	3			

Quel total obtenez-vous ? Avez-vous au moins la moyenne (12,5/25) ?

ACTIVITÉ 1

Introduction :

Les deux catégories de personnes qui ont le plus de difficultés, lorsqu'ils sont sans emploi, à trouver ou retrouver du travail sont les jeunes et... les seniors !

Les premiers parce qu'on leur reproche leur manque de formation, leur insuffisance de compétences – alors que l'on ne les acquiert qu'en travaillant – et donc, indirectement leur (trop jeune) âge !

Inversement, aux seniors, s'il leur est reproché leur âge, il est peu fait mention de leur expérience, de leurs savoirs...

Argumentaire :

- Arguments en faveur de l'embauche des seniors :
  - ils ont une expérience solide, des savoirs importants qu'il est dommage de laisser perdre, de ne pas transmettre aux plus jeunes ;
  - ils font preuve généralement d'une grande autonomie, leur expérience leur permettant de trouver assez rapidement une solution aux difficultés qu'ils pourraient rencontrer ;
  - ils sont capables de s'intégrer et de s'adapter relativement vite, grâce à leur connaissance du monde du travail et de ses contraintes ;
  - ils peuvent être des référents, une mémoire des savoirs et savoir-faire mais aussi de bons gestionnaires du travail en équipe ;
  - ils peuvent enfin apporter leur « sagesse » lors d'éventuelles situations conflictuelles.
- Arguments dissuasifs pour l'embauche des seniors :
  - ils peuvent se fatiguer trop vite, être plus souvent malades ;
  - leur rendement peut être insuffisant s'ils travaillent plus lentement ;
  - ils peuvent ne pas s'habituer à de nouvelles formes de travail, aux nouvelles technologies ;
  - il vaut mieux faire travailler un jeune, le former à la culture de l'entreprise ;
  - ils « coûtent » plus cher qu'un jeune car il faut rémunérer leur expérience.

Conclusion :

- Il est possible de reprendre un ou deux arguments de la thèse opposée à la vôtre pour les minimiser.
- Veiller ensuite à reprendre rapidement les arguments les plus marquants de votre thèse.
- Conclure par l'argument le plus important.

Activités de préparation

Lors de l'épreuve de production orale, il vous faut :

- donner et défendre votre point de vue de façon argumentée à propos d'une question soulevée dans un court document déclencheur ;
- dialoguer avec l'examinateur, répondre à ses sollicitations afin de préciser, justifier votre prise de position.

Il est important alors de savoir :

- introduire le sujet abordé dans le document, donner votre point de vue et le défendre ;
- comprendre les questions, les sollicitations de votre interlocuteur et y répondre ;
- ne pas « épouser » l'avis de votre interlocuteur, relancer le dialogue si nécessaire et conclure.

ACTIVITÉ 2

Observez le tableau ci-après.

À quel objectif correspond chaque amorce de phrase ou expression ?

Amorces de phrases / expressions	Introduire le sujet	Donner son point de vue	Défendre son point de vue
Ce document aborde…			
Selon moi…			
Je suis persuadé(e) que…			
Il me semble que…			
Il s'agit d'une question…			
C'est ainsi, j'en ai la conviction, il…			
Pas du tout, c'est bien ce que…			
Pour ma part…			
C'est un sujet sensible que…			
Je voudrais souligner que…			

ACTIVITÉ 3

Pour donner les réponses qui conviennent aux questions du jury, à ses sollicitations, il est essentiel de bien les comprendre.

On peut distinguer deux types de questions : les questions directes, sans arrière-pensée du jury et les questions renfermant un implicite qu'il est nécessaire de déceler et d'interpréter.

Aux questions directes, il est possible de fournir :

- une réponse ouverte : vous exprimez votre opinion et vous la justifiez, défendez à l'aide d'arguments ;
- ou une réponse fermée : vous pouvez répondre par oui ou non mais il faut toutefois expliciter votre réponse.

Dans le cas de questions implicites, vous pouvez croire que le jury manifeste sa propre opinion et cherche à vous faire prendre position. Maintenez votre point de vue, étayez-le d'exemples et d'arguments précis : ce ne sont pas vos idées qui sont jugées mais la façon que vous avez de les exprimer.

Observez le tableau ci-après.

À quel type de question correspondent les amorces de questions proposées ?

Question	Directe		Avec implicite
	Réponse ouverte	Réponse fermée	
Que pensez-vous de... ?			
Ne vous semble-t-il pas que... ?			
Partagez-vous l'opinion de... ?			
Que diriez-vous si...?			
Croyez-vous que... ?			
Cette idée est-elle acceptable ?			
Ne croyez-vous pas qu'en fait... ?			
Quel est votre avis sur ce point ?			
Selon vous, que... ?			
C'est bien ce que vous pensez ?			

ACTIVITÉ 4

Lors de l'entretien, vous pouvez être amené :
- suite à une objection du jury, à expliciter les arguments avancés pendant votre exposé, à écarter cette objection ou la minimiser ;
- relancer la discussion, mais aussi clore votre propos avant que votre interlocuteur ne vous notifie la fin de l'entretien.

Observez le tableau ci-dessous.
Attribuez à chaque phrase ou amorce de phrase la situation/réaction qui lui correspond.

Phrases	Expliciter un argument	Repousser une objection	Clore votre propos
Il est vrai que... cependant...			
C'est ainsi que je vois cette question.			
Je veux dire que...			
Il serait bon sans doute d'ajouter...			
Plus exactement...			
Je dois admettre que... toutefois...			
Voilà ce que je pense de...			
Il faudrait peut-être mentionner...			
En d'autres termes...			
Il convient encore de préciser que...			
C'est ce qui me semble être...			
Je ne vois pas pourquoi...			

Activités de production orale

ACTIVITÉ 5

Vous dégagerez le problème soulevé par le document ci-dessous.

Vous présenterez votre opinion sur le sujet de manière argumentée et vous la défendrez si nécessaire.

Aimer faire la cuisine

Ce n'est pas incompatible avec les repas sur le pouce et autres pizzas livrées à domicile, mais les 15-30 ans sont unanimes : 86 % déclarent aimer faire la cuisine. Si ce plaisir reste très féminin (90 %), il concerne aussi une grande majorité des jeunes hommes (81 %). Parmi les 12 % qui n'aiment pas passer derrière les fourneaux se retrouvent logiquement les plus jeunes (14 % des 15-24 ans, contre 9 % des 25-30 ans). 86 % des sondés aimeraient apprendre à mieux cuisiner, sans distinction d'âge ou de sexe. Parmi ces apprentis volontaires, les employés et les cadres du privé sont un peu plus nombreux (respectivement 95 % et 90 %), ce qui s'explique notamment par un besoin de ralentir et de prendre des moments pour soi dans un emploi du temps chargé.

I. Artus, M.-L. Grézaud, *Psychologies magazine,* juin 2012.

ACTIVITÉ 6

Vous dégagerez le problème soulevé par le document ci-dessous.

Vous présenterez votre opinion sur le sujet de manière argumentée et vous la défendrez si nécessaire.

C'est l'heure... de régler sa montre !

Le changement en heure d'été fin mars et en heure d'hiver fin octobre est entré en vigueur en 1976 à la suite du choc pétrolier dans le but de réaliser des économies d'énergie en réduisant les besoins en éclairage en fin de journée. « *D'une manière générale, c'est bien accepté par la société, même si les impacts en termes d'économie d'énergie ne sont pas considérables* », souligne Éric Vidalenc, ingénieur au service économie et prospective de l'Agence française de l'environnement et de la maîtrise de l'énergie (Ademe). « *Nous ne faisons pas des études annuellement, parce qu'il n'y a pas d'enjeu stratégique autour de tout ça ni en terme de gain d'énergie ni en terme de questionnement de la part de la société* », explique-t-il.

L'expert souligne par ailleurs que l'impact de ce changement d'heure sur la consommation d'énergie va aller décroissant au fil des années, en raison de la mise en place d'autres mesures d'efficacité énergétique, comme les lampes basse consommation par exemple.

www.francetvinfo.fr

ACTIVITÉ 7

Vous dégagerez le problème soulevé par le document ci-dessous.

Vous présenterez votre opinion sur le sujet de manière argumentée et vous la défendrez si nécessaire.

Politique du vélo

La pratique du vélo est en plein essor : 3 millions de cycles vendus chaque année en France et avec 5 vélos pour 100 habitants, notre pays se place en troisième position derrière les Pays-Bas et l'Allemagne.

La pratique du vélo en ville réduit souvent le temps de parcours, notamment le temps perdu en recherche de stationnement, est peu onéreuse, bénéfique pour la santé et répond aux préoccupations du Grenelle de l'environnement. Elle répond ainsi à différentes problématiques : déplacement, santé, réduction de la pollution...

www.developpement-durable.gouv.fr

ACTIVITÉ 8

Vous dégagerez le problème soulevé par le document ci-dessous.

Vous présenterez votre opinion sur le sujet de manière argumentée et vous la défendrez si nécessaire.

De la toile au nuage : Qu'est-ce que le Cloud Computing ?

Sa définition officielle précise un peu de quoi il s'agit : l'accès *via* le réseau, à la demande et en libre-service, à des ressources informatiques virtualisées et mutualisées. Mais en quoi cela concerne-t-il non seulement les entreprises qui externalisent de plus en plus leur informatique avec l'infogérance, mais également vous et moi ?

En fait, le Cloud Computing devrait, à terme, modifier en profondeur notre relation avec l'informatique. Aujourd'hui, les ordinateurs personnels fonctionnent avec un système d'exploitation, Windows, MacOS ou Linux, une série de logiciels dédiés aux différentes tâches à accomplir (traitement de texte, tableur, bases de données, retouche de photos, messagerie, surf sur Internet...) et un disque dur sur lequel sont stockées les données. Imaginez que l'on retire presque tous ces logiciels ainsi que le disque dur. Cela allègerait considérablement nos machines. Il ne resterait qu'un système d'exploitation simplifié et un seul logiciel : le navigateur Internet. Les logiciels et toutes les données seraient dispersées ailleurs, sur des serveurs situés... on ne sait trop où. Cela peut ressembler à de la science-fiction. Pas du tout, il s'agit du Cloud Computing. Et nous l'utilisons déjà, tel monsieur Jourdain, sans nous en rendre compte. Qu'apporte concrètement le Cloud Computing par rapport au système précédent, c'est-à-dire à l'ordinateur personnel connecté à Internet ?

Si les logiciels et les données disparaissent de nos machines, où se retrouvent-ils et comment devront nous payer leur utilisation ?

Quels avantages présentent une telle virtualisation de l'informatique pour le grand public ? Quels risques aussi pour nos données personnelles, textes, photos, vidéos, messages électroniques... dans cette mise en suspension dans l'espace informatique, comme autant de gouttes d'eau d'un nuage voyageant au gré du vent ?

www.franceculture.fr

ACTIVITÉ 9

Vous dégagerez le problème soulevé par le document ci-dessous.

Vous présenterez votre opinion sur le sujet de manière argumentée et vous la défendrez si nécessaire.

Marre de la pub sur le web

Tous les sites web qui cherchent à pérenniser leur audience ou tout simplement, à assurer leur survie, font assaut d'imagination pour nous gaver de pub, avec un entonnoir s'il le faut. Les messages sont de plus en plus envahissants. Sur Europe 1 et d'autre médias, vous avez droit à un pré-roll de 20 secondes à 1 minute, juste avant d'accéder au lecteur multimédia. Mais ce n'est pas fini... Patientez encore 10 secondes avant d'accéder enfin à votre émission préférée et n'oubliez pas de cliquer sur Stop après avoir écouté le podcast pour ne pas vous prendre un dernier message dans les oreilles. Sur YouTube, vous devez en passer par la pub avant d'avoir le droit de la virer. C'est entendu, il faut bien compenser la gratuité qui est la règle sur la Toile. Mais on approche de la limite : trop de pub tue la pub.

http://humeursnumeriques.wordpress.com

//

ACTIVITÉ 10

Vous dégagerez le problème soulevé par le document ci-dessous.

Vous présenterez votre opinion sur le sujet de manière argumentée ////////////////////////////
et vous la défendrez si nécessaire.

Respecter la vie privée et le droit à l'image

Le droit à la vie privée est le droit pour chaque personne, quels que soient son rang, sa naissance, sa fortune, son âge, de voir respecter sa vie privée et intime. Ce principe est affirmé par l'article 9 du Code civil et a même une « valeur constitutionnelle ». Les éléments constitutifs de la vie privée sont notamment la santé, la vie sentimentale et familiale, la religion, le domicile, les revenus, les convictions politiques, etc. C'est la situation à caractère privé ou public et le lieu de la situation (vie personnelle/vie sociale) qui donnent le droit à chacun de s'opposer à la publication de ces informations personnelles. Ainsi, toute personne dont la vie privée/intime est exposée sur Internet, notamment par un tiers sans le consentement de l'intéressé, pourra obtenir réparation du préjudice subi par des dommages et intérêts et/ou demander le retrait immédiat du contenu litigieux diffusé.

La vie privée d'une personne peut être dévoilée par des enregistrements sonores, par la diffusion publique de ses écrits, par la diffusion de son image. L'infraction existe dès que les éléments relevant de la sphère privée sont diffusés à un public autre que son destinataire initial et exclusif.

Respecter la vie privée et le droit à l'image d'une personne est valable qu'elle soit connue ou inconnue. Toutefois, la situation à caractère public et le droit à l'information peuvent tenir en échec le droit à la vie privée et le droit à l'image dans certaines circonstances.

http://eduscol.education.fr

ACTIVITÉ 11

Vous dégagerez le problème soulevé par le document ci-dessous.

Vous présenterez votre opinion sur le sujet de manière argumentée ////////////////////////////
et vous la défendrez si nécessaire.

Les risques sanitaires avec les ondes électromagnétiques

Depuis longtemps, il y a des craintes sur la santé à cause des ondes électromagnétiques émises par la technologie de téléphonie mobile : en mai 2000 sur Doctissimo ; en 2005 sur Destination santé...

Invité de Laurent Ruquier dans son émission « On a tout essayé », Richard Forget, avocat au Barreau de Paris, défenseur du lanceur d'alerte Étienne Cendrier, faisait le point sur les dangers de l'utilisation du téléphone portable.

De récentes études prouvent qu'il y a des risques de tumeur cérébrale, confirmant les premiers résultats que nous avions communiqués en 2007 : en 2001 l'étude COMOBIO dénonçant l'influence nocive des ondes émises par les téléphones cellulaires sur le cerveau. L'étude COMOBIO reconnaît qu'une exposition à des micro-ondes GSM provoque une modification de la chimie du cerveau, grave chez les enfants, alors que cette étude s'est faite sous contrôle du lobby des télécom. Enfin, les études qui ont été faites par les Suédois et par les Américains montrent aussi la nocivité et le risque de tumeurs malignes cérébrales chez les accros du portable (31 août 2007). Comme l'affaire concerne des milliards de gens, il n'est pas tolérable que l'on tergiverse ! La corruption de politiciens est tenace ! Le lobby des opérateurs a fait étouffer la vérité au sein de l'ICNIRP, International Commission on Non-Ionising Radiation Protection.

http://webduweb.free.fr/, juin 2011.

ACTIVITÉ 12

Vous dégagerez le problème soulevé par le document ci-dessous.

Vous présenterez votre opinion sur le sujet de manière argumentée et vous la défendrez si nécessaire.

Plus question d'avaler n'importe quoi

«Sans sucre ajouté», «naturellement riche en vitamines»… Pas facile de s'y retrouver entre les aliments vraiment bons pour la santé et les autres. Face aux mentions plus ou moins fantaisistes figurant sur les paquets de céréales, yaourts et autres produits alimentaires, la commission européenne a fait le tri. Après quatre années d'évaluation, elle a adopté une liste de 222 allégations santé. Seules ces affirmations, considérées comme prouvées scientifiquement, pourront désormais figurer sur les emballages. Au total, 1 600 slogans mensongers ont été écartés et 2 200 sont encore à l'étude. Les industriels peu scrupuleux ont six mois pour gommer de leurs emballages les messages trompeurs.

Femme Actuelle, n°1446,
11-17 juin 2012.

ACTIVITÉ 13

Vous dégagerez le problème soulevé par le document ci-dessous.

Vous présenterez votre opinion sur le sujet de manière argumentée et vous la défendrez si nécessaire.

Radars : toujours rentables mais pas forcément efficaces

En 2011, les radars ont continué de se multiplier sur le bord des routes, rapportant des recettes toujours plus élevées. En revanche, le nombre de victimes sur les routes n'a que très peu baissé sur la même période. Alors, les radars, outils efficaces ou machines à sous ? Le débat semble toujours d'actualité.

http://www.autonews.fr

ACTIVITÉ 14

Vous dégagerez le problème soulevé par le document ci-dessous.

Vous présenterez votre opinion sur le sujet de manière argumentée et vous la défendrez si nécessaire.

Colocation senior-étudiant : le mode d'emploi

C'est une colocation intergénérationnelle : des seniors accueillent comme locataires des étudiants ou des apprentis.

Une manière innovante de rompre l'isolement des personnes âgées, tout en fournissant un logement gratuit ou à prix très modéré à un étudiant ou apprenti. Plusieurs associations mettent en relation seniors et jeunes et s'assurent du bon fonctionnement de la colocation.
La colocation malgré la différence de génération : c'est l'idée de la colocation intergénérationnelle qui se développe depuis quelques années en France, et notamment à Paris. Environ 300 binômes (senior-étudiant ou apprenti) existent actuellement, et la Ville de Paris encourage ce dispositif original, développé par des associations. C'est l'une des réponses face à l'isolement des personnes âgées et à la difficulté de se loger des plus jeunes.

http://www.paris.fr

ACTIVITÉ 15

Vous dégagerez le problème soulevé par le document ci-dessous.

Vous présenterez votre opinion sur le sujet de manière argumentée et vous la défendrez si nécessaire.

Comme les Québécois, il faut franciser notre environnement

Au vu des nombreux termes anglais qui nous entourent (y compris sur Newsring !), la question se pose effectivement. Doit-on traduire le nom des magasins (tels les Québécois qui traduisent Kentucky Fried Chicken en Poulet Frit du Kentucky), des films ? Doit-on dire courriel au lieu de mail ? Est-ce un combat perdu d'avance, représenté par un législateur qui essaie d'endiguer le flot d'un fleuve avec un dictionnaire ?

Combat perdu d'avance ? Pas si sûr. M. Bernard Cerquiglini, qui s'occupait de la Délégation à la Langue Française, devait expliquer à quoi celle-ci servait à M. François Mitterrand. « J'aide à créer des mots, Monsieur le Président. » « Ah bon, citez m'en un ! » Par modestie, je cite un mot que mes prédécesseurs avaient aidé à créer. « Monsieur Le Président, le mot logiciel. » « Ah bon, mais personne n'a créé ce mot, c'est un mot de la langue, un mot naturel. » J'ai répondu : « c'est la rançon du succès. »

http://www.newsring.fr

ACTIVITÉ 16

Vous dégagerez le problème soulevé par le document ci-dessous.

Vous présenterez votre opinion sur le sujet de manière argumentée et vous la défendrez si nécessaire.

L'uniforme pourrait-il faire son retour à l'école ?

L'UMP propose d'expérimenter le port d'un «vêtement commun», afin de « gommer les inégalités sociales ».

Le tablier bleu marine pourrait-il faire son retour dans les établissements scolaires, façon IIIᵉ République ? L'UMP propose d'expérimenter, dans les établissements, le port d'un «vêtement commun», afin de «gommer les inégalités sociales » et de renforcer «un esprit d'appartenance».

Cette décision, qui « serait discutée dans les conseils d'administration » des établissements scolaires, figure parmi les propositions de l'UMP sur « le pacte républicain et la nation » destinées à alimenter le projet présidentiel.

La décision d'introduire la blouse ou l'uniforme dépend aujourd'hui de chaque établissement, qui peut décider de l'inscrire dans le règlement intérieur. Cette pratique ne fait plus recette, faute de demande des parents et des enseignants, souligne-t-on au SNPDEN, le principal syndicat de chefs d'établissement. Jusqu'en 1968, les élèves portaient traditionnellement une blouse. Il s'agissait alors de protéger de l'usure et des taches les vêtements, plus coûteux qu'aujourd'hui. Dans le public, seule la maison d'éducation de la Légion d'honneur, à Saint-Denis, prescrit encore le port d'un uniforme bleu marine et une quinzaine d'établissements privés maintiennent un uniforme obligatoire, comme la Maison française, à Cuise-la-Motte (Oise), ou le collège Hautefeuille, à Courbevoie (Hauts-de-Seine). Au chic institut de La Tour (Paris), les élèves portent chemise blanche, écusson et pull bleu marine jusqu'en seconde. À l'école primaire de Saint-Jean de Passy, dans le même quartier, les enfants portent un tablier avec leur nom gravé.

http://www.lefigaro.fr/

ACTIVITÉ 17

Vous dégagerez le problème soulevé par le document ci-dessous.

Vous présenterez votre opinion sur le sujet de manière argumentée et vous la défendrez si nécessaire.

Quelles sont les sources de discrimination à l'embauche ?

Réseau de connaissance - Sexe - Âge - Statut matrimonial pour les femmes - Grossesses possibles pour une femme jeune - Nombre d'enfants pour une mère de famille - Âge des enfants - Diplômes - Expérience professionnelle - Handicap - Goût vestimentaire - Gestuel - Poignée de main - Couleur de Cheveux (Gris-Blanc) - Couleur de peau - Recrutement d'une femme par une femme est difficile - Véhicule - Stabilité sur le CV dans un marché complètement instable - Bilinguisme minimum.

Résumé : Toutes ces discriminations sont basées uniquement sur l'émotionnel ou les clichés, sont complètement subjectives, favorisant la compétition dans son aspect le plus négatif, l'hypocrisie au détriment des valeurs de l'individu et de ses compétences. En même temps, comment sélectionner un candidat plus qu'un autre à CV égal ? La discrimination est-elle nécessaire ?

http://www.journaldunet.com

ACTIVITÉ 18

Vous dégagerez le problème soulevé par le document ci-dessous.

Vous présenterez votre opinion sur le sujet de manière argumentée et vous la défendrez si nécessaire.

La voiture hybride est la solution d'avenir

Un certain nombre de mesures destinées à soutenir la filière automobile, notamment en relevant les bonus écologiques destinés aux véhicules électriques et hybrides, viennent d'être annoncées par le gouvernement. [...]

La solution qui s'impose serait d'encourager le développement des véhicules hybrides. Ceux-ci présentent, en effet, l'immense avantage par rapport aux véhicules 100 % électriques de pouvoir recharger eux-mêmes leurs batteries, ce qui les affranchit de la contrainte principale consistant à trouver une borne et attendre au moins trente minutes ou beaucoup plus avant de pouvoir repartir. Une voiture hybride peut rouler en mode électrique en ville et sur des courtes distances, et passer en mode thermique pour les trajets plus longs de type interurbain. Certes, même si la consommation et la pollution engendrée sont nettement plus faibles que pour un véhicule thermique normal, il ne s'agit pas stricto sensu d'un véhicule « zéro émission », appellation d'ailleurs discutable car la production d'électricité pour les véhicules électriques produit des gaz à effet de serre, sauf si elle est d'origine nucléaire.

http://www.lemonde.fr/

ACTIVITÉ 19

Vous dégagerez le problème soulevé par le document ci-dessous.

Vous présenterez votre opinion sur le sujet de manière argumentée et vous la défendrez si nécessaire.

Allopathie vs homéopathie

Que ne ferait-on pas pour discréditer l'homéopathie et les médecines alternatives qui représentent un réel danger pour l'industrie pharmaceutique car elles ne coûtent pas cher, n'ont pas d'effets secondaires, éliminent en grande partie les drogues allopathiques et, surtout, responsabilisent les patients, remettant ainsi en cause l'engrenage mortel de la société de consommation. [...]

Alors que dans la plupart des pays de la Communauté européenne, les homéopathes, médecins ou non, sont parfaitement admis, chez nous, dans les meilleurs cas, la médecine officielle ne reconnaît qu'un effet placebo à l'homéopathie.

http://www.naturavox.fr

ACTIVITÉ 20

Vous dégagerez le problème soulevé par le document ci-dessous.

Vous présenterez votre opinion sur le sujet de manière argumentée ////////////////////////
et vous la défendrez si nécessaire.

Les jeunes sont fans du courrier postal !

Pour les 18-29 ans, le courrier postal est synonyme de qualité dans la relation client d'une entreprise. C'est ce que révèle une étude CSA, qui tord le cou à bien des idées reçues. 2 % des 18-29 ans ouvrent leur boîte aux lettres chaque jour, alors qu'ils sont seulement 68 % à se connecter à leur messagerie électronique. En outre, 65 % déclarent que la lecture du courrier postal constitue un plaisir. Ces chiffres, issus d'une étude CSA sur le rapport des jeunes à ce média, révèlent un certain attachement au papier.

Pour autant, il ne suffit pas d'envoyer un courrier pour qu'il soit lu. Pour les 18-29 ans, comme pour l'ensemble de la population française, un courrier personnalisé reste plus attractif. 76 % déclarent même avoir davantage envie de l'ouvrir lorsqu'il correspond à un événement particulier de leur vie.

L'étude révèle également que les jeunes considèrent le courrier papier comme un support adapté à la communication d'informations personnelles ou confidentielles. Perçu comme sécurisant, il rassure quant à la confidentialité des données.

www.franceculture.fr

ACTIVITÉ 21

Vous dégagerez le problème soulevé par le document ci-dessous.

Vous présenterez votre opinion sur le sujet de manière argumentée ////////////////////////
et vous la défendrez si nécessaire.

Les sportifs sont-ils trop payés ?

*En France, lorsque l'on parle football, on en arrive toujours
à un pseudo-constat : « De toute façon, ils sont trop payés.
Pour la moitié de leur salaire, je ferai la même chose ».*

[…] La question, la seule à se poser, lorsque l'on parle du salaire des sportifs, revient sur le mode de rémunération. Actuellement, les sportifs ont (trop ?) souvent une rémunération composée à 90 % d'un salaire fixe (exception faite, bien sûr, des tennismen, des golfeurs et autres cyclistes…). En introduisant une part de variable (résultats, objectifs, merchandising…) plus conséquente, les salaires dépendraient ainsi de la performance des sportifs, et seraient moins sujets à débat.

Un sportif étant donc à la fois un artiste et un vecteur commercial très lucratif (une place pour la finale de Wimbledon peut coûter jusqu'à 10 000 €), il est naturel de le rémunérer à la hauteur de son poids financier. Il serait bien sûr plus légitime que sa rémunération soit proportionnelle à son poids financier, ce qui arrivera bien un jour.

Enfin, et c'est là toute la schizophrénie française. D'un côté, on veut du spectacle, du sport de haut niveau et des sportifs susceptibles de faire briller notre beau blason bleu-blanc-rouge. De l'autre, on les dénonce, comme trop payés, et on compte les taxer davantage, pour être certains qu'ils quittent notre hexagone préféré. Ce type de paradoxe est à l'origine du malaise français autour de la rémunération des sportifs. Au fond, le vrai problème n'est pas le « combien », mais plutôt le « comment »…

http://blog.esports-club.com, mars 2012.

ACTIVITÉ 22

Vous dégagerez le problème soulevé par le document ci-dessous.

Vous présenterez votre opinion sur le sujet de manière argumentée et vous la défendrez si nécessaire.

Le travail des salariés le dimanche

En principe, les établissements industriels et commerciaux ne doivent pas occuper des salariés le dimanche. Cependant, il existe des dérogations strictement énumérées par le Code du travail.

Principe du repos dominical

L'employeur doit accorder à ses salariés un repos hebdomadaire de 24 heures au bout de 6 jours de travail. Ce repos est donné le dimanche.

Article L. 3132-3 du Code du travail.

Attention : le non-respect du repos hebdomadaire ou du repos dominical est puni d'une contravention de 5e classe, soit 1 500 euros par salarié concerné. Ce montant peut être porté à 3 000 euros en cas de récidive dans un délai d'un an.

Article R. 3135-2 du Code du travail.

Certaines dérogations au principe du repos des salariés le dimanche sont, toutefois, prévues par la loi afin d'assurer la continuité de l'exploitation de l'entreprise ou de répondre aux besoins du public.

Ces dérogations peuvent être de droit ou conventionnelles, permanentes ou temporaires, ne concerner que certaines zones géographiques seulement et faire l'objet ou non d'une autorisation administrative préalable.

Remarque : ce principe ne s'applique pas aux commerçants ou dirigeants de sociétés qui peuvent ouvrir leur commerce sauf interdiction administrative expresse.

http://www.entreprises.ccip.fr

ACTIVITÉ 23

Vous dégagerez le problème soulevé par le document ci-dessous.

Vous présenterez votre opinion sur le sujet de manière argumentée et vous la défendrez si nécessaire.

Chirurgie esthétique : les stars assument

Le tabou de la chirurgie plastique s'effrite peu à peu... Emmanuelle Béart, Brad Pitt, Cameron Diaz ou encore Nicole Kidman ont reconnu publiquement avoir eu recours au bistouri.

Dans une société caractérisée par la recherche de la perfection et de la jeunesse éternelle, les opérations de chirurgie esthétique sont monnaie courante. Les stars elles-mêmes n'hésitent plus à confesser les interventions subies, à l'image d'Emmanuelle Béart. « *J'ai fait refaire ma bouche à l'âge de 27 ans. Ce n'est une énigme pour personne, c'est loupé* », a ainsi confié l'actrice au journal *Le Monde*. Désormais âgée de 48 ans, elle regrette d'avoir eu recours à la chirurgie mais assume son acte. « *Aujourd'hui, rien que l'idée d'une piqûre me foudroie. Mais en même temps, je me dis que ce n'est pas facile de vieillir, dans ce métier, quand on est une femme* », explique-t-elle.

L'actrice s'est laissé tenter il y a vingt ans car elle n'avait pas confiance en elle. Beaucoup l'ont fait pour les mêmes raisons, par peur de vieillir ou tout simplement pour se sentir mieux.

http://www.lefigaro.fr/

ACTIVITÉ 24

Vous dégagerez le problème soulevé par le document ci-dessous.

Vous présenterez votre opinion sur le sujet de manière argumentée et vous la défendrez si nécessaire.

Cartes de fidélité : les clients prêts à la dématérialisation

24 avril, Saint Fidèle : le jour que nous avons choisi, Christian Barbaray, Christophe Benavent, Nathalie Rémi Beaucé et moi pour présenter les résultats d'une étude inédite sur les Français et leur carte de fidélité. L'étude réalisée par INIT est présentée sur le blog Journéedelafidélité.com

Usage des cartes de fidélité

On retiendra que 96 % de la population déclare avoir une carte de fidélité.

Chaque Français en compte spontanément plus de 5 à son nom. Ils sont 81% à l'utiliser dont 43 % avec une forte fréquence. 19 % des personnes interrogées n'utilisent pas leurs cartes de fidélité.
Les oublis (d'usage lors de l'achat ou du document preuve de l'avantage) font que dans les 2/3 des cas, les cartes de fidélité n'atteignent pas leur objectif ! Les délais sont une autre raison de faible utilisation, sensiblement dans les mêmes proportions. Au-delà du facteur temps, leur faible attractivité décourage près de la moitié des détenteurs.

Pas de sentiment d'être privilégié pour la moitié des clients

Tout comme l'an dernier, nous constatons que près de la moitié des clients ne se sentent pas privilégiés en tant qu'adhérent d'un programme ; ce programme – matérialisé principalement par une carte – est considéré comme un dû. Ils n'y retrouvent pas de reconnaissance. En se diffusant et se généralisant, les programmes de fidélisation ont certainement perdu de leur statut différenciant.

http://sensduclient.blogspot.com.es/, avril 2012.

ACTIVITÉ 25

Vous dégagerez le problème soulevé par le document ci-dessous.

Vous présenterez votre opinion sur le sujet de manière argumentée et vous la défendrez si nécessaire.

Peur de l'avion

Même si l'avion est un moyen de transport parmi les plus sûrs (avec le bus et le métro), même si les appareils de vol sont de plus en plus contrôlés, prendre l'avion, que ce soit pour la première fois ou à l'occasion d'un déplacement saisonnier, peut être source d'appréhension voire d'angoisse pour certains d'entre nous. Peur de l'inconnu, peur des turbulences, peur du crash, claustrophobie, les raisons d'avoir peur sont variées. Les accidents meurtriers récents, les expériences difficiles lors de vols tourmentés, le renforcement des contrôles aériens rappellent évidemment les risques encourus.

http://www.sports-sante.com/, 15 juillet 2011.

ACTIVITÉ 26

Vous dégagerez le problème soulevé par le document ci-dessous.

Vous présenterez votre opinion sur le sujet de manière argumentée et vous la défendrez si nécessaire.

Faut-il obliger commerces et bureaux à éteindre la nuit ?

Enfin une bonne nouvelle pour les écologistes qui pestent contre le gaspillage d'énergie. Le gouvernement s'apprête à publier un arrêté obligeant, à compter du 1er juillet, les commerces et les bureaux à éteindre leurs lumières d'une heure à six heures du matin, afin de réduire la facture énergétique de notre pays. L'arrêté, qui vise les « bâtiments non résidentiels » (bureaux, commerces, hôpitaux...), prône la sobriété énergétique en interdisant désormais l'éclairage des façades, des vitrines commerciales et des intérieurs de bâtiments visibles de l'extérieur. [...]
Du côté des commerçants et des entreprises, cette mesure qui vise à économiser de l'énergie est très mal accueillie.

http://www.newsring.fr, 3 avril 2012.

ACTIVITÉ 27

Vous dégagerez le problème soulevé par le document ci-dessous.

Vous présenterez votre opinion sur le sujet de manière argumentée et vous la défendrez si nécessaire.

Pour ou contre les zoos ?

La fondation Born Free, qui défend la conservation des espèces animales menacées a publié fin avril son étude annuelle sur la qualité des zoos et parcs animaliers. Le zoo de Beauval, Marineland d'Antibes, ou encore le parc zoologique de Fréjus, et, au total, vingt-cinq zoos français ont été sélectionnés au hasard parmi les 900 parcs français. Selon l'étude, dans un tiers des zoos étudiés, les conditions de vie des animaux ne sont pas satisfaisantes. « *Parmi les 16 zoos qui encourageaient le contact avec les animaux, un seul semblait avoir affiché des avertissements demandant au public de se laver les mains après le contact* », déplore la fondation.

Si dans l'ensemble, les animaux sont bien traités, la fondation a observé « *qu'un grand nombre d'enclos n'offraient pas les caractéristiques appropriées pour permettre aux animaux d'exprimer leurs comportements naturels* ».

http://www.newsring.fr/, 6 juillet 2012.

ACTIVITÉ 28

Vous dégagerez le problème soulevé par le document ci-dessous.

Vous présenterez votre opinion sur le sujet de manière argumentée et vous la défendrez si nécessaire.

Aucun effet positif de la non-mixité à l'école

Les écoles unisexes, pour filles ou pour garçons, ne démontrent aucune amélioration éducative par rapport aux écoles mixtes. Pire, elles renforcent les stéréotypes sexistes, selon un rapport américain. « *Notre examen des différentes études menées nous amène à affirmer qu'il n'existe aucune preuve scientifique d'un quelconque effet positif des écoles unisexes* », écrit le professeur Lynn S. Liben, spécialiste de l'éducation à Penn State.

Les défenseurs des écoles unisexes sont convaincus que les différences entre les cerveaux des filles et des garçons recquièrent des styles d'enseignement différents. Mais les neuroscientifiques n'ont pas observé de différence significative entre les cerveaux des deux sexes. On loue aussi parfois les bénéfices scolaires des écoles unisexes, où les élèves auraient de meilleurs résultats. Mais il s'agit souvent d'écoles privées qui exigent des examens d'entrée et qu'on ne peut donc pas comparer à des écoles publiques mixtes.

Quand les élèves sont séparés selon leur sexe, on ne leur donne pas l'opportunité d'apprendre les compétences nécessaires pour interagir avec l'autre sexe et ce choix provoque des stéréotypes sexistes chez les jeunes. Le professeur Liben compare cette division à la ségrégation raciale des écoles d'autrefois, qui encourageait l'inégalité et les préjugés racistes.

http://www.7sur7.be

ACTIVITÉ 29

Vous dégagerez le problème soulevé par le document ci-dessous.

Vous présenterez votre opinion sur le sujet de manière argumentée et vous la défendrez si nécessaire.

Faut-il continuer à développer la production des biocarburants ?

Pour moins dépendre du pétrole et atteindre l'indépendance énergétique voire pour lutter contre la pollution, les biocarburants (ou agro-carburants lorsqu'obtenus de produits issus de l'agriculture) sont souvent présentés comme une solution. Pourtant, la production de ces carburants – produit à partir de matières organiques (végétales ou animales) non fossilisées – nécessite le plus souvent des surfaces cultivables... qui sont limitées. Ces deux cultures sont-elles conciliables ?

www.newsring.fr/

ACTIVITÉ 30

Vous dégagerez le problème soulevé par le document ci-dessous.

Vous présenterez votre opinion sur le sujet de manière argumentée et vous la défendrez si nécessaire.

L'écriture manuelle est-elle en danger ?

L'écriture manuelle va-t-elle disparaître […] ? À force d'écrire des SMS, des tweets, des e-mails, nous délaissons le bon vieux stylo bille.

Selon une étude britannique, un adulte sur trois n'a rien écrit à la main dans les six derniers mois. Pour deux tiers des personnes, quand ils écrivent, c'est uniquement des notes griffonnées pour eux-mêmes. Pourtant, une autre étude montre l'importance de l'écriture manuelle, notamment chez les enfants qui apprennent à écrire.

Quand on l'interrogeait sur l'écriture, Proust répondait que l'écriture est un travail manuel. Un travail en voie de mutation ?

Et vous, depuis combien de temps n'avez-vous pas écrit à la main ?

http://ericmainville.com, 1er juillet 2012.

ACTIVITÉ 31

Vous dégagerez le problème soulevé par le document ci-dessous.

Vous présenterez votre opinion sur le sujet de manière argumentée et vous la défendrez si nécessaire.

Les baladeurs véritables dangers pour les oreilles

Alors que la visite chez l'ophtalmologiste fait souvent partie des incontournables annuels pour une majorité de Français, il n'en est pas de même pour la visite chez l'ORL. […]

Jeudi, à l'occasion de la Journée de l'audition, l'association éponyme à l'origine de cette manifestation a publié une enquête sur le sujet. Les résultats sont édifiants. L'interrogatoire a été mené sur 1 001 jeunes âgés de 12 à 25 ans. Il en ressort que ces derniers utilisent leur baladeur une heure et demie par jour en moyenne avec une durée d'écoute en continu d'une heure. Les plus grands utilisateurs sont les 15-17 ans avec une durée moyenne de 2 heures et 5 minutes. Par ailleurs, 40 % des jeunes interrogés déclarent avoir déjà ressenti des acouphènes après avoir écouté leur baladeur ou en sortant de discothèque.

Quand les jeunes consultent, il est souvent trop tard.

http://sante.lefigaro.fr/, 12 mars 2010.

///

ACTIVITÉ 32

Vous dégagerez le problème soulevé par le document ci-dessous.

Vous présenterez votre opinion sur le sujet de manière argumentée /// *et vous la défendrez si nécessaire.*

Le casse-tête de la réduction des emballages

Danone a planché trois ans pour supprimer le carton autour de ses yaourts Activia et Taillefine.

Finis les emballages carton sur les yaourts Activia et Taillefine. À la fin du mois, Danone France aura supprimé les « cartonettes » de ses packs de quatre yaourts. [...] Danone souhaite réduire de 30 % son empreinte carbone d'ici à 2012 et permettre à ses clients de faire un geste quotidien en faveur de l'environnement. «75% des consommateurs jugent le suremballage car-ton inutile », ajoute Stanislas de Gramont. [...] Les distributeurs s'attaquent aussi aux emballages superflus des produits vendus sous leur marque. Auchan a ainsi supprimé le mois dernier l'emballage carton de ses dentifrices et mousses au chocolat. Et Leclerc a « mis à nu » une vingtaine de produits de sa Marque Repère. [...]

Les distributeurs espèrent ainsi donner l'exemple... aux industriels.

http://www.lefigaro.fr/, 22 mars 2010.

ACTIVITÉ 33

Vous dégagerez le problème soulevé par le document ci-dessous.

Vous présenterez votre opinion sur le sujet de manière argumentée /// *et vous la défendrez si nécessaire.*

Tatouage, piercing, n'y laissez pas votre peau !

Le tatouage comme le piercing sont des pratiques qui ont toujours existé aux quatre coins du monde et qui connaissent encore un grand succès, notamment auprès des jeunes à la recherche d'une esthétique ou d'un signe particulier. Si ces arts sont ancestraux, les techniques ont aujourd'hui bien évolué et réclament des règles d'hygiène scrupuleuses, ainsi que des soins, pour éviter tout risque d'infection et de complication...

Quels sont les risques ?

La réalisation d'un tatouage ou d'un piercing implique un risque important d'infection, pour le client comme pour l'opérateur, si certaines règles ne sont pas strictement suivies. En effet, le tatouage comme le piercing consistent en une effraction cutanée, c'est-à-dire une rupture de la couche de peau protégeant l'organisme, autorisant ainsi la pénétration de germes. De plus, ces actes provoquent des projections de sang ou de liquides biologiques même invisibles. La contamination peut donc intervenir par le matériel, l'encre ou les liquides biologiques du client.

Les germes pouvant être transmis sont des microbes (staphylocoques, streptocoques, pyocyaniques...), des bactéries ou des virus tels les hépatites B et C ou le Sida.

http://www.mgc-prevention.fr/, 15 février 2012.

ACTIVITÉ 34

Vous dégagerez le problème soulevé par le document ci-dessous.

Vous présenterez votre opinion sur le sujet de manière argumentée et vous la défendrez si nécessaire.

La France interdit la culture de maïs OGM Monsanto

La France a décidé de ré-interdire la culture de maïs génétiquement modifié MON810. Le moratoire sur la culture du maïs BT, commercialisé par le groupe américain Monsanto, a été réintroduit sur tout le territoire hexagonal, a annoncé vendredi le ministère de l'Agriculture.

« Le ministre de l'Agriculture a décidé ce jour de prendre une mesure conservatoire visant à interdire temporairement la culture du maïs MON810 sur le territoire national afin de protéger l'environnement », annonce le communiqué.

Le conseil d'État avait suspendu en novembre 2011 une interdiction datant de 2008 de cultiver et de commercialiser ce maïs transgénique en France, estimant qu'elle n'était pas suffisamment fondée.

Le gouvernement a demandé en février à la Commission européenne de suspendre la culture du MON810, seule céréale transgénique autorisée dans l'Union européenne. Sa consommation en France reste toutefois autorisée, avec une obligation d'étiquetage.

Un arrêté du ministre sera publié au Journal officiel dimanche, a précisé le ministère.

http://www.newsring.fr/, 16 mars 2012.

ACTIVITÉ 35

Vous dégagerez le problème soulevé par le document ci-dessous.

Vous présenterez votre opinion sur le sujet de manière argumentée et vous la défendrez si nécessaire.

Engagement associatif ou politique

La richesse du tissu associatif français est indéniable qui, dans le cadre de la loi de 1901, trouve à y exprimer à la fois la diversité des situations locales ou ponctuelles et aussi une certaine créativité démocratique. [...] Pourtant cette vitalité foisonnante associative contraste avec une certaine faiblesse, voire une morbidité de l'engagement politique. Cette situation interroge notre vocation « personnaliste » à l'engagement. [...] Au-delà du secteur de l'animation festive, culturelle ou sportive, bon nombre d'associations voient le jour pour des motifs très divers : la défense de personnes, d'intérêts ou de situations, ponctuelles ou durables, ou bien elles rendent des services à caractère social (éducation, santé, protection, humanitaire…), avec ou sans le soutien de l'État, ou des collectivités territoriales. C'est le domaine de l'initiative citoyenne, qui donne un sens bien visible, capable de mobiliser les gens sur des actions concrètes et d'entraîner des solidarités et des réactions relativement rapides et efficaces. [...]

En France, il semble que l'on détienne une sorte de record européen sur la faiblesse de participation aux institutions à la fois syndicales et politiques. Les syndicats et les partis n'ont pas la cote. Pourtant quoi de plus logique que d'œuvrer collectivement à améliorer les conditions de travail, à réduire l'exploitation. Seule l'union fait la force, et les rapports sociaux sont loin d'être tendres.

Jean-Claude Boutemy,
http://www.lvn.asso.fr/, 17 juillet 2012.

ACTIVITÉ 36

Vous dégagerez le problème soulevé par le document ci-dessous.

Vous présenterez votre opinion sur le sujet de manière argumentée et vous la défendrez si nécessaire.

Médicaments génériques : efficacité mise en doute

Faut-il faire confiance aux médicaments génériques ? Le débat est relancé par l'Académie de médecine qui a publié le 14 février 2012 un rapport mettant en doute leur efficacité. Mais il ne fait pas l'unanimité. [...]

Le rapport souligne qu'un générique n'est pas une « copie conforme » du princeps. S'il doit contenir le même principe actif, il peut avoir une présentation différente (par exemple gélules au lieu de comprimés). L'excipient, qui donne sa consistance au produit final, peut varier. « *Le changement d'excipient peut occasionner des réactions allergiques plus ou moins sévères, notamment avec les formes orales des antibiotiques à usage pédiatrique* », souligne le rapport, en ajoutant que les « malades âgés en traitement chronique peuvent être désorientés par les changements d'aspect et de dosage de leurs médicaments habituels ».

http://www.notretemps.com/,
5 mars 2012.

ACTIVITÉ 37

Vous dégagerez le problème soulevé par le document ci-dessous.

Vous présenterez votre opinion sur le sujet de manière argumentée et vous la défendrez si nécessaire.

La gratuité dans les musées

« *La gratuité des collections est un outil pour rendre aux musées leur vocation originelle de mise à disposition du public des biens communs hérités de l'histoire. Elle est également un outil de démocratisation de la culture que nous avons mis au cœur de notre politique culturelle. La gratuité des collections de nos musées est donc le résultat d'une volonté politique au service d'un idéal.* »

Danièle Pourtaud, adjointe au Patrimoine à Paris (PS),
L'Ami de musée, n°38 (FFSAM), printemps 2010.

« *Ce n'est pas une solution. Je ne suis pas certain que la gratuité des musées attire véritablement de nouveaux publics. Les enquêtes montrent que, nationalement, 23 % des Français ont des pratiques culturelles qui ne croisent jamais les offres proposées et 29 % n'ont qu'une fréquentation exceptionnelle des salles de spectacles, des musées et des expositions. Pour démystifier l'art et les musées, il faut travailler sur la médiation et les nouveaux outils qui l'accompagnent. Il faut une autre approche du musée qui doit être un lieu de conservation, mais aussi de découverte, de partage et de vie.* »

Jean-Marc Ayrault, maire (PS) de Nantes, *L'Œil*, septembre 2010.

ACTIVITÉ 38

Vous dégagerez le problème soulevé par le document ci-dessous.

Vous présenterez votre opinion sur le sujet de manière argumentée et vous la défendrez si nécessaire.

Réduisons le gaspillage alimentaire !

9 000, c'est le nombre de kilomètres que peut parcourir le yaourt à la fraise qui a fini sa vie dans la poubelle. Périmé, il n'a pas été mangé. Banal, voire naturel, le gaspillage alimentaire est inscrit dans notre mode de vie. Au-delà de l'impact environnemental, les problèmes économiques et sociaux qu'il engendre sont nombreux. Chaque Français jette en moyenne 20 kg d'aliments par an à la poubelle : 7 kg d'aliments encore emballés et 13 kg de restes de repas, de fruits et légumes abîmés et non consommés...

http://alimentation.gouv.fr/gaspillage-alimentaire

ACTIVITÉ 39

Vous dégagerez le problème soulevé par le document ci-dessous.

Vous présenterez votre opinion sur le sujet de manière argumentée et vous la défendrez si nécessaire.

La CNIL communique sur les dangers des réseaux sociaux

La CNIL a lancé en fin de semaine dernière une opération de sensibilisation portant sur les réseaux sociaux. Cette série de vidéos interactives a pour but de faire comprendre quelles peuvent être les conséquences de publications d'informations personnelles.

La Commission Informatique et libertés annonce le lancement de sa campagne de sensibilisation baptisée « Share the party : réfléchissez avant de cliquer ». Il s'agit d'une suite de vidéos interactives dans lesquelles l'internaute est amené à faire le choix de publier virtuellement ou non un cliché ou une vidéo d'une situation donnée. En fonction de son comportement, il devra subir les conséquences de ses actes.

L'autorité explique avoir reçu l'an dernier pas moins de 700 plaintes portant sur les problèmes d'opposition à la diffusion de contenus sur Internet. Elle considère ainsi qu'il est de son devoir d'informer les utilisateurs sur les risques éventuels pour la vie privée lorsqu'ils publient des informations personnelles.

À ce titre, la présidente de la CNIL, Isabelle Falque-Pierrotin invite « *les internautes à aller au-delà de leurs usages des outils technologiques, et à voir, en face, les conséquences humaines et la portée réelle de leurs actes virtuels* ». L'autorité met également à disposition une page Facebook dédiée à l'opération qui recense les commentaires de ceux qui auront participé à la vidéo.

Olivier Robillart, http://pro.clubic.com/
19 mars 2012.

ACTIVITÉ 40

Vous dégagerez le problème soulevé par le document ci-dessous.

Vous présenterez votre opinion sur le sujet de manière argumentée et vous la défendrez si nécessaire.

Les soldes ont-ils encore un sens ?

Or donc, la question est posée. Certes, je n'ai jamais beaucoup aimé les soldes, même si je les pratique régulièrement (ceci n'est pas une antithèse). Trop de monde, trop de fausses bonnes affaires, trop de dépense pour la dépense qui *in fine*, tue la dépense... Non, vraiment, contre toute apparence, les soldes et moi ne sommes pas vraiment les meilleurs amis du monde.

Oh bien sûr et comme vous l'aurez compris, j'irai quand même faire un tour. Sûrement pas le premier jour, mais en flânant mollement et sans but à l'occasion sur le web ou dans la vraie vie, pourquoi pas... histoire d'être certaine que je ne passe pas à côté de LA bonne affaire. Mais je m'interroge : entre la pluie de ventes soi-disant privées qui s'abattent comme la misère sur les pauvres shoppeuses (on n'a pas des vies faciles, CQFD), les ventes « presse », les soldes flottants et autres fourre-tout remisé, je ne suis pas certaine que les soldes soient encore intéressants. Vous ne croyez pas ?

www.deedeeparis.com/, 21 juin 2012.

///

ACTIVITÉ 41

Vous dégagerez le problème soulevé par le document ci-dessous.

Vous présenterez votre opinion sur le sujet de manière argumentée ////////////////////////// *et vous la défendrez si nécessaire.*

Faut-il avoir (encore) peur des jeux vidéo ?

Les jeux vidéo font désormais partie du paysage familial. Or la question des risques liés à l'usage des jeux violents inquiète parents et éducateurs. Et elle mobilise les chercheurs. [...] Quand elles s'expriment, les inquiétudes des parents et éducateurs se concentrent sur les craintes d'addiction ou de risques de violence provoqués par certains jeux [...] À force de tirer contre des ennemis virtuels, ne risque-t-on pas de devenir soi-même violent ? À ce sujet, les psychologues français sont partagés, mais la méfiance semble l'emporter. « *S'il y a tant de jeux violents, c'est aussi que nous vivons dans une société de violence* » , observe Yann Leroux, également joueur, qui voit dans ces jeux un lieu de décharge pour se libérer de tensions internes. Une thèse que réfute le pédopsychiatre Claude Allard. « *Il est prouvé que la violence, d'où qu'elle vienne, appelle la violence. Or, il existe aujourd'hui une inflation dans ce domaine...* »

Marie Auffret-Pericone, www.la-croix.com/, 14 février 2012.

ACTIVITÉ 42

Vous dégagerez le problème soulevé par le document ci-dessous.

Vous présenterez votre opinion sur le sujet de manière argumentée ////////////////////////// *et vous la défendrez si nécessaire.*

Faut-il donner de l'argent de poche à ses enfants ?

Selon une étude réalisée en 2008 par l'Institut CSA pour le Crédit Agricole, 45 % des enfants de 6 à 15 ans percevaient de l'argent de poche. En moyenne, les parents commencent à donner de l'argent lorsque leur enfant atteint l'âge de 9 ans. Cependant, 31 % des parents de moins de 8 ans donnent déjà de l'argent de poche à leur enfant. Tout l'art étant de donner ni trop, ni pas assez pour permettre à son enfant à apprendre à gérer son budget. [...]

Vous pourrez ensuite décider de la possibilité ou non de « primes à l'effort ». Ces extras ne devront pas concerner les tâches quotidiennes qui doivent être assumées par tous les membres de la famille (faire la vaisselle, débarrasser la table, passer le balai, etc.) mais bien des corvées ponctuelles comme passer la tondeuse. Votre enfant prendra ainsi conscience de l'effort nécessaire pour gagner de l'argent.

Isabelle Cantarero, http://www.ideede-conso.com/, 18 janvier 2012.

ACTIVITÉ 43

Vous dégagerez le problème soulevé par le document ci-dessous.

Vous présenterez votre opinion sur le sujet de manière argumentée ////////////////////////// *et vous la défendrez si nécessaire.*

La sécurité des achats sur Internet vous semble-t-elle suffisamment garantie ?

Payer sur internet, c'est comme dans la vraie vie, en pire. En pire parce qu'on n'est pas face à face, qu'on n'a pas toujours de garantie de recevoir le bien ou le service acheté, etc. Et principalement, parce que personne n'est capable d'assurer que ce qui passe par le réseau n'est pas « écouté ». Ceci étant dit, payer par internet n'est pas de la folie non plus. Les banques mettent de plus en plus les cartes virtuelles en avant : une carte virtuelle n'est valable que pour UN seul paiement (cela évite les risque de rejeu : refaire plusieurs fois la même transaction avec le même numéro de carte) et pour une somme donnée, sur une période donnée. J'effectue des dizaines d'achat par an sur internet avec des cartes virtuelles, et je n'ai jamais eu le moindre problème. Mais il faut bien évidement être conscient des risques liés à internet, qui sont différents des risques d'une transaction « face to face ».

htpp://plus.lefigaro.fr/, 5 mars 2012.

ACTIVITÉ 44

Vous dégagerez le problème soulevé par le document ci-dessous.

Vous présenterez votre opinion sur le sujet de manière argumentée et vous la défendrez si nécessaire.

Reprendre l'affaire familiale

83 % des entreprises françaises sont des entreprises familiales dont l'activité génère la moitié du PNB et des emplois en France. C'est dire combien leur transmission est un enjeu majeur à la fois pour le tissu économique du territoire et pour le fondateur de l'entreprise ! Pour ce dernier, l'étape de la transmission est celle qui détermine la survie de son entreprise après son départ.

Reprendre l'affaire familiale présente un certain nombre d'avantages et notamment des chances de succès plus élevées par rapport à d'autres types de reprise.

Par ailleurs cette reprise conduit simultanément à assurer la pérennité de l'entreprise et à faire éventuellement bénéficier les héritiers d'une donation dont les conséquences fiscales allègent ou suppriment les contraintes financières liées à la transmission.

En revanche, cette forme de reprise peut également être source de conflits ou signer la fin de l'indépendance de l'entreprise.

www.apce.com/, novembre 2009.

ACTIVITÉ 45

Vous dégagerez le problème soulevé par le document ci-dessous.

Vous présenterez votre opinion sur le sujet de manière argumentée et vous la défendrez si nécessaire.

Pour ou contre le téléchargement illégal ?

Personnellement je suis contre tout téléchargement illégal, pour des questions de redistribution des droits d'auteurs. J'ai le sentiment d'être un cas isolé. La plupart du temps je passe pour un homme de Neandertal auprès des personnes avec lesquelles j'en parle. Même mes amis intermittents du spectacle téléchargent à outrance et sans état d'âme. Il est évident que l'essentiel des bénéfices va directement aux producteurs, mais à mes yeux il en va du respect de la création et donc de l'artiste. Serais-je le seul à penser dans ce sens ? Peut-être suis-je dans l'erreur...

http://fr.toluna.com/, 2010.

ACTIVITÉ 46

Vous dégagerez le problème soulevé par le document ci-dessous.

Vous présenterez votre opinion sur le sujet de manière argumentée et vous la défendrez si nécessaire.

La Fan attitude

Si j'existe... c'est d'être fan, chante Pascal Obispo, inconditionnel qu'il est de Michel Polnareff. On est tous, peu ou beaucoup, admiratif devant tel artiste connu ou tel autre. Nous avons tous nos chanteurs préférés, nos acteurs adorés... mais de là à en devenir fou, cela devient une toute autre histoire.

Celle des centaines de fans qui, lors d'un concert, s'épuisent les cordes vocales à crier leur amour pour leur idole au lieu d'écouter sa musique ; qui pleurent à chaudes larmes quand ils la voient à proximité et s'évanouissent quand elle leur serre la main... Autant de comportements démesurés qui, même s'ils font souvent rire, intriguent et soulèvent plus d'une interrogation. Jusqu'où peut-on aller dans notre admiration pour une star ?

Khaoula C., www.artmony.biz/, 12 mai 2012.

Vous dégagerez le problème soulevé par le document ci-dessous.

Vous présenterez votre opinion sur le sujet de manière argumentée //////////////////////////////
et vous la défendrez si nécessaire.

L'interdiction de l'expérimentation animale pour les cosmétiques

Le 7e amendement de la directive européenne 76/768/CEE concernant les produits cosmétiques prévoit le bannissement total de l'utilisation de tests sur les animaux pour 2013.

L'interdiction de réaliser des tests sur les animaux au sein de l'Union Européenne pour les produits cosmétiques est applicable depuis le 11 mars 2009. L'interdiction de mise sur le marché de cosmétiques testés sur les animaux doit entrer en vigueur le 11 mars 2013. Toutefois la Commission Européenne peut demander un report de l'interdiction de la mise sur le marché des produits testés sur les animaux pour trois tests encore autorisés.

Si la mise en application était reportée jusqu'en 2018 ou 2019, cela impliquerait la mort de milliers d'animaux pour nos produits cosmétiques.

John Dalli, www.destination-enfer.com/

Vous dégagerez le problème soulevé par le document ci-dessous.

Vous présenterez votre opinion sur le sujet de manière argumentée //////////////////////////////
et vous la défendrez si nécessaire.

La drôle de conception des médicaments par les internautes

On a vu ces dernières semaines l'Association pour une automédication responsable (AFIPA) faire une nouvelle fois la promotion de cette pratique en soulignant les économies substantielles pouvant être dégagées grâce une progression de l'automédication et en remarquant qu'une telle tendance aiderait les patients à se responsabiliser. L'ouvrage récemment paru de Sylvie Fainzang, anthropologue et directrice de recherche à l'INSEM, intitulé L'automédication ou les mirages de l'autonomie (PUF) invite à douter de ce second bienfait. Pour que l'automédication puisse favoriser une plus grande responsabilisation des patients face aux médicaments, il semble en effet en préalable nécessaire qu'ils acquièrent une meilleure connaissance de ce qu'est un médicament. Or, certaines pages de l'essai de Sylvie Fainzang, publiées sur le site Atlantico.fr suggèrent la persistance de nombreuses idées reçues et la construction d'une opinion bien plus subjective qu'objective.

Aurélie Haroche, http://m.jim.fr/, 19 juin 2012.

ACTIVITÉ 49

Vous dégagerez le problème soulevé par le document ci-dessous.

Vous présenterez votre opinion sur le sujet de manière argumentée et vous la défendrez si nécessaire.

Les désagréments liés au spam

Le spam [courrier indésirable pourriel] représente un danger pour les utilisateurs. D'une part, il véhicule souvent des logiciels malveillants susceptibles d'endommager sérieusement les installations ou les infrastructures des internautes. D'autre part, c'est une forme d'arnaque vis-à-vis de laquelle les utilisateurs d'Internet devront faire preuve de vigilance au risque de perdre beaucoup d'argent ou encore de se faire voler leurs coordonnées bancaires ou autres données sensibles les concernant. [...]

Les désagréments liés au spam sont également nombreux : saturation du réseau, encombrement du serveur et de la bande passante, perte de temps liée au tri et à la suppression, etc. Il y a également les coûts afférents à l'acquisition d'un filtre anti-spam efficace, à sa mise à jour et à la maintenance en cas de dysfonctionnement.

www.altospam.com/, 11 juin 2012.

ACTIVITÉ 50

Vous dégagerez le problème soulevé par le document ci-dessous.

Vous présenterez votre opinion sur le sujet de manière argumentée et vous la défendrez si nécessaire.

Faut-il repeindre les éoliennes ?

Devant leur hémicycle respectif, la députée de la Moselle, Marie-Jo Zimmermann et le sénateur mosellan Jean-Louis Masson ont très sérieusement demandé au gouvernement s'il était possible de changer la couleur des éoliennes. Les deux parlementaires s'interrogeaient ainsi sur la possibilité de peindre les pylônes « par exemple vert à la base, puis progressivement gris-bleu vers le sommet ». Les couleurs traditionnelles des mâts et des pales, le blanc et le gris sont accusées de nuire à la faune sauvage, en particulier aux insectes, oiseaux et aux chauves-souris.

Face à ce constat, et dans un souci d'intégration dans le paysage, certains pays ont déjà changé la couleur de leurs éoliennes. En Allemagne, le fabricant Enercon peint leur base en vert. Au Québec, les parcs les plus récents ont aussi adopté un dégradé de vert.

Olivier Laffargue, www.newsring.fr/, 2 janvier 2012.

Production ECRITE

Description de l'épreuve

L'épreuve de production écrite consiste en une prise de position
personnelle argumentée par rapport à un sujet abordé, présenté dans :
- un texte relativement bref ;
- une assertion ;
- ou encore une question.

Elle peut prendre par exemple la forme :
- d'un article critique ;
- d'une lettre formelle ;
- d'une contribution à un débat ;
- d'un essai...

La durée de cette épreuve est de **1 heure**.

Pour vous aider...

- Lisez attentivement le sujet.
- Dégagez précisément le problème posé.
- Prenez position, pour ou contre.
- Recherchez et organisez les arguments nécessaires pour étayer votre point de vue.

Conseils

• **Dans le cas d'un article critique,** donnez-lui un titre, court de préférence,
persuasif ; rédigez un chapeau, situé au-dessous du titre, il peut jouer le rôle
d'une introduction, poser le problème dont il sera question ; vous pouvez
mentionner le point de vue « adverse » pour mieux le réfuter.

• **Dans le cas d'une lettre formelle,** respectez-en la présentation ; veillez à ce
que les 9 éléments constitutifs soient présents : les coordonnées de l'expéditeur,
celles du destinataire, les références, l'objet de la lettre, le lieu et la date, la formule
d'appel, le corps de la lettre, la formule de politesse et la signature ; soignez
particulièrement les formules d'appel et de politesse en fonction du destinataire
du courrier.

• **Dans le cas d'un texte pouvant servir de contribution à un débat,** structurez
soigneusement votre texte ; rédigez une introduction posant le problème,
annonçant votre prise de position ; organisez vos arguments en vous
positionnant par rapport à la thèse adverse pour mieux la contredire,
la minimiser ; concluez votre texte en terminant par l'argument qui vous
semble le plus convaincant, en synthétisant ce que vous avez exposé.

• **Dans le cas d'un essai,** vous pouvez choisir, en fonction du sujet, soit d'adhérer à
la thèse présentée, soit de la contester, soit de confronter le pour et le contre,
soit d'accepter un ou plusieurs aspects contraires à votre point de vue ; vous
pouvez présenter votre opinion de façon discrète, indirecte, ou bien directe
en recourant au « je » ; soyez rigoureux(se) dans votre rédaction, dans la
présentation de vos arguments ; veillez à introduire et clore de façon précise
et claire l'exposé de votre thèse.

Exemple d'une activité à réaliser

Pour vous préparer à l'épreuve de production écrite, réalisez l'activité suivante. Attention, vous disposez d'une heure !

ACTIVITÉ 1

Vous avez assisté aux dernières élections en France. Comme cela est souvent le cas, le taux des abstentions a été relativement élevé, soulevant ainsi de nouveau le débat sur le vote obligatoire. Qu'en pensez-vous ? Faudrait-il que le vote soit obligatoire ? Qu'en est-il dans votre pays ?

À la demande d'un journaliste français, intéressé par votre point de vue d'étranger(ère), vous rédigez un article argumenté de 250 mots environ. //

Évaluez votre production écrite ci-dessous.

Grilles de correction

La production écrite est notée sur **25 points :**
- L'**activité** elle-même est notée sur **14 points :**
  - le respect de la consigne est noté sur **2 points,**
  - la correction sociolinguistique est notée sur **2 points,**
  - la capacité à présenter des faits est notée sur **3 points,**
  - la capacité à argumenter une prise de position est notée sur **3 points,**
  - la cohérence et la cohésion sont notées sur **4 points.**
- La **compétence lexicale et l'orthographe lexicale** sont notées sur **5 points.**
- La **compétence grammaticale et l'orthographe grammaticale** sont notées sur **6 points.**

ÉVALUATION DE L'ACTIVITÉ

Évaluez-vous à l'aide de la grille dont dispose l'examinateur :

Respect de la consigne Respecte la situation et le type de production demandée. Respecte la consigne de longueur indiquée.	0	0,5	1	1,5	2				
Correction sociolinguistique Peut adapter sa production à la situation, au destinataire et adopter le niveau d'expression formelle convenant aux circonstances.	0	0,5	1	1,5	2				
Capacité à présenter des faits Peut évoquer avec clarté et précision des faits, des événements ou des situations.	0	0,5	1	1,5	2	2,5	3		
Capacité à argumenter une prise de positions Peut développer une argumentation en soulignant de manière appropriée points importants et détails pertinents.	0	0,5	1	1,5	2	2,5	3		
Cohérence et cohésion Peut relier clairement les idées exprimées sous forme d'un texte fluide et cohérent. Respecte les règles d'usage de la mise en page. La ponctuation est relativement exacte mais peut subir l'influence de la langue maternelle.	0	0,5	1	1,5	2	2,5	3	3,5	4

ÉVALUATION DE LA COMPÉTENCE LEXICALE/ORTHOGRAPHE LEXICALE

Étendue du vocabulaire Peut utiliser une gamme assez étendue de vocabulaire en dépit de lacunes lexicales ponctuelles entraînant l'usage de périphrases.	0	0,5	1	1,5	2
Maîtrise du vocabulaire Peut utiliser un vocabulaire généralement approprié bien que des confusions et le choix de mots incorrects se produisent sans gêner la communication.	0	0,5	1	1,5	2
Maîtrise de l'orthographe lexicale	0	0,5	1		

ÉVALUATION DE LA COMPÉTENCE GRAMMATICALE/ORTHOGRAPHE GRAMMATICALE

Choix des formes A un bon contrôle grammatical. Des erreurs non systématiques peuvent encore se produire sans conduire à des malentendus.	0	0,5	1	1,5	2	2,5	3	3,5	4
Degré d'élaboration des phrases Peut utiliser de manière appropriée des constructions variées.	0	0,5	1	1,5	2			

Quel total obtenez-vous ? Avez-vous au moins la moyenne (12,5/25) ?

Proposition de correction

ACTIVITÉ 1

• **Titre :** Donnez un titre accrocheur à votre article, annonçant votre point de vue. Par exemple : Voter, une obligation ? (pose le problème) ; Oui (Non) au vote obligatoire !

• **Introduction :** Vous devez en premier lieu préciser si le vote est obligatoire ou non dans votre pays puis dire si vous êtes en âge de voter. Il vous faut ensuite dire si vous avez déjà voté et pour quel type d'élection. Ce que vous déclarez vous permet alors de dire pourquoi vous avez ou non voté ou pourquoi vous le ferez ou non quand vous pourrez ou devrez exercer votre droit de vote, et donc d'introduire votre avis sur le vote obligatoire.

• **Développement de l'article :** Vous prenez position et pour ce faire, vous pouvez choisir :
– de commencer par la thèse contraire à la vôtre afin de réfuter les arguments généralement avancés ou les minimiser, puis de poursuivre avec la défense de votre thèse ;
– de commencer par la défense de votre thèse puis de réfuter ensuite les arguments de la thèse contraire. Dans les deux cas, veillez à terminer par l'argument le plus percutant, que ce soit pour appuyer votre thèse ou réfuter la thèse contraire.

• **Conclusion :** faites une brève synthèse de ce que vous avez expliqué précédemment en affirmant votre point de vue.

Pour vous aider

• **Arguments pour le vote obligatoire :** Par exemple : tout droit a aussi ses devoirs ; il supprime l'abstention et permet d'avoir une représentation exacte des choix politiques des citoyens ; il permet aux élus de justifier leurs décisions et leurs actions ; le droit de vote a été acquis grâce à la lutte de nos anciens et par respect pour eux il faut l'exercer ; voter c'est prendre ses responsabilités, agir en citoyen.

• **Arguments contre le vote obligatoire :** Par exemple : le vote obligatoire est une atteinte aux libertés individuelles ; c'est à chacun de décider s'il veut ou non voter ; obliger à voter n'est pas démocratique ; il faut inciter, motiver, et non contraindre grâce à une réelle éducation civique ; les candidats promettent mais les élus ne tiennent pas leurs promesses.

Activités de préparation

Pour mieux répondre à la production écrite qui vous sera demandée, il est bon :
– de connaître les caractéristiques de chaque « texte », c'est-à-dire de l'article, de l'essai, de la lettre formelle ou encore du texte pouvant servir de contribution à un débat ;
– d'employer comme il convient les mots et expressions servant à introduire le sujet ainsi que votre opinion, votre adhésion à la thèse présentée ou encore à un ou plusieurs de ses aspects ;
– d'employer comme il convient les mots et expressions servant à confronter le pour et le contre, à réfuter ou minimiser la thèse adverse.

ACTIVITÉ 2

Observez les affirmations suivantes. Pour chaque type de production écrite, cochez (X) la (ou les) proposition(s) exacte(s).

1 • **Un essai :**
   a. ☐ est un texte complet sur un sujet
   b. ☐ fait partie d'un journal, d'un livre
   c. ☐ est un texte de longueur fixe

2 • **Un article :**
   a. ☐ a généralement un titre
   b. ☐ est toujours signé par un journaliste
   c. ☐ doit répondre à 5 questions : qui, où, quand, comment, pourquoi

3 • **Une lettre formelle :**
   a. ☐ comporte des références
   b. ☐ a un nombre fixe de paragraphes
   c. ☐ mentionne les adresses de l'expéditeur et du destinataire

4 • **Un texte argumenté comporte :**
   a. ☐ une introduction qui pose le problème
   b. ☐ une conclusion résumant la thèse soutenue
   c. ☐ un ensemble d'arguments contradictoires

ACTIVITÉ 3

Observez le tableau ci-après. À quel objectif correspond chaque amorce de phrase ?

Amorces de phrases	Introduire le sujet	Donner son avis	Adhérer à la thèse ou à un aspect de la thèse
Personnellement, il me semble...			
Il est indéniable que...			
Ce dont il est question...			
Il s'agit de...			
On peut parfaitement admettre...			
Je suis certain que...			
Il ne fait pas de doute que...			
Mon sentiment, c'est que...			
La question abordée...			
On ne peut qu'approuver...			

ACTIVITÉ 4

Observez le tableau ci-après. À quel objectif correspond chaque amorce de phrase ?

Amorces de phrases	Confronter le pour et le contre	Réfuter la thèse adverse	Minimiser la thèse adverse
Même si... ce n'est pas pour autant que...			
Il ne faut rien exagérer...			
Au crédit de... toutefois...			
Il est difficile de croire...			
J'admets que... cela dit...			
Il est exagéré de dire que...			
Comment peut-on affirmer...			
Ce serait trop simple si...			
D'une part... de l'autre...			
Quel rapport avec...			

Activités de production écrite

ACTIVITÉ 5

Dans votre pays, célébrez-vous des fêtes étrangères à votre culture ?
C'est le cas en France pour Halloween ou encore la Saint-Patrick. Quel est selon vous l'intérêt de ces célébrations ? Qu'apportent-elles ? Leur objectif n'est-il pas essentiellement commercial ? Faut-il ou non maintenir ces fêtes ?

Exposez votre opinion dans un essai argumenté de 250 mots environ.

ACTIVITÉ 6

Les achats sur Internet se développent de plus en plus, au détriment, il faut le reconnaître, des commerces traditionnels. Qu'en est-il dans votre pays ? Vous-même faites-vous des achats en ligne ? Quels en sont, selon vous, les avantages et les inconvénients ?
Un magazine destiné aux consommateurs appelle ses lecteurs à donner leur opinion dans ses colonnes.

Rédigez un article argumenté de 250 mots environ, destiné à ce magazine.

ACTIVITÉ 7

Un(e) de vos ami(e)s se nourrit souvent de plats préparés. Vous pensez qu'il/qu'elle aurait tout intérêt à faire ses courses et préparer lui-même/elle-même ses repas.

Écrivez à votre ami(e) une lettre argumentée de 250 mots environ, afin de l'inciter à changer ses habitudes alimentaires

ACTIVITÉ 8

Êtes-vous membre ou non d'un ou de plusieurs réseaux sociaux ? Quoi qu'il en soit, quels sont selon vous leurs avantages et leurs inconvénients ?

Exposez votre opinion dans un essai argumenté de 250 mots environ.

ACTIVITÉ 9

Les activités manuelles – dessin, peinture, travail du bois ou encore couture, broderie et tricot – ont-elles leur place dans les cursus scolaires de votre pays ? Pensez-vous qu'il faudrait en renforcer l'enseignement ? Quels avantages leur attribuez-vous dans la formation d'un individu ?

Exposez votre opinion dans un essai argumenté de 250 mots environ.

ACTIVITÉ 10

Élections, consommation, comportements sociaux font généralement l'objet de sondages largement diffusés et commentés dans les médias. Pensez-vous qu'on leur accorde trop d'importance ? Peut-on généralement leur faire confiance ou cela dépend-il des sujets et/ou des organismes de sondage ?

Exposez votre opinion dans un essai argumenté de 250 mots environ.

ACTIVITÉ 11

Avec le développement des transports, les étals des marchés proposent toutes sortes de fruits et de légumes qui, bien souvent, ne sont pas de saison. Des tomates ou des fraises, venues du bout du monde, en hiver, est-ce bien un progrès ? Quel en est ou quels en sont le(s) coût(s) pour les consommateurs ? Écologiste mais aussi gourmet, vous décidez de faire part de votre opinion aux lecteurs d'un magazine gastronomique.

Rédigez un article argumenté de 250 mots environ.

ACTIVITÉ 12

Richard Berry, acteur, président d'honneur de l'association « Don de soi... don de vie » pense que l'ignorance constitue le principal frein du don d'organes. Membre d'une association qui milite pour le don d'organes, vous partagez le point de vue de Richard Berry.

Rédigez une lettre circulaire argumentée de 250 mots environ, pour sensibiliser les lecteurs de divers magazines au don d'organes.

ACTIVITÉ 13

Dans votre pays, le choix du prénom d'un enfant obéit-il à des traditions, des règles, des modes ? Les parents peuvent-ils donner le prénom qu'ils veulent ou bien est-il impossible de choisir certains prénoms ? Pensez-vous que le choix d'un prénom est un acte délicat ? Pour quelles raisons ?

Rédigez un texte argumenté de 250 mots environ qui pourrait servir de préface à un ouvrage recensant des prénoms et leur origine.

ACTIVITÉ 14

Un(e) de vos ami(e)s vous propose de faire ensemble un voyage organisé pour vos vacances.
Qu'en pensez-vous ? Trouvez-vous que c'est une bonne idée, ou bien, au contraire, préféreriez-vous organiser vous-même votre voyage ?

Adressez une lettre argumentée de 250 mots environ à votre ami(e) afin de le (la) convaincre de se rallier à votre choix.

ACTIVITÉ 15

Alors que l'on célèbre la journée mondiale des océans en ce vendredi 8 juin 2012, la Commission européenne – qui constate une amélioration de certains stocks de poissons – a présenté un document de consultation visant à entamer les négociations sur les quotas de pêche (TAC) pour 2013.
Vous semble-t-il nécessaire de mettre en place une réelle politique des quotas de pêche au niveau mondial ? Pour quelles raisons ? Quelles solutions y aurait-il pour éviter la surpêche ? Quels en seraient les avantages et les inconvénients ?

Rédigez un essai argumenté de 250 mots environ pour exprimer votre opinion à propos des décisions à prendre.

ACTIVITÉ 16

Parlez-vous plusieurs langues ? Appartenez-vous à plusieurs cultures ?

Que cela soit le cas ou non, exposez dans un texte argumenté de 250 mots environ les avantages du plurilinguisme.

ACTIVITÉ 17

La construction d'une centrale nucléaire dans votre région soulève des protestations parmi la population.
Vous décidez de répondre à l'invitation du journal local demandant à ses lecteurs d'exprimer leur opinion.

Rédigez un article argumenté de 250 mots environ faisant état des avantages mais surtout des inconvénients que, selon vous, présente le nucléaire.

ACTIVITÉ 18

Que pensez-vous de la pratique des sports extrêmes tels que le saut à l'élastique ou autres ? Quels arguments plaident en leur faveur ou non ? Approuvez-vous leur pratique dans certains séminaires d'entreprises destinés aux cadres ?

Rédigez un essai argumenté de 250 mots environ pour présenter votre opinion.

ACTIVITÉ 19

Actuellement, le nombre d'ONG et d'associations caritatives est incalculable, attestant ainsi de l'engagement bénévole d'un très grand nombre de personnes. Quels sont, selon vous, les avantages que présente le bénévolat ? Quelles satisfactions peut en retirer le (la) bénévole, mais aussi quelles contraintes peuvent se présenter à lui (elle) ?

Exprimez votre opinion dans un article argumenté de 250 mots environ.

//

ACTIVITÉ 20

D'ici à 2015, tous les établissements recevant du public devront être aménagés pour recevoir des personnes handicapées. Que pensez-vous de cette décision ? Quels bâtiments publics devraient être aménagés en priorité ? Pourquoi ? Quels types d'aménagements faudrait-il prévoir dans les logements et pour quelles raisons ? Ne faudrait-il pas enfin prévoir des sanctions pour le non-respect de ces mesures, essentiellement par les personnes valides ?

Rédigez un texte argumenté de 250 mots environ pour présenter votre point de vue. //////////

ACTIVITÉ 21

Vous exercez déjà un métier que vous avez choisi, ou bien vous savez quel métier vous allez pratiquer. Mais quel(s) métier(s) n'aimeriez-vous pas exercer ? Pour quelles raisons ?

Rédigez un essai argumenté de 250 mots environ pour présenter votre point de vue. //////////

ACTIVITÉ 22

En ces temps de crise économique, la plupart des gouvernements encouragent leurs citoyens à acheter des produits nationaux de préférence aux produits étrangers. Vous-même privilégiez-vous l'achat des produits de votre pays ? Jugez-vous souhaitable cette pratique ? Toutefois, est-il possible d'être sûr de la provenance d'un article ?

Exposez votre point de vue dans un texte argumenté de 250 mots environ, ////////////////////////// *destiné au courrier des lecteurs d'un journal économique.*

ACTIVITÉ 23

Souvent assimilé au travail à domicile, le télétravail ou travail à distance se développe de plus en plus en France. Si la possibilité vous en était offerte, aimeriez-vous choisir cette forme de travail ? Quels avantages, mais aussi quels inconvénients le télétravail présente-t-il selon vous par rapport au « travail traditionnel » effectué dans les locaux de l'entreprise ?

Exposez votre point de vue dans un essai argumenté de 250 mots environ. //////////

ACTIVITÉ 24

En 1925, Valery Larbaud publiait « Ce vice impuni, la lecture… ». Aimez-vous lire ? Considérez-vous que le goût de la lecture puisse être un « vice », une « addiction » ? La lecture n'est-elle pas un vice à encourager ? Que permet-elle ? Quels sont les effets bénéfiques de sa pratique sur le lecteur ? Comporte-t-elle des aspects négatifs ?

Présentez votre point de vue dans un texte argumenté de 250 mots environ. //////////

ACTIVITÉ 25

Née en 1973 aux États-Unis, la télé-réalité est présente sous différentes formes, sur de nombreuses chaînes de télévision, à l'étranger comme en France. Que pensez-vous de ce genre d'émissions ? Quels sont, d'après vous, leurs aspects positifs et négatifs ? Que peut-on leur reprocher mais aussi porter à leur crédit ?

Rédigez un essai argumenté de 250 mots environ pour présenter votre opinion ////////////////////////// *sur ce sujet.*

ACTIVITÉ 26

Avec le développement d'Internet, le e-learning est en plein essor. Pensez-vous qu'il est possible de tout –
ou presque tout – apprendre à distance, notamment les langues étrangères ?
Quels sont, selon vous, les avantages et les inconvénients de l'apprentissage d'une langue à distance,
par rapport à un apprentissage en face à face, en classe ?

Présentez votre point de vue dans un article argumenté de 250 mots environ,
à paraître dans les pages « Éducation » d'un magazine féminin.

ACTIVITÉ 27

Pour des raisons écologiques ou économiques, on encourage les gens à choisir les transports en commun
pour leurs déplacements, qu'ils soient professionnels ou non. Toutefois, en dépit de leurs avantages,
les transports en commun présentent certains inconvénients qui découragent leurs éventuels usagers.
Vous-même utilisez-vous les transports en commun ? Selon vous, quels sont leurs avantages et
inconvénients ?

Exprimez votre opinion dans une lettre argumentée de 250 mots environ,
adressée aux responsables de votre ville, afin qu'ils améliorent les dessertes
des transports publics.

ACTIVITÉ 28

À voir les gens téléphoner en tout lieu et à tout moment, on pourrait croire que leurs portables leur
ont été greffés dans la main… Que pensez-vous de cette utilisation excessive des téléphones portables ?
Se justifie-t-elle vraiment ? Ne constitue-t-elle pas des nuisances dans la vie sociale ?

Rédigez un essai argumenté de 250 mots environ pour présenter votre point de vue.

ACTIVITÉ 29

En France, bien qu'interdit par la loi, le bizutage, rebaptisé souvent journée(s) ou week-end d'intégration,
est encore largement pratiqué. Imposé par les « anciens » aux étudiants de première année (des grandes
écoles ou de certaines écoles de formation supérieure), il peut faire l'objet d'activités anodines, voire
amusantes, mais il arrive qu'il « dérape » vers des situations humiliantes pour les nouveaux étudiants.
Le bizutage existe-t-il dans votre pays ? Qu'en pensez-vous ? Faut-il maintenir ou condamner le bizutage ?
Quels sont, selon vous, les aspects négatifs ou positifs de cette pratique ?

Exposez votre point de vue dans un article argumenté de 250 mots environ,
destiné à un journal d'étudiants.

ACTIVITÉ 30

Philatélistes, bibliophiles, numismates, ou encore copocléphiles… il existe des collectionneurs de toute
sorte ! Vous-même êtes-vous collectionneur (collectionneuse) ? Si tel est le cas, que collectionnez-vous ?
Jugez-vous normal de collectionner des objets ? Quelles sont à votre avis les raisons qui poussent les gens
à cette pratique ? Que peut apporter la constitution d'une collection ? Quelles en sont aussi les contraintes ?

Présentez votre point de vue dans un texte argumenté de 250 mots environ destiné
au blog d'un collectionneur.

///

ACTIVITÉ 31

Comment communiquez-vous davantage : par courriels ou par lettres ? Choisissez-vous indifféremment l'un ou l'autre moyen pour écrire à vos amis ? Quelle(s) différence(s) faites-vous entre ces deux supports ? Pensez-vous que les courriels supplanteront rapidement les lettres ou bien, en fonction des destinataires et des circonstances choisira-t-on l'un ou l'autre de ces moyens ?

Exprimez votre avis dans un article argumenté de 250 mots environ. ////////////////////////////////////

ACTIVITÉ 32

La France dispose de plusieurs parcs d'attraction. Que leur vocation soit essentiellement de distraire, tels Disneyland ou le Parc Astérix ou encore éducative, tels le Futuroscope ou Vulcania, ils attirent un nombre assez important de visiteurs. Avez-vous déjà visité un ou plusieurs parcs d'attraction ? Le(s)quel(s) ? Qu'est-ce qui a motivé votre choix ? Avez-vous été satisfait(e) de votre visite ? Pensez-vous que cette activité soit à encourager et qu'elle est à portée de tout un chacun ? Pourquoi ?

Exposez votre point de vue dans un texte argumenté de 250 mots environ. ///////////////////////

ACTIVITÉ 33

Certaines personnes, par peur des effets de la vieillesse, font tout ce qu'elles peuvent pour essayer de rester – ou du moins paraître – toujours jeune. Pour cela, elles n'hésitent pas à recourir à la « médecine anti-âge » en recourant à la chirurgie esthétique mais aussi en avalant toutes sortes de vitamines, de minéraux, d'oligo-éléments… Que pensez-vous de la « médecine anti-âge » ? Est-elle sans risque, à la portée de tout le monde ? Permet-elle vraiment de « rester jeune », de repousser la vieillesse ?

Rédigez un essai argumenté de 250 mots environ pour exposer votre point de vue. ///////////////

ACTIVITÉ 34

Avec 61,6 millions d'animaux de compagnie, la France se place en tête des pays européens, mais aussi, hélas, parmi les pays où il y a le plus d'abandons d'animaux… Poissons, chiens et chats sont les animaux favoris des Français. Et vous, avez-vous un animal de compagnie ? Si tel est le cas, est-ce un chien, un chat, un autre animal ? Si vous n'en avez pas, aimeriez-vous ou non en avoir un ? Pour quelles raisons ? Selon vous, qu'est-ce que les animaux de compagnie nous apportent ? Quel(s) rôle(s) peuvent-ils jouer dans une famille ? Encouragez-vous ou non à avoir un animal de compagnie ? Un(e) de vos ami(e)s envisage d'adopter un petit chien.

Écrivez une lettre argumentée de 250 mots environ à votre ami(e) pour lui donner votre avis. //

ACTIVITÉ 35

En France, les élèves n'ont pas de cours le mercredi après-midi… mais sont, pour la plupart, très occupés. Ils suivent des cours de musique, de dessin, ils jouent au tennis, au football, font du judo ou de l'aïkido… certains prennent aussi des cours particuliers dans les matières où ils ont des difficultés. Et pour certains, il en est de même le samedi… Croyez-vous que leurs parents ont raison de leur faire faire autant d'activités ? Les enfants n'ont-ils pas besoin de temps pour jouer ou se distraire ?

Exposez votre opinion dans un texte argumenté de 250 mots environ /////////////////
que vous posterez sur un blog de parents d'élèves.

ACTIVITÉ 36

Les façons d'enseigner et d'apprendre ont relativement peu changé jusqu'à la moitié du XXe siècle avec le développement et l'introduction des médias dans la classe. La radio d'abord, puis la télévision, le magnétophone, la vidéo, l'utilisation de l'informatique et enfin l'Internet ont été successivement autant « d'étapes » au cours desquelles on a avancé que ces moyens pourraient remplacer le professeur… Pensez-vous que les moyens multimédia remplaceront un jour les professeurs ? Au contraire, croyez-vous que les enseignants joueront toujours un rôle dans l'acte d'apprentissage ? Pour quelles raisons ?

Rédigez un essai argumenté de 250 mots environ pour présenter votre opinion.

ACTIVITÉ 37

En France, mais aussi dans bon nombre de pays dans le monde, on constate un essor relativement important de ce que certains appellent les « gymnastiques douces » : yoga, tai-qi ou encore qi-gong. À quoi attribuez-vous leur succès, notamment chez les plus de 30 ou 40 ans ? Aimeriez-vous pratiquer l'une de ces activités ? Dans quel(s) but(s) ?

Pour un journal plus particulièrement destiné aux seniors, exprimez votre point de vue dans un article argumenté de 250 mots environ.

ACTIVITÉ 38

Avez-vous déjà acheté un ou des produits contrefaits qu'il s'agisse d'un vêtement ou d'un accessoire ? Lequel ou lesquels ? Considérez-vous banal, anodin, ou bien au contraire répréhensible ce type d'achat ? Pour quelles raisons ? Quelles en sont également selon vous les conséquences ?

Exprimez votre point de vue dans un essai argumenté de 250 mots environ.

ACTIVITÉ 39

Dans nombre de formations, le futur diplômé est amené à effectuer un stage – de durée plus ou moins longue dans une entreprise. L'intérêt de ces stages peut être variable, discutable, en fonction de ce qu'il est proposé au stagiaire. Toutefois la plupart des stagiaires s'accordent généralement pour critiquer la façon dont ils sont considérés. Ils reprochent ainsi aux entrepreneurs de leur confier des tâches qui ne correspondent pas à leur formation ou bien des travaux qui incombent normalement à des employés. Dans les deux cas, il apparaît souvent qu'ils se sentent « exploités » car ils travaillent (beaucoup) pour un salaire bien maigre voire inexistant. Quel est votre avis concernant ces stages ? Selon vous, comment devraient-ils être organisés ?

Dans une lettre argumentée de 250 mots environ, faites part de votre opinion à un(e) ami(e) futur(e) stagiaire.

ACTIVITÉ 40

Aimez-vous les jeux de société – par exemple le Scrabble, le Monopoly ou encore les jeux de cartes comme le Uno – et y jouez-vous ? Avec quelle fréquence et avec qui ? Cette pratique est-elle récente ou non ? Pensez-vous que les jeux de société, au-delà du plaisir du jeu, présentent des aspects positifs et peuvent se révéler formateurs pour des enfants ? Ont-ils des côtés négatifs ?

Exposez votre point de vue dans un texte argumenté de 250 mots environ, destiné à un forum consacré aux jeux.

ACTIVITÉ 41

On recense en France plus d'un million d'associations en activité – soit en moyenne une association pour environ 7 personnes – et ce nombre ne cesse d'augmenter. Vous-même, adhérez-vous à une association, à un club ? De quel type : culturel, sportif ? Si tel est le cas, quelle en a été votre motivation ? Qu'est-ce que cela vous apporte ? Pour quelles raisons, à votre avis, les gens ressentent-ils le besoin d'appartenir à une association ? Qu'y trouvent-ils ? Pensez-vous que cela soit symptomatique de la société actuelle ?

Rédigez un essai argumenté de 250 mots environ pour présenter votre point de vue.

ACTIVITÉ 42

L'école, le collège et le lycée, outre les enseignements qu'ils dispensent dans les matières scolaires, sont des lieux de prévention. Les élèves sont ainsi par exemple prévenus, par leurs enseignants ou des spécialistes, des risques alimentaires, sanitaires, routiers, de harcèlement ou encore informatiques (sites dangereux, réseaux sociaux...). Quelles sont selon vous les préventions que vous jugez prioritaires ? Pour quelles raisons ? Ne relèvent-elles pas également de la responsabilité des parents ?

Pour la revue d'une association de parents d'élèves, rédigez un texte argumenté de 250 mots environ afin de présenter votre point de vue.

ACTIVITÉ 43

Où habitez-vous ? En ville ou à la campagne ? Est-ce un choix de votre part ou non ? Êtes-vous satisfait(e) ou bien aimeriez-vous changer de cadre de vie ? Pourquoi ? Quels sont selon vous les avantages et les inconvénients de la vie en ville ou à la campagne ?
Une agence immobilière propose un large éventail de ces deux types de logements.

À sa demande, rédigez un texte argumenté de 250 mots environ pour sa plaquette publicitaire.

ACTIVITÉ 44

Êtes-vous cinéphile, ou tout au moins aimez-vous le cinéma ? Y allez-vous souvent ? Est-ce que vous aimez voir des films étrangers ? Dans ce cas, que préférez-vous : les films en version originale, en version originale sous-titrée ou dans la version destinée à votre pays, c'est-à-dire avec la bande son dans votre langue ? Quels sont les avantages et inconvénients de ces différentes versions ?

Exposez votre point de vue dans un essai argumenté de 250 mots environ.

ACTIVITÉ 45

Décidez-vous, seul(e), de l'organisation de vos vacances ? Si tel est le cas, quel type de logement privilégiez-vous sur votre lieu de vacances ? Choisissez-vous de préférence l'hôtel, la location ou le camping ? Pour quelles raisons ? Quels en sont ses avantages par rapport aux autres formes de logement ?

Rédigez un texte argumenté de 250 mots environ pour exposer votre point de vue.

ACTIVITÉ 46

Pour des raisons économiques, de nombreux étudiants sont contraints chaque année de concilier leurs études avec un « job étudiant ». Cela est-il ou a-t-il été le cas pour vous ? Pensez-vous qu'il est possible de travailler et d'étudier en même temps sans qu'une activité nuise à l'autre ? Conseilleriez-vous toutefois à un(e) futur(e) étudiant(e) de vos ami(e)s de chercher un petit « job », de travailler pendant ses études ? Pourquoi ?

Écrivez à votre ami(e) une lettre argumentée de 250 mots environ afin de lui exposer votre point de vue.

ACTIVITÉ 47

Vous intéressez-vous à la mode ? Pensez-vous comme la Bruyère qu' « *Une mode a à peine détruit une autre mode, qu'elle est abolie par une plus nouvelle, qui cède elle-même à celle qui la suit* » ou bien, comme Karl Lagerfeld qu' « *Il n'y a plus de mode, rien que des vêtements* » ? Y a-t-il en fait une ou plusieurs modes ? Croyez-vous que le fait de suivre la mode ou une mode traduit l'appartenance à un groupe social, un courant de pensée ? Faut-il suivre la mode ? Pour quelles raisons ?

Exprimez votre point de vue dans un texte argumenté de 250 mots environ.

ACTIVITÉ 48

En France, après le scandale occasionné par des prothèses défectueuses, une mission d'information du Sénat s'est intéressée aux interventions à caractère esthétique. Elle préconise ainsi l'interdiction des cabines de bronzage « hors usage médical » en raison d'un risque avéré de cancer de la peau. Par ailleurs, certains actes esthétiques devront désormais être effectués par des médecins. Pensez-vous que ces décisions sont du ressort du Sénat ? En quoi accomplit-il sa mission ? Au contraire, le Sénat l'outrepasse-t-il en se mêlant de ce qui touche à la vie privée des citoyens ?

Exposez votre point de vue dans un essai argumenté de 250 mots environ.

ACTIVITÉ 49

Le « bio » est un véritable phénomène de société. Les magasins « bio » se développent de plus en plus et les produits certifiés « bio » se multiplient. Le « naturel » jouit d'un réel succès auprès des consommateurs qui cherchent à manger sain. Mais faut-il vraiment manger « bio » pour manger « sain » ? Qu'en pensez-vous ? Vous-même, est-ce que vous cherchez toujours à manger « bio » ? Croyez-vous que le « bio » gagnera encore du terrain et qu'il sera davantage à la portée des consommateurs ?

Rédigez un article argumenté de 250 mots environ pour un magazine écologique.

ACTIVITÉ 50

La pollution touche profondément notre environnement : les sols, l'eau, l'air mais aussi notre environnement sonore. Quelle est la pollution qui vous insupporte particulièrement ? Pourquoi ? Qui sont, selon vous, les responsables de ces pollutions ? Pensez-vous qu'il serait possible de les réduire ? Comment ?

Exposez votre point de vue dans un essai argumenté de 250 mots environ.

Épreuves TYPES

Compréhension de l'oral ///////////// ///

///////////// **I** **Premier exercice** //

ACTIVITÉ 1

Répondez aux questions en cochant (X) la (ou les) bonnes(s) réponse(s). ///

1 • L'auto-entrepreneur type est un homme de 40 ans qui a une activité :
   a. ❑ de commerce de détail
   b. ❑ d'artisanat
   c. ❑ de services à la personne

2 • Les femmes représentent :
   a. ❑ 30 % des auto-entrepreneurs
   b. ❑ près de 40 % des créateurs d'entreprises classiques
   c. ❑ 40 % des auto-entrepreneurs

3 • L'âge moyen des auto-entrepreneurs est supérieur à celui des autres entrepreneurs.
   ❑ Vrai   ❑ Faux   ❑ On ne sait pas

4 • Les retraités sont deux fois moins nombreux chez les auto-entrepreneurs que chez les autres entrepreneurs.
   ❑ Vrai   ❑ Faux   ❑ On ne sait pas

5 • Il y a plus de salariés que de chômeurs chez les auto-entrepreneurs.
   ❑ Vrai   ❑ Faux   ❑ On ne sait pas

6 • Les jeunes auto-entrepreneurs se lancent surtout dans des activités en relation avec l'informatique.
   ❑ Vrai   ❑ Faux   ❑ On ne sait pas

ACTIVITÉ 2

1 ● Que veut dire le sigle CAT ?

2 ● À qui s'adresse ces centres ?

3 ● Cochez (✗) les bonnes réponses. Quel est le double objectif des CAT ?
   a. ❏ permettre aux personnes handicapées qui ont manifesté des capacités suffisantes d'accéder au milieu ordinaire du travail
   b. ❏ apporter des soins adaptés aux personnes handicapées
   c. ❏ faire accéder des personnes handicapées à une vie sociale et professionnelle dans le secteur ordinaire de production

4 ● Cochez (✗) les bonnes cases.
   Les CAT sont gérés par des associations :

	VRAI	FAUX	On ne sait pas
a. créées par des parents de personnes handicapées			
b. de loi 1905 à but non lucratif			
c. qui ont pour but la réalisation du projet individuel de la personne handicapée			
d. qui emploient 80 000 personnes et de nombreux volontaires			

5 ● Complétez la phrase suivante.
   Les personnes handicapées peuvent accéder à un milieu social et professionnel « grâce

   .... professionnel, à .... adaptés (..................., ...,

   .... et un milieu de vie .... et ....

6 ● Quel âge doit avoir une personne handicapée pour être accueillie dans un CAT ?
   Y a-t-il des exceptions ? Sous quelle(s) condition(s) ?

7 ● Cochez (✗) les bonnes réponses. Les CAT :
   a. ❏ accueillent les personnes handicapées quel que soit leur handicap
   b. ❏ ne reçoivent que des personnes souffrant du même handicap
   c. ❏ n'ont ni l'obligation ni l'interdiction de pratiquer la mixité des handicaps
   d. ❏ peuvent accueillir des personnes très handicapées

8 ● L'aptitude à travailler de la personne handicapée ne doit pas être supérieure au tiers de celle d'une personne valide.
   ❏ Vrai   ❏ Faux   ❏ On ne sait pas

9 ● Combien y a-t-il de CAT en France ?

Le rire est-il bon pour la santé ? Des « rigologues » exercent en milieu hospitalier.

Frontignan (Hérault)

ENVOYÉE SPÉCIALE

Le rire est-il vraiment le propre de l'homme, comme le clamait Rabelais par la bouche de Gargantua ? Est-ce encore vrai depuis que les chercheurs américains ont découvert, en 1998, que les rats couinent de plaisir lorsqu'on les chatouille ? Une question sur laquelle s'est penchée avec sérieux Corinne Cosseron, fondatrice de l'École internationale du rire, à Frontignan dans l'Hérault.

Depuis 2002, elle a formé plus de 2 000 animateurs et mené 200 formations de « rigologue », ainsi qu'une vingtaine de sessions d'« expert » pour ceux qui espèrent aller plus loin. Dans ce cas, ils sont habilités, après la soutenance d'un mémoire et un stage, à créer des clubs du rire et à inscrire la « rigologie » dans leur pratique professionnelle.

Au programme de la formation, constituée au minimum de trois stages d'une semaine à dix jours : méditation et yoga du rire, séance collective de clown... Le prix ? 800 euros pour les particuliers, 1 200 euros pour les entreprises (certaines sessions sont prises en charge par les formations professionnelles).

Que le rire fasse du bien, on en a presque tous fait l'expérience.

Dans les moments difficiles ou pour résister à l'adversité, le rire soulage. Il crée des espaces de liberté où l'on vit dans l'instant présent, transforme une angoisse en bulles hilarantes. Réflexe naturel, exutoire nécessaire au stress ? « *Un clown est comme une aspirine, sauf qu'il agit deux fois plus vite* », affirmait Groucho Marx.

Pour le neurologue Henri Rubinstein, le rire, réflexe vital présent chez tous les individus de la naissance à la mort, est un puissant antistress naturel. Bon pour le cœur, il donne de l'énergie, améliore le souffle en débloquant le diaphragme et a des effets positifs sur le sommeil. Il peut soulager des douleurs physiques, constate Robert Provine, neurobiologiste. Si ce dernier attribue au rire de vraies vertus, il n'existe pas, selon lui, de réelles preuves qu'il libère les endomorphines, les hormones du plaisir. Quant au psychiatre et psychothérapeute pour enfants et adolescents Stanislas Tomkiewicz, le rire serait une sorte de pilule du bonheur, un « tuteur de résilience » qui aide à surmonter les traumatismes.

Rigologue dans une maison de retraite dans le sud, Patou Morello a intégré le rire et le jeu dans les gestes de la vie quotidienne : « *Les médecins de l'établissement sont surpris de constater que les résidents, presque tous atteints de la maladie d'Alzheimer, sont plus pétillants et parviennent à se souvenir de choses simples, auparavant immédiatement reléguées dans l'oubli.* »

Audrey Julie, psychologue clinicienne depuis dix ans dans une association de prévention des maladies cardio-vasculaires, à Obernai, en Alsace, a suivi une formation à l'École internationale du rire. Depuis, elle réunit de 20 à 30 volontaires en atelier, tout en conservant les entretiens individuels. « *Mes patients diabétiques, stressés ou victimes d'un infarctus gèrent avec plus de bienveillance leur stress, dédramatisent leur souffrance quand arrive le moment de suivre un traitement à l'insuline. Ils sont heureux de consulter un psychologue de façon différente* », constate-t-elle.

« *On rit davantage en groupe,* rappelle Corinne Cosseron. *Le rire joue un rôle social, renforce les liens et développe un sentiment d'appartenance et de reconnaissance.* »

Mélanie Gazsi,
Le Monde, 9 août 2010.

Répondez aux questions.

1 • **Quelle découverte faite en 1998 fait douter que le rire soit vraiment le propre de l'homme ?**

2 • **Quelle est la particularité de l'école fondée par Corinne Cosseron ?**

3 • **Quelle discipline est-elle enseignée à l'école du rire ? Quels spécialistes y sont formés ?**

4 • Cochez (x) les affirmations exactes.
   À l'école du rire, depuis 2002 :
   a. ☐ plus de 2 220 rigologues de niveaux divers ont été formés
   b. ☐ les experts formés ont dû suivre un stage et soutenir un mémoire
   c. ☐ grâce à leur formation, les experts ont pu devenir professeurs
   d. ☐ il faut effectuer seulement 21 jours de stage
   e. ☐ on peut suivre des cours de yoga du rire et de méditation
   f. ☐ le prix de la formation pour les particuliers correspond aux deux tiers de celui payé par les entreprises

5 • Quelles sont les vertus du rire ? Que permet-il quand on vit des moments difficiles ?
   ....

6 • Relevez dans le texte des mots formés et se terminant de la même façon que le mot « rigologue » ?
   À quelles sciences correspondent-ils ? Que peut-on en conclure pour la « rigologie » ?
   ....

7 • Quelles pathologies, quels troubles, le rire « soigne »-t-il ?
   ....

8 • Résumez les deux témoignages de rigologues, considérés par ces derniers comme une preuve
   des effets du rire.
   ....

///////////////// **II** **Comprendre un texte argumentatif** ///

LES EXTENSIONS DE GARANTIE — À qui profitent-elles réellement ?

[…] Lorsque vous achetez un appareil électroménager ou encore un équipement audio-vidéo, il est obligatoirement assorti d'une garantie « constructeur ». Elle est de six mois, pouvant s'étendre jusque deux ans. Elle est souscrite dans le magasin, auprès d'une compagnie d'assurance. Toutefois, aujourd'hui, il est possible d'augmenter la durée de la prise en charge du produit par le biais d'une extension de garantie pouvant aller jusque trois ans. La durée totale de celle-ci pouvant ainsi atteindre cinq ans. Mais cette extension peut parfois se révéler onéreuse et qui plus est, inutile, compte tenu de l'objet garanti.

Par ailleurs, il faut savoir que l'enseigne profite largement de la souscription d'extension. Il y a en réalité peu de retour de produits pour réparation. Mais aussi, parce que, s'agissant des vendeurs, leur revenu mensuel dépend en grande partie des commissions touchées grâce à la vente de services. Parmi ces services, on trouve l'extension de garantie.

PLUS L'USAGE DE L'APPAREIL SERA FRÉQUENT, MOINS L'EXTENSION DE GARANTIE SERA INTÉRESSANTE.

Ainsi, certains vendeurs n'hésitent pas à mentir sur les garanties légales. En outre, L'UFC Que Choisir se montre « très sceptique » quant à l'intérêt des extensions de garantie. En effet, selon l'association, soit les produits sont assez fiables, soit la chute rapide du prix fait qu'il est parfois plus intéressant de racheter un produit neuf.

Pour leur défense, les vendeurs s'accordent cependant à faire valoir que l'extension de garantie peut être pertinente selon le type de produit concerné – selon qu'il soit plus ou moins « fragile » – et selon son prix. […]

En conséquence, si le consommateur préfère souscrire une extension de garantie, celui-ci se doit de rester vigilant, et ce afin d'éviter les mauvaises surprises. Ainsi, vous devez prendre en compte la spécificité de l'appareil notamment quant à son utilisation : plus l'usage sera fréquent, moins l'extension de garantie sera intéressante.

En effet, les pièces dites d'usure sont exclues du champ de la garantie, terme assez flou et souvent mal défini dans le contrat.

UN CONTRAT PAS CLAIR

Pensez aussi à vérifier le contenu exact de l'extension de garantie. D'une part, la rédaction du contrat n'est pas toujours claire et précise. D'autre part, parce qu'il peut prévoir certaines exclusions.

Le contrat proposé doit ainsi mentionner le remboursement des pièces défectueuses et la main-d'œuvre qu'il implique. En outre, il faut savoir que, selon l'enseigne, les frais de déplacement ne sont pris en charge que pour un rayon de 30 à 50 kilomètres entre le magasin et le domicile du client, et seulement pour les appareils les plus lourds.

Enfin, il est parfois préférable de se renseigner sur les prix de réparation pour les produits qui ne sont plus sous garantie. Ou encore, comparer le prix du produit neuf avec celui de l'extension de garantie qui se révèlera peut-être moins avantageux que ces deux premières options.

Le Magazine, avril/mai/juin 2012.

1 • **Un appareil électroménager peut être protégé :**
   a. ❑ jusqu'à six mois avec une extension de garantie
   b. ❑ jusqu'à deux ans avec la garantie constructeur
   c. ❑ jusqu'à trois ans avec la garantie constructeur
   d. ❑ jusqu'à six ans avec une extension de garantie

2 • **L'extension de garantie profite :**
   a. ❑ toujours au client
   b. ❑ surtout au fabricant
   c. ❑ principalement au magasin et à ses vendeurs
   d. ❑ exclusivement au magasin

3 • **L'extension de garantie se justifie :**
   a. ❑ presque toujours
   b. ❑ seulement pour les produits fragiles, au prix stable
   c. ❑ si les articles perdent rapidement de leur valeur
   d. ❑ pour financer le remplacement d'un produit fiable

4 • **Généralement, le contrat d'extension de garantie :**
   a. ❑ précise quelles sont les pièces qui sont exclues de la garantie
   b. ❑ est toujours très précisément rédigé
   c. ❑ prévoit le remboursement des frais de déplacement si le client habite à moins de 50 km du magasin
   d. ❑ indique le remplacement des pièces défectueuses et la prise en charge de la main-d'œuvre

5 • **Quelle phrase du texte résume l'attitude que doit avoir le client face à une extension de garantie ?**
....

6 • **Selon le texte, quels sont les trois points à examiner avant de souscrire une extension de garantie ?**
   Répondez avec vos propres mots.

   a. ....

   b. ....

   c. ....

Production orale

Vous dégagerez le problème soulevé par le document ci-dessous.

Vous présenterez votre opinion sur le sujet de manière argumentée et vous la défendrez si nécessaire.

Prédire l'avenir

« On ne peut pas prédire l'avenir, mais on peut imaginer des futurs »,
disait le prix Nobel de physique Dennis Gabor.

Établir des modèles permet donc à la science d'envisager des scénarios possibles. En tout état de cause, imaginer le futur influence déjà notre présent. Par exemple des centaines de milliers de vies ont d'ores et déjà été épargnées dans certaines régions où les violents tremblements de terre sont fréquents, grâce à l'élaboration des normes de construction parasismiques ; l'homme s'adapte donc, sans pour autant maîtriser ce phénomène naturel qui reste encore, pour une large part, imprévisible.

[...] Confronté à des évolutions rapides et inquiétantes de son environnement, [l'homme] a récemment redécouvert que son destin était étroitement lié à celui de la planète. Pour autant, la réciproque n'est pas vraie : la planète poursuivra son évolution, avec ou sans l'homme. Même s'il ne se l'avoue pas forcément, il sait implicitement qu'il tient entre ses mains bon nombre des clefs concernant son propre avenir. À lui désormais de prendre ses responsabilités.

L'équipe scientifique de Vulcania,
La Montagne – Magdimanche, 11 décembre 2011.

Production écrite

Que ce soit pour des raisons professionnelles ou personnelles, nous nous déplaçons, nous voyageons de plus en plus. Dans le cas de longues distances, il se pose alors souvent le problème du choix du moyen de transport : faut-il prendre le train ou l'avion ? Ce dernier est-il vraiment le moyen le plus rapide ? Quels sont, selon vous, les avantages et les inconvénients que présentent ces deux types de transport ?

Rédigez un article argumenté de 250 mots environ pour un magazine consacré aux voyages.

Petits PLUS

Grammaire //

En grammaire, en fonction de ce que préconise le « Référentiel pour le Cadre européen commun »
(Alliance Française, CLE International), pour réussir sans (trop) de difficultés les épreuves de l'unité B2
du DELF, il est nécessaire :

- **de maîtriser,** en compréhension et en expression orales et écrites :
    - les verbes suivis du subjonctif ou de l'indicatif (voir page 185),
    - les verbes suivis du subjonctif ou de l'infinitif (voir page 185),
    - les conjonctions suivies de l'indicatif, du subjonctif ou de l'infinitif (voir page 186),
    - les verbes accompagnés de prépositions (voir page 186),
    - les formes impersonnelles exprimant les degrés de certitude (voir page 187),
    - les adjectifs accompagnés de prépositions (voir page 187),
    - les pronoms relatifs composés (voir page 187),
    - la mise en relief (voir page 188) ;

- **de comprendre et savoir utiliser sans trop d'erreurs** à l'oral et à l'écrit :
    - les pronoms compléments *y /en* (verbes à prépositions) (voir page 188)
    - les noms accompagnés de la préposition « de » + infinitif (voir page 188)

- **de pouvoir utiliser** à l'oral et à l'écrit :
    - la modalisation (voir page 189)
    - les articulateurs logiques (voir page 189)
    - la restriction (voir page 190)
    - la négation « sans » suivie de l'infinitif (voir page 190)

- **de reconnaître et de pouvoir utiliser** à l'écrit :
    - le passé simple (voir page 190)
    - le passé surcomposé (voir page 190)
    - le participe présent (forme composée) (voir page 190)

- **de reconnaître** à l'écrit **et de pouvoir utiliser** à l'oral :
    - le conditionnel présent exprimant le doute

- **d'identifier** à l'écrit **et/ou éventuellement utiliser** à l'oral ou à l'écrit :
    le subjonctif passé, l'infinitif passé, le futur antérieur, l'antériorité, la postériorité,
    la simultanéité, la nominalisation, l'accord des participes passés, l'expression de la condition
    et de la mise en garde, l'expression de la prière, les nuances pour exprimer l'hypothèse,
    le doute...

En cas de doute ou d'oubli, consultez les pages indiquées entre parenthèses ou encore,
pour les points non présentés ci-après, une grammaire de référence.

I Les verbes suivis du subjonctif ou de l'indicatif

Un même verbe peut être suivi d'une subordonnée à l'indicatif ou au subjonctif selon le sens qu'il exprime.
– Les verbes d'opinion, tels que *penser, croire, estimer, juger, imaginer...* expriment ainsi la certitude ou le doute en fonction de la construction de la phrase ;
– Quelques verbes, tels que *dire, écrire, téléphoner, supposer, admettre, comprendre, entendre* changent de sens s'ils sont suivis de l'indicatif ou du subjonctif, indépendamment de la construction de la phrase.

1 LES VERBES D'OPINION

Ils sont suivis :
– de l'indicatif : * à la forme affirmative,
                      * à la forme interrogative intonative ou avec « est-ce que ».

Ils expriment alors la certitude.
– du subjonctif : * à la forme négative,
                      * à la forme interrogative avec inversion.

Ils expriment alors le doute.

Forme	Mode	Exemples	Sens
Affirmative	Indicatif	*Il **pense** qu'elle **vient** ce soir.*	Certitude
Interrogative avec intonation		*Tu **estimes** que c'**est** trop cher ?*	
Interrogative avec « est-ce que »		*Est-ce qu'ils **croient** que je **suis** malade ?*	
Négative	Subjonctif	*Il ne **pense** pas qu'elle **vienne** ce soir.*	Doute
Interrogative avec inversion		***Croient-ils** que je **sois** malade ?*	

2 CAS DES VERBES SPÉCIFIQUES

Verbes	Exemples	Sens
Dire	*Ils **disent** qu'ils **arriveront** dans la soirée.*	= une information
	*Ils **disent** que nous ne les **attendions** pas !*	= une demande
Supposer	*Nous **supposons** que vous **arriverez** tôt ?*	= nous pensons.
	***Supposez** que vous **arriviez** tôt, que ferez-vous ?*	= hypothèse
Comprendre	*Quand je l'ai vue, j'**ai compris** que c'**était** ta mère !*	= tu lui ressembles !
	*Je **comprends** qu'il ne s'**attende** pas à réussir...*	= il ne travaille pas...

II Les verbes suivis du subjonctif ou de l'infinitif

Un même verbe peut être suivi d'un infinitif ou d'une subordonnée au subjonctif.
Le verbe de la proposition subordonnée doit obligatoirement être à l'infinitif si :

a. le sujet de la proposition principale et celui de la subordonnée sont les mêmes.
La majorité des verbes exprimant la volonté, l'opinion, la croyance, sont directement suivis de l'infinitif
Lorsque le verbe de la principale est un verbe de sentiment, l'infinitif est alors précédé de la préposition « de ».

b. le complément d'objet du verbe de la proposition principale et le sujet de la subordonnée sont les mêmes.
C'est le cas de certaines expressions telles que ***ça me plaît que, ça me fait peur que, ça m'énerve que...***
L'infinitif est alors précédé de la préposition « de ».

c. le sujet du verbe de la proposition subordonnée est le complément indirect du verbe de la principale
(dans ce cas, l'infinitif n'est pas obligatoire mais préférable).

Cas	Phrase incorrecte	Phrase correcte
a	*Nous désirons* que *nous partions* demain.	*Nous désirons partir demain.*
b	*Ça lui plaît qu'il soit choisi pour le rôle.*	*Ça lui plaît d'être choisi pour le rôle.*
c	*Il m'ordonne que je vienne tout de suite.*	*Il m'ordonne de venir tout de suite.*

III Les conjonctions suivies de l'indicatif, du subjonctif ou de l'infinitif

a. **Les conjonctions qui marquent une conséquence simple sont toujours suivies de l'indicatif.**
   C'est le cas des conjonctions *de (telle) sorte que, de (telle) façon que, de (telle) manière que* lorsqu'elles expriment la manière, ainsi que de la conjonction *si bien que.*
   Ces conjonctions sont toujours précédées d'une virgule.

b. **Les conjonctions qui marquent une conséquence souhaitée ou un but sont suivies du subjonctif** quand le sujet de la proposition principale et celui de la subordonnée sont différents.
   C'est le cas des conjonctions : *de (telle) sorte que, de (telle) façon que, de (telle) manière que, pour que, afin que, de peur que (ne), de crainte que (ne).*

c. **Les conjonctions qui marquent une conséquence souhaitée ou un but sont suivies du subjonctif** quand le sujet de la proposition principale et celui de la subordonnée sont les mêmes. Les conjonctions subissent alors une modification :
   * *pour que → pour,*
   * *de (telle) sorte que, de (telle) façon que, de (telle) manière que → de (telle) sorte à, de (telle) façon à, de (telle) manière à,*
   * *afin que, de peur que (ne), de crainte que (ne) → afin de, de peur de (ne), de crainte de (ne).*

Cas	Exemples
a	*Elle portait un imperméable et avait un parapluie, **de telle sorte qu'elle** ne **s'est** pas **mouillée**.*
b	*Ils nous ont envoyé un plan précis **de peur que** nous **ne trouvions** pas la maison.*
c	*Elle baisse le volume de la télévision **de façon à** bien **entendre** le téléphone.*

IV Les verbes accompagnés de prépositions

Les verbes accompagnés de prépositions peuvent être suivis de :
- **un nom :** a. Le sens du verbe change selon la préposition qui l'accompagne,
              b. La préposition change en fonction de la nature des compléments ;
- **un infinitif :** la préposition qui accompagne le verbe peut se rapporter :
              a. au sujet,
              b. au complément direct,
              c. au complément indirect.

1 VERBES SUIVIS D'UNE PRÉPOSITION ET D'UN NOM

Cas	Verbes	Construction	Construction
a	Penser	*à quelque chose, à quelqu'un*	*Je pense **à** mes amis, **à** leur maison.*
		*quelque chose **de** quelqu'un*	*Je pense beaucoup de bien **de** cet homme.*
		*quelque chose **de** quelque chose*	*Je pense du mal **de** ce projet de voyage.*
b	Jouer	*à quelque chose*	*Elle a joué **au** hand-ball et **à la** pétanque.*
		de quelque chose	*Elle joue **du** piano et **de la** guitare.*
		sur quelque chose	*Elle a joué **sur** les mots.*

2 VERBES SUIVIS D'UN INFINITIF

Les verbes sont accompagnés principalement par les prépositions *à* et *de*.

Cas	Prépositions	Verbes	Construction
a	à	Commencer *à*	*Il a commencé à travailler à l'âge de 16 ans.*
	de	Attendre *de*	*J'attends de recevoir sa lettre pour me décider.*
b	à	Aider quelqu'un *à*	*Tu aides ton fils à faire ses devoirs ?*
	de	Remercier quelqu'un *de*	*Ils me remercient de les aider à comprendre.*
c	à	Enseigner *à... à...*	*Il enseigne à parler français aux étrangers.*
	de	Souhaiter *à... de...*	*Nous souhaitons à Pierre de faire un bon voyage.*

V Les formes impersonnelles exprimant les degrés de certitude

Après les formes impersonnelles exprimant les degrés de certitude, le verbe de la proposition subordonnée est :
a. **à l'indicatif,** si la forme impersonnelle est affirmative et le fait réel ;
b. **au conditionnel,** si la forme impersonnelle est affirmative et le fait hypothétique, possible ;
c. **au subjonctif,** si la forme impersonnelle est négative et le fait seulement imaginé, pensé.

Les formes les plus fréquentes sont les suivantes :
il est douteux que, il est possible que, il paraît que, il est probable que, il y a des chances que, il est vraisemblable que, il est manifeste que, il est vrai que, il est sûr que, il est certain que, il est incontestable que, il est indiscutable que, il est indéniable que...

Cas	Formes impersonnelles	Exemples
a	Il est probable que...	*Il est probable que nous irons à Paris.*
b	Il est vraisemblable que...	*Il est vraisemblable qu'avec du temps il pourrait le faire.*
c	Il n'est pas certain que...	*Il n'est pas certain que nos amis puissent venir.*

VI Les adjectifs accompagnés de prépositions

Certains adjectifs sont suivis de la préposition « *à* » ou « *de* » et de l'infinitif.

a. Les adjectifs suivis de la préposition « *à* » les plus fréquemment utilisés sont : *apte, disposé, enclin, habile, impuissant, lent, prêt, prompt.*

b. Les adjectifs suivis de la préposition « *de* » les plus fréquemment utilisés sont : *capable, certain, content, curieux, désolé, étonné, fatigué, fier, furieux, heureux, honteux, impatient, incapable, inquiet, las, libre, malheureux, nécessaire, satisfait, sûr, surpris, susceptible.*

c. Les adjectifs suivis de la préposition « *à* » ou « *de* » les plus fréquemment utilisés sont :
agréable / désagréable, facile / difficile, utile / inutile, possible / impossible, intéressant, amusant, drôle, triste, bon, joli, long.

Exemples : *C'est un sport agréable à pratiquer. – Il est agréable de pratiquer ce sport.*
Elle est lente à répondre. – Nous sommes heureux de travailler ici.

VII Les pronoms relatifs composés

Les pronoms relatifs composés sont formés d'une préposition suivie des pronoms : *lequel, laquelle* (masculin et féminin singulier), *lesquels, lesquelles* (masculin et féminin pluriel).
Lequel ou *laquelle* peut être remplacé par « *qui* » pour une personne.

a. Si la préposition est « à », les pronoms relatifs composés sont :
auquel (à + lequel), *à laquelle, auxquels* (à + lesquels), *auxquelles* (à + lesquelles)
Exemple : *Les personnes auxquelles (à qui) je pense sont les amis de mes parents.*

b. Si la préposition est « de », les pronoms relatifs composés sont :
duquel (de + lequel), de laquelle, desquels (de + lesquels), desquelles (de + lesquelles)
Exemple : *Le bâtiment près **duquel** j'habite est la mairie.*

c. Il peut aussi s'agir des prépositions : *avec, sur, sous, chez, dans, pour, par...*
Exemple : *La voiture avec **laquelle** je vais travailler est à ma sœur.*

VIII La mise en relief

La mise en relief, plus fréquente à l'oral qu'à l'écrit, consiste à insister sur un élément d'une phrase.
Deux procédés sont alors possibles.

a. La reprise de l'élément

- S'il s'agit d'un pronom (sujet ou objet), il est repris par un pronom tonique.
  Exemple : *Je ne suis pas fatigué, **moi**. – Et **elles**, vous **les** aidez ?*
- S'il s'agit d'un nom commun ou propre, il est repris par un pronom personnel.
  Exemple : *Et à **tes amis**, tu **leur** as dit que tu partais ?*
- S'il s'agit d'un nom, il est repris par le pronom démonstratif neutre « ça ».
  Exemple : *La **science-fiction**, tu lis **ça** ? – Tu lis **ça**, la **science-fiction** ?*

b. L'utilisation de la structure

- ***C'est*** + l'élément + un **pronom relatif**.
  Exemple : ***Tu** prépares le dîner ou moi ? → **C'est toi qui** prépares le dîner ou (c'est) moi ?*
- ***C'est*** + l'élément + la conjonction « que »
  Exemple : *Elle a répondu avec du retard à son amie. → **C'est** avec du retard **qu'**elle a répondu à son amie.*

IX Les pronoms compléments y/en

Les pronoms compléments « **en** » et « **y** » remplacent toujours *quelque chose d'inanimé*.

a. Les pronoms « *en* » et « *y* » peuvent remplacer un complément de lieu.
- « *y* » remplace un lieu où l'on va ou bien un lieu où l'on est.
  Exemples : *Je vais **à Paris**. → J'**y** vais.   Je travaille **à Paris**. → J'**y** travaille.*
- « *en* » remplace un lieu d'où l'on vient.
  Exemple : *Ils reviennent **d'Italie**. → Ils **en** reviennent.*

b. Le pronom « en » remplace :
- un nom précédé de : ***de la, de l', du, des***
  Exemples : *Je bois **de l'eau**. → J'**en** bois.   Il fait **du sport**. → Il **en** fait.*
- un nom précédé d'une quantité : **un, une, deux bouteilles de, un peu de, pas de...**
  Exemples : *Elle ne boit **jamais d'alcool**. → elle n'**en** boit jamais.*
  *Nous achetons **deux kilos de pommes**. → Nous **en** achetons **deux kilos**.*
- un nom précédé de la préposition « ***de*** »
  Exemple : *Ils parlent **de leurs études**. → Ils **en** parlent.*

c. Le pronom « *y* » remplace un nom précédé de la préposition « ***à*** ».
  Exemple : *Les enfants pensent **aux cadeaux de Noël**. → Les enfants **y** pensent.*

X Les noms accompagnés de la préposition « de » + infinitif

La préposition « ***de*** » peut servir à introduire l'infinitif complément d'un nom précédé généralement d'un article défini.

a. **C'est le cas de certains noms** tels que : *le fait, le don, l'ordre, le parti, le cas, l'envie...*
  Exemples : *Elle a **le don de chanter** juste.   Le **fait de parler français** est un avantage.*

b. **Dans la plupart des cas**, l'infinitif est le complément d'un nom signifiant un sentiment, une attitude, une situation :
le bonheur, l'envie, le plaisir, la peur, la volonté, le courage, l'amabilité, la tristesse, la gentillesse, l'amitié, la possibilité, la facilité, la capacité...
  Exemples : *Il a **le courage de plonger**.   Elle a eu **le malheur de perdre** ses bagages.*

c. Dans certaines expressions ou exclamations, le nom n'est pas précédé d'article.
  Exemples : *Quel **bonheur de pouvoir** se reposer !   J'ai **envie d'aller** au cinéma.*

XI La modalisation

La modalisation consiste à donner aux mots employés diverses nuances.
Identifier la modalisation permet de comprendre l'opinion du locuteur, de savoir s'il adhère ou non à ce qu'il dit.
Selon les mots ou les processus de modalisation utilisés, le degré de certitude sera plus ou moins fort.

La modalisation a recours à :

- **des adjectifs :** *sûr, évident, certain, vraisemblable, probable, possible...*
  Exemple : *Il va pleuvoir.* → *Il est **probable** qu'il va pleuvoir.*
- **des adverbes :** *certainement, forcément, probablement, vraisemblablement...*
  Exemple : *Il va pleuvoir.* → *Il va **probablement** pleuvoir.*
- **des expressions :** *sans aucun doute, d'après ce qu'on dit, selon toute vraisemblance...*
  Exemple : *Il va pleuvoir.* → *Il va **sans aucun doute** pleuvoir.*
- **des verbes d'opinion :** *penser, croire, supposer, affirmer, assurer...*
  Exemple : *Il va pleuvoir.* → ***Je pense qu**'il va pleuvoir.*
- **un verbe modal :** *devoir, pouvoir, falloir*
  Exemples : *Il va pleuvoir.* → *Il **pourrait** pleuvoir.*
        Il a plu. → *Il **a dû** pleuvoir.*
- **des comparaisons, des métaphores, des euphémismes, des litotes...**
  Exemple : *Il pleut fort.* → *Il tombe des cordes, il tombe des hallebardes, il ne pleut pas peu...*

XII Les articulateurs logiques

Il s'agit de mots et d'expressions qui introduisent, expriment les notions :
 – de cause,
 – de conséquence et
 – d'opposition.

a. Expression de la cause

La cause est essentiellement introduite par les conjonctions ***parce que, comme*** et ***puisque***.
Le tableau suivant permet de comprendre quel est leur emploi.

	Personne A	Personne B
A ne connaît pas la cause de l'action de B. **A pose une question à B.** →	*Tiens ! Tu vas au cinéma ? Pourquoi ?* →	***Parce qu**'il fait trop mauvais pour aller me promener !*
A ne connaît pas la cause de l'action de B. **A ne pose pas de question à B.** A « constate » quelque chose. → B prend la parole spontanément, donne la raison de son action. →	*Tu sors ?* → →	***Comme** il fait trop mauvais pour aller me promener, je vais au cinéma.*
A connaît la cause de l'action / de la demande de B. A propose quelque chose à B. → B prend la parole spontanément, explique une action / demande quelque chose. →	*Je vais à la poste. Tu veux quelque chose ?* → →	*Non, mais **puisque** tu y vas, tu veux bien poster mes lettres ?* ***Puisque** tu vas à la Poste, tu veux bien poster mes lettres ?*

b. Expression de la conséquence

La conséquence est introduite par une conjonction exprimant :
– soit une simple conséquence → ***si bien que*** (+ l'indicatif) ;
– soit une conséquence, un but que l'on souhaite → ***pour que*** (+ le subjonctif) ;
– soit une conséquence « résultat » d'une intensité → ***si*** (+ adjectif ou adverbe) + ***que***
              tellement (+ adjectif ou adverbe) + ***que***
 Exemples : *Il a trop mangé, **si bien qu**'il est malade.*
      *Elle m'a envoyé un sms **pour que** nous allions la chercher à la gare.*
      *Tu es si (tellement) adroite **que** tu réussis tout !*

c. Expression de l'opposition

Elle peut être introduite :
– par une conjonction : *alors que, tandis que* ;
– par une préposition : *au lieu de, contrairement à* ;
– par un mot de liaison : *mais, au contraire, en revanche, par contre.*
   Exemples : *Il travaille **mais** moi, non.*   *Il travaille **tandis que** moi, non.*

XIII La restriction

Ne... que est une expression adverbiale ayant le même sens que l'adverbe **seulement**.
À la forme simple comme à la forme composée, « **ne** » et « **que** » se placent avant et après le verbe.
   Exemple : *Il a seulement eu le temps de boire un café. → Il n'a eu **que** le temps de boire un café.*

XIV La négation « sans » suivie de l'infinitif

La préposition « **sans** » exprime l'absence, le manque et donc la négation. Elle s'emploie suivie d'un infinitif
pour exprimer deux actions réalisées par une même personne, « **sans** » introduisant une négation.
   Exemple : *Je devais prendre un train, alors je suis partie, je n'ai pas perdu de temps !*
      *→ Je devais prendre un train, alors je suis partie **sans perdre** de temps.*

XV Le passé simple

a. Formation

Souvent le radical du passé simple est le même que celui du participe passé.
   Exemples : *Parler → **parlé** → je **parl**ai*   *Dire → **dit** → je **dis***   *Avoir → **eu** → j'**eus***   *Boire → **bu** → je **bu**s*

b. Terminaisons

	Personne A		Personne B		Personne B
je	-**ai**	*aimer → j'aim**ai***	-**is** -**us**	*finir → je fin**is*** *savoir → je **su**s*	*je **tin**s* - *je re**tin**s* *je **vin**s* - *je re**vin**s*
il / elle / on	-**a**	*aimer → il aim**a***	-**it** -**ut**	*finir → il fin**it*** *savoir → il **su**t*	*elle **tin**t* - *elle dé**tin**t* *elle **vin**t* - *elle re**vin**t*
ils / elles	-**èrent**	*aimer → ils aim**èrent***	-**irent** -**urent**	*finir → ils fin**irent*** *savoir→ ils **su**rent*	*elles **tin**rent* *elles **vin**rent*

c. Emploi

Il exprime une action ou un fait terminé qui a eu lieu dans un passé sans lien avec le temps où l'on se trouve actuellement.
   Exemple : *Hier, il **prit** le même train qu'il **a pris** aujourd'hui.*

Le passé simple est un temps du récit qui est généralement réservé à l'écrit. Actuellement, seules des 3ᵉ personnes
du singulier et du pluriel sont utilisées.

XVI Le passé surcomposé

On utilise les passés surcomposés pour parler d'une action antérieure à une autre action qui est terminée également
dans le passé et qui est exprimée au passé composé. Ce temps est surtout utilisé à l'oral, dans les subordonnées de temps.
   Exemples : *Dès qu'ils **ont été sortis**, les enfants **se sont mis** à courir.*
      *Quand elle **a eu fini** sa lettre, elle **est allée** la poster.*

XVII Le passé présent (forme composée)

Le participe présent surcomposé se forme à l'aide des verbes « être » ou « avoir » au participe présent + le participe
passé du verbe. Le participe présent surcomposé indique une antériorité.
   Exemple : ***Ayant mangé** trop de chocolats, elles sont tombées malades.*

Lexique

//

En lexique, pour réussir sans (trop) de difficultés les épreuves de l'unité B2 du DELF, il est nécessaire :

- **d'avoir des connaissances lexicales** relatives aux sujets d'actualité et aux faits de société, que ce soit en compréhension ou en production orales et écrites :
  - – la politique,
  - – la religion,
  - – l'éducation,
  - – l'écologie,
  - – la culture : cinéma, littérature, arts plastiques…
  - – le droit et la justice,
  - – la défense,
  - – l'économie,
  - – la santé,
  - – l'histoire,
  - – la mode,
  - – le monde du travail

  (*Référentiel pour le Cadre européen commun*, Alliance Française, CLE International)

- **de comprendre, de dégager le plus vite possible les idées du document,** qu'il soit oral ou écrit et pour cela :
  - – de faire appel à toutes ses connaissances lexicales courantes ou relatives au domaine abordé ;
  - – de recourir aux stratégies de compréhension du lexique utilisées en langue maternelle.

- **de s'exprimer de façon spontanée et fluide à l'oral, avec aisance et de façon appropriée à l'écrit :**
  - – grâce à une bonne maîtrise du lexique relatif au thème concerné ;
  - – grâce aussi à des stratégies d'expression permettant de pallier les lacunes ou les difficultés lexicales.

//////////// **I** **Éléments communs à la compréhension et à l'expression orales et écrites** ////////////

Afin de réaliser sans trop de difficultés les activités de compréhension et d'expression, il est indispensable :
– d'avoir des connaissances lexicales relatives aux différents aspects du thème abordé ;
– d'être en mesure de reconnaître à l'écrit et d'utiliser de façon appropriée en expression orale ou écrite les synonymes et les antonymes d'un mot connu, mais aussi les polysémies d'un même terme en fonction du contexte.

1. Lexique du thème abordé

Il s'agit, de pouvoir retrouver ou identifier le plus grand nombre de mots relatifs à ce thème.
Pour cela, il convient de considérer, de prendre en compte les différents aspects du thème abordé.

1 RECHERCHE DES ASPECTS RELATIFS À UN THÈME

Si le thème est par exemple celui du monde du travail, les aspects possibles sont :
– le lieu de travail ;
– les conditions de travail : lieu, horaires, rythmes, congés ;
– les droits et obligations du travailleur ;
– les partenaires de travail ;
– les conflits, les problèmes…

2 RECHERCHE DU LEXIQUE RELATIF AUX DIFFÉRENTS ASPECTS DU THÈME

Pour le thème précédent, les termes pourraient être :
– **le lieu de travail :** *la société, l'entreprise, le magasin, l'usine, l'atelier, le laboratoire, le bureau, l'école, le chantier ;*
– **les conditions de travail :** *heures supplémentaires, temps plein, temps partiel, mi-temps, pauses, pointer, pointeuse, 40 h, 35 h, les 3x8…, congés, vacances, RTT (récupération de temps de travail), 5 semaines, 6 semaines, congés maternité, congé parental, congé maladie… ;*
– **les partenaires de travail :** *le patron, le chef, le(la) directeur(trice), le(la) PDG, le(la) DRH (directeur(trice) des ressources humaines), un(e) collègue, le(la) secrétaire… ;*
– **les droits et obligations du travailleur :** *le respect du contrat, la ponctualité, la protection sociale, le droit de grève, l'obligation de réserve, le(les) syndicats, syndiqué(e), délégué syndical, comité d'entreprise…*
– **les conflits, les problèmes :** *le débrayage, débrayer, la grève, faire grève, la grève sur le tas, la grève du zèle, le licenciement, la mise à pied.*

2. Synonymie, antonymie et polysémie

1 LA SYNONYMIE

Un synonyme est un mot qui a le même sens ou pratiquement le même sens qu'un autre.
Toutefois en fonction du contexte, un mot ne pourra pas être remplacé par n'importe lequel de ses synonymes.

Exemples : *Il est **gentil** avec tout le monde.* = il est **attentionné**.
*Il a eu un mot **gentil** pour moi.* = **aimable** – *Cet enfant est **gentil**.* = **sage, obéissant**
*C'est **gentil** chez toi.* = **joli, coquet** – *C'est un **gentil** petit chien.* = **mignon**

2 L'ANTONYMIE

Un antonyme est un mot dont le sens est le contraire d'un autre.

Exemples : bon ≠ mauvais   chaud ≠ froid   loin ≠ près

Pour exprimer l'idée d'antonymie, il est possible d'utiliser divers processus :
– des préfixes : « in- » → possible ≠ **im**possible - « dés- » → agréable ≠ **dés**agréable
– les antonymes eux-mêmes : grand = pas petit - gros = pas mince

3 LA POLYSÉMIE

Un mot polysémique est un mot qui a plusieurs sens.

Exemples : Une ronde = 1. Une danse où les gens forment un cercle en se tenant par la main ; 2. Une note de musique ; 3. Une visite, une inspection d'un lieu pour s'assurer que tout va bien.

II Stratégies de compréhension lexicale

Le fait que, dans un texte, le lexique soit présenté en contexte, facilite beaucoup sa compréhension. En fonction du type de texte, le lecteur va recourir à des stratégies différentes pour approcher et comprendre le lexique. Trois stratégies sont plus particulièrement utilisées, souvent en même temps : les mots en correspondance, l'inférence lexicale, les réseaux lexicaux.

1 LES MOTS EN CORRESPONDANCE

Dans certains textes, notamment des entretiens, on s'aperçoit que les mots se correspondent, s'explicitent mutuellement. La stratégie consistera alors, pendant la lecture du texte, à vérifier s'il existe une correspondance entre les mots d'un paragraphe et ceux d'un autre, entre ceux d'une remarque ou d'une question et ceux de la réponse afin d'en tirer parti pour comprendre le texte. Les mots inconnus seront compris grâce à aux mots connus qui leur correspondent.

2 L'INFÉRENCE LEXICALE

Pour bon nombre de textes le titre, ainsi que le chapeau, s'il y en a un, permettent d'inférer, c'est-à-dire de prévoir dans ces textes, la présence d'un certain nombre de mots, ou bien de leurs synonymes qui appartiennent au thème, au domaine abordé.
Le lecteur va dès lors faire appel à ses connaissances lexicales mais aussi à ses connaissances dans le domaine traité. Il va aussi bien sélectionner les termes propres au sujet que rejeter ceux qui ceux qui ne le concernent pas.

3 LES RÉSEAUX LEXICAUX

On constate que dans le cas de certains textes qui exposent un problème, des idées, ou qui présentent un objet, une expérience, les mots employés se regroupent pour former des « réseaux » autour des idées de ces textes.

III Stratégies d'expression

Il est important, pour le futur candidat à un examen, mais, de façon générale, pour toute personne ayant à s'exprimer oralement ou à l'écrit de posséder un certain nombre de stratégies lui permettant de pallier ses difficultés. La crainte assez fréquente est celle qui consiste à manquer de vocabulaire, à ne pas pouvoir exprimer sa pensée. En réalité, les connaissances lexicales acquises permettent en général d'éviter de rester sans parole ou sans pouvoir trouver le mot qui convient à l'écrit.
La stratégie consistera donc à transférer à la langue étrangère les procédés utilisés en langue maternelle, à les appliquer chaque fois qu'ils se révèlent nécessaires.
Il est possible de faire appel à :
– un synonyme,   – un antonyme,
– un procédé de définition,   – un procédé de description,
– une explication,   – une comparaison,
– voire d'essayer de former un mot exprimant ce que l'on souhaite en mettant en application ses connaissances dans la formation des mots. Ceci est plus facile et moins risqué à l'oral car notre interlocuteur participe en général à la recherche du terme et souvent propose celui qui lui semble convenir.

N° : 10221917- Dépôt légal : juillet 2014
Achevé d'imprimer en France chez IME by Estimprim en janvier 2016
Le papier de cet ouvrage est composé de fibres naturelles, renouvelables, fabriquées à partir de bois provenant de forêts gérées de manière responsable.